Y0-CAR-820

ATLAS
HISTORIQUE

l'histoire du monde en 317 cartes

ATLAS HISTORIQUE

l'histoire du monde en 317 cartes

Sous la direction de

GEORGES DUBY

de l'Académie française

17, RUE DU MONTPARNASSE, 75298 PARIS CEDEX 06

Responsable de la cartographie
Michèle BÉZILLE, cartographe E.S.C.G.

Les cartes de cet atlas sont extraites de l'Atlas historique Larousse et du Grand Dictionnaire encyclopédique Larousse. Leur mise au point a été assurée avec le concours de :
Charyar ADLE, Dimitar ANGUELOV, Jean-Paul BERTAUD, Jean-Marie BERTRAND, Jean-Charles BLANC, Henri BRUNSCHWIG, Paule BRASSEUR, Marie-Paule CANAPA, Georges CASALIS, Édith CHABRIER, François-Georges DREYFUS, Pierre DUFOURCQ, Jacques DUPÂQUIER, Marcel DURLIAT, Jean FAVIÈRE, Louis FRÉDÉRIC, Paul GAUTIER, Jean-Philippe GENET, Céline GERVAIS, René HAROT, Michel HOÀNG, Jean-René JANNOT, Paul JANSSENS, André KASPI, Joël KERMAREC, Sylvain LABOUREUR, Gilbert LAFFORGUE, Jean-François LE MOUËL, Jean LASSUS, Danièle LAVALLÉE, Jean LECLANT, Christian LEROY, Jean LE YAOUANQ, Fernand L'HUILLIER, Denys LOMBART, Claudine LOMBARD-SALMON, Ali MAHJOUBI, Jean-Claude MARCADÉ, Jean-Pierre MARTIN, José MERINO, Jean MEYER, Bernard MICHEL, Michel MOLLAT, Jean-Louis MONNERON, Suzanna MONZON, Hansjörg OSTERTAG, Gilbert Charles PICARD, Pierre PIERRARD, Anne PRACHE, Hélène ROCHE, Pierre ROUDIL, Jean-Paul ROUX, Mireille SIMONI-ABBAT, François SOUCHAL, Irénée TERRIÈRE, Pierre THIBAULT, Jean-Louis VAN REGEMORTER, Paul-Émile VICTOR, René VIÉNET, Pierre WEISS, Xavier YACONO, Witold H. ZANIEWICKI.

Les notices ont été rédigées avec le concours de :
Albert JOURCIN,
Pierre THIBAULT,
Germaine VIVIEN
et le service de Rédaction de Larousse.

Mise en pages : Guy CALKA.
Fabrication : Michel PARÉ

Préface

L'*Atlas historique Larousse* est sorti des presses il y a neuf ans. Depuis lors il a reçu du public un accueil si favorable qu'il est apparu nécessaire de le rendre aujourd'hui plus accessible. En voici donc une édition moins coûteuse, destinée à répandre plus largement l'usage de cet indispensable instrument de connaissance, d'enseignement et de recherche. Allégée, la présentation conserve toute son élégance et sa clarté. Une sélection rigoureuse a permis de condenser sans l'appauvrir le texte des notices, et, si quelques cartes ont été retirées parce qu'elles ne semblaient pas d'utilité majeure, d'autres, qui manquaient, viennent ici en complément. Sous sa forme nouvelle, le livre répond ainsi aux mêmes exigences qui incitèrent naguère à le proposer aux historiens de profession, aux enseignants, à leurs élèves et à leurs étudiants, mais aussi à tous ceux qui cherchent à mieux comprendre ce qui dans le présent les surprend, les inquiète ou retient leur curiosité.

Car, d'une part, l'actualité s'éclaire par tout ce qui l'a précédée et la détermine : à tout instant, la référence à l'histoire s'impose. D'autre part, l'histoire s'inscrit sur le sol, et non seulement l'histoire politique, mais celle des institutions, des croyances, de la création artistique, celle des mœurs ou des relations économiques. Pour pousser plus avant ses investigations, le chercheur ne peut se passer de la carte, puisque la représentation graphique met en lumière des rapports imprévus entre les faits qu'il découvre. Le professeur sait bien qu'il lui faut utiliser la carte pour soutenir son discours devant ceux qui écoutent ses leçons. Et chacun d'entre nous, portant son regard sur le monde, sent le besoin, lorsqu'il voyage, lorsqu'il visite une exposition, ou bien lisant un livre, enfin pour tirer parti des multiples informations qui lui parviennent, de situer exactement dans l'espace des événements, proches ou lointains, ainsi que les mouvements profonds qui firent au cours des âges se modifier le nombre des hommes, leurs opinions, leur culture, leurs attitudes politiques, leurs manières de vivre.

Encore convient-il que les cartes soient parfaitement lisibles et qu'on puisse aisément s'y référer. Ont donc été mis en œuvre ici les procédés les plus efficaces pour exprimer les faits historiques par le trait, la couleur et la nomenclature. Un classement simple, de sobres commentaires, un index aident à se repérer parmi les figures, à exploiter sans peine les riches renseignements qu'elles procurent. L'*Atlas historique* n'a rien perdu des qualités qui firent son éclatant succès. Il est complet. Il est séduisant. Rajeuni, peut-être est-il plus pratique encore qu'il n'était.

georges duby

Le monde ancien jusqu'à l'an mille

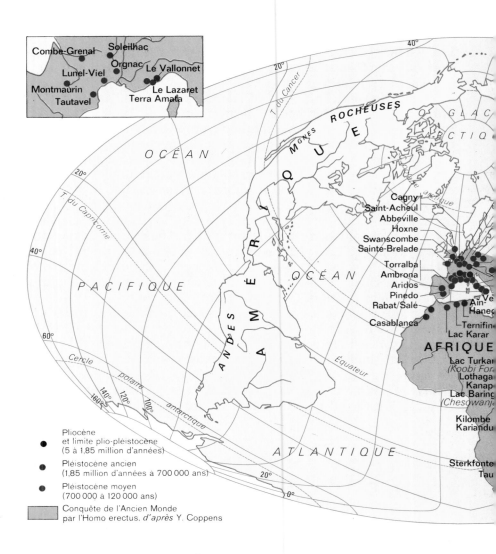

Combe-Grenal · Soleilhac
Orgnac
Lunel-Viel · Le Vallonnet
Montmaurin · Le Lazaret
Tautavel · Terra Amata

OCÉAN

T. du Cancer

MGNES ROCHEUSES

T. du Capricorne

PACIFIQUE

ANDES

AMÉRIQUE

OCÉAN

Cagny
Saint-Acheul
Abbeville
Hoxne
Swanscombe
Sainte-Brelade

Torralba
Ambrona
Aridos
Pinedo
Rabat/Salé

Casablanca

Aïn-Hanec
Ternifine
Lac Karar

AFRIQUE

Lac Turkan
(Koobi For
Lothaga
Kanap
Lac Baring
(Chesowanje

Kilombè
Kariandu

Sterkfonte
Tau

Cercle polaire antarctique

Équateur

ATLANTIQUE

40°
20°
20°
40°
60°
160°
140°
120°
100°
20°
0°

- Pliocène
  et limite plio-pléistocène
  (5 à 1,85 million d'années)
- Pléistocène ancien
  (1,85 million d'années à 700 000 ans)
- Pléistocène moyen
  (700 000 à 120 000 ans)

Conquête de l'Ancien Monde
par l'Homo erectus, *d'après* Y. Coppens

Le progrès récent des connaissances en préhistoire permet de faire remonter très haut l'histoire de l'homme. Au début du Miocène, les primates, regroupés sous l'appellation des Dryopithèques, se sont différenciés en Gigantopithèques, Ramapithèques, Kenyapithèques, Australopithèques, premiers primates à la bipédie permanente qui ont évolué en Afrique orientale entre 3,7 millions et 1,5 million d'années. Vers 2 millions d'années survient le genre « Homo » : *Homo habilis*, africain également, se tient plus vertical et son crâne est de plus grande capacité (il a été trouvé en premier lieu dans le site d'Olduvai, en Tanzanie).

Les débuts de l'aventure humaine

Mais la préhistoire commence véritablement avec les premiers outils, quelques galets taillés, dont les plus anciens, trouvés en Éthiopie, datent de 2 millions et demi d'années. Ils sont attribuables aussi bien à l'Australopithèque qu'à *Homo habilis*, qui coexistèrent quelque temps.

Ensuite, *Homo habilis* différencia son outillage lithique en grattoirs, rabots, perçoirs, racloirs, etc., formant ce qu'on appelle l'Oldowayen. *Homo erectus* qui dérive de *Homo habilis*, se présente sous diverses formes. Le Sinanthrope, le plus évolué, avec un cerveau de plus de 1 000 cm³, est connu par le site de Zhoukoudian, en Chine. Le Pithécanthrope a fait son apparition à Java. L'Atlanthrope a colonisé l'Afrique du Nord, où il est apparu d'abord à Ternifine. *Homo erectus* s'est installé aussi en Europe, où il a dû s'adapter aux rigueurs d'un climat périglaciaire. Ses progrès se suivent dès lors grâce aux lieux d'apparition de l'outillage caractéristique de l'industrie acheuléenne : à Ubeidiya (Israël), il y a 900 000 ans, en Chine, à Lantian, puis à Zhoukoudian, où il s'épanouit de 700 000 à 300 000 ans. Il est arrivé tôt en France : il y a 900 000 ans à la grotte du Vallonnet, 800 000 à Solheilac, et s'est répandu dans de nombreux sites (Tautavel, Terra Amata, Lunel-Vieil, Le Lazaret, etc.). La pierre se travaille différemment, on commence à utiliser l'os et sans doute le bois. L'utilisation du feu serait apparue lors d'une glaciation (Mindel) : les premiers témoignages se rencontrent à Zhoukoudian, à Vértesszöllös et, peut-être avec un aménagement caractérisé, à Terra Amata.

Dans l'Orient ancien, la médiocrité des conditions techniques explique l'importance du milieu naturel ; on distingue, du nord-est au sud-ouest, une bordure montagneuse (Zagros), une dépression irriguée par le Tigre et l'Euphrate (Croissant fertile) et un désert (Arabie). Les premiers cultivateurs sédentaires sont repérés dès le VIᵉ millénaire (Eridou ; Our). Le critère linguistique ne donne aucune certitude concernant la civilisation de Sumer, la plus ancienne connue ; celle-ci apparaît au XXXIIᵉ siècle, sous la forme de cités-États évoluant vers une monarchie d'abord militaire, puis théocratique ; le roi et les temples possèdent la terre, donnent son essor au commerce ; on utilise l'écriture cunéiforme ; la religion et la monarchie engendrent l'art. Une renaissance au XXIᵉ siècle (Our) est précédée par l'installation dans le pays d'Akkad de conquérants sémites, archers venus des steppes d'Arabie ; ces nomades, sédentarisés, se constituent en royaume notamment sous l'influence de Sargon d'Akkad (v. 2325). Leur postérité est assurée.

Ayant d'abord connu un grand essor commercial grâce à ses échanges avec l'Anatolie, surtout dans sa partie cappadocienne (XIXᵉ s.), l'Assyrie se militarise et domine un empire étendu (XIVᵉ-XIIIᵉ s.) ; la Babylonie, au contraire, se caractérise par son goût pour le commerce et les lois : code du roi Hammourabi [1792-1750]. Les XVIᵉ-XVᵉ siècles sont des « siècles obscurs ».

La Mésopotamie ancienne

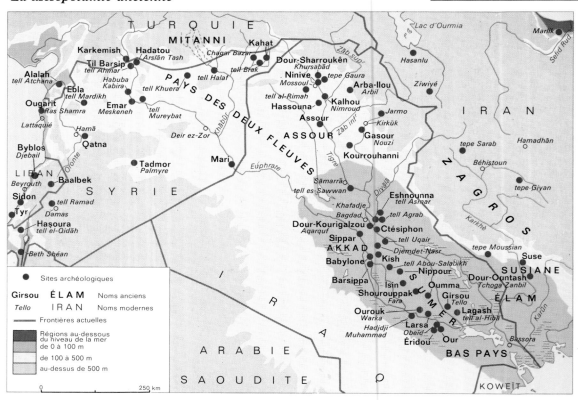

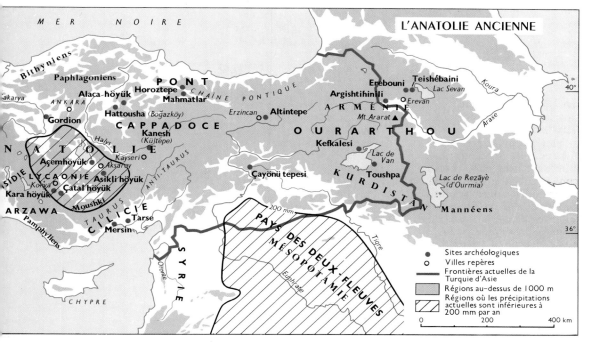

L'Anatolie ancienne

De hauts plateaux arides, quelques plaines littorales, étroites et rares, constituent l'Anatolie. Le premier établissement connu remonte au VIIe millénaire : Çatal höyük. Aux indigènes, appelés Hatti, se sont superposés des envahisseurs indo-européens, éleveurs et cavaliers, qui ont souvent constitué les aristocraties locales ; ces conquérants se sont même introduits en Iran. Les deux grandes civilisations de l'Asie Mineure sont celle des Hittites, installés dans la boucle de l'Halys, et celle des Hourrites du Mitanni, immédiatement à l'est. Des invasions, d'origine mal connue mais attestées en Anatolie (avant 1700), provoquent l'ébranlement des Hyksos vers l'Égypte et des Kassites vers la Mésopotamie ; elles sont suivies de deux siècles « obscurs » (XVIe et XVe s.). L'État hittite, qui existe dès les environs de 1650, atteint son apogée avec Souppilouliouma (XIVe s. : textes de Tell al-Amarna) ; la capitale, Hattousha, témoigne de sa richesse, en partie foncière (noblesse) ; le régime est une monarchie militaire (chars) ; la religion, vive, témoigne d'un syncrétisme avancé (divinités indigènes et indo-européennes) ; elle alimente un art imposant. Le Mitanni n'est puissant qu'au XVe siècle. Au XIIe siècle arrivent de nouveaux envahisseurs : les Ioniens développent une civilisation de très haut niveau ; les Phrygiens créent une société où se côtoient Hittites et Thraces. Au VIe siècle, la riche Lydie des Mermnades domine l'Anatolie occidentale. (V. carte p. 10.)

L'art égyptien atteint presque sa perfection dès l'Ancien Empire. Il exprime trois idées : majesté du pharaon, puissance des dieux, croyance en l'au-delà. Le caractère royal de cet art explique l'importance des capitales comme centres artistiques, Memphis et Thèbes ; il s'exprime dans les statues officielles (colosses de Ramsès II). L'aspect sacré est mieux représenté. La religion, polythéiste, est largement zoomorphe, et la magie joue un grand rôle (scarabées) ; sous le Nouvel Empire, la tentative d'Akhenaton en faveur d'Aton (le disque solaire) provoque la naissance de l'art de Tell al-Amarna (portraits de Nefertiti) ; mais, alors qu'Akhenaton échoue, on voit s'esquisser un syncrétisme entre le Rê d'Héliopolis et l'Osiris d'Abydos. Les créations sacrées les plus importantes sont les temples hypostyles de Karnak, reliés au sanctuaire de Louqsor par l'allée des Sphinx, et ceux d'Abou-Simbel. La liaison entre politique et religion est évidente dans le culte des morts, par le gigantisme des sépultures royales ; sous l'Ancien Empire, aux *mastabas* (« bancs ») succèdent les pyramides de Saqqarah, puis de Gizeh ; sous le Nouvel Empire, les temples funéraires sont distincts des tombes : Vallée des Rois, Deir al-Bahari. Le peuple est présent dans l'art égyptien, mais son rôle y est secondaire.

Égypte : archéologie

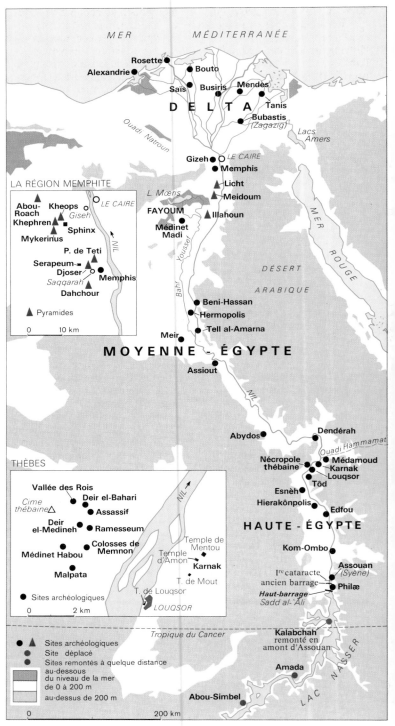

6

Du XVIᵉ au XIᵉ siècle, quatre puissances dominent le Proche-Orient : l'Égypte, les Hittites, l'Assyrie et Babylone ; les autres cités ou royaumes sont soumis aux uns ou aux autres, sauf en de brefs moments d'indépendance. Une première étape (XVIᵉ-XVᵉ s.) est marquée par la constitution d'un empire égyptien ; l'Égypte domine déjà la Nubie, mais, en représailles contre les assauts des Hyksos, elle est amenée à pénétrer en Asie et à y demeurer ; pour y parvenir, Ahmosis, Aménophis Iᵉʳ et Thoutmosis Iᵉʳ développent leur armée (chars et arcs légers), accompagnée d'une activité diplomatique intense (tablettes de Tell al-Amarna et de Boğazköy), se heurte à l'État hourrite du Mitanni, qui résiste (XVᵉ s.), puis s'effondre sous les coups conjugués des pharaons, des Hittites, des Assyriens. Une deuxième étape (XIVᵉ-XIIIᵉ s.) est marquée par deux conflits parallèles. Le premier oppose Égyptiens et Hittites ; sous Aménophis III, un certain équilibre s'instaure (v. 1365), mais Souppilouliouma relève la puissance des siens, domine Syrie, Phénicie, Mitanni ; Seti Iᵉʳ, puis Ramsès II réagissent : Hittites et Égyptiens s'opposent à la bataille de Kadesh ; en 1284, la menace assyrienne contraint Hattousili III à traiter avec l'Égypte. L'Assyrie est précisément l'un des protagonistes du second conflit, qui l'oppose à Babylone ; un siècle de guerres indécises aboutit à quelque stabilité. À ce moment-là, le Proche-Orient est bouleversé par les Peuples de la Mer (v. 1191) ; les Phrygiens s'attaquent à l'Empire hittite, les Philistins menacent l'Égypte, qui les rejette mais ne peut les empêcher de se maintenir entre Gaza et le mont Carmel : le pharaon a perdu l'Asie.

Le Nouvel Empire

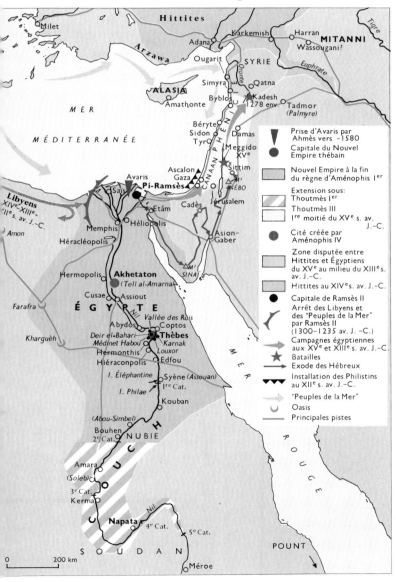

Peuple sémitique, les Hébreux sont longtemps nomades ; après leur sortie d'Égypte, ils s'emparent de la terre de Canaan (XIIIᵉ s.), « où ruissellent le lait et le miel » (Deutér., XXVI, 9) : une plaine littorale précède deux lignes de collines – pauvres au sud (Judée, Samarie, Moab), plus riches au nord (Galilée) –, qui encadrent le désert de la mer Morte.

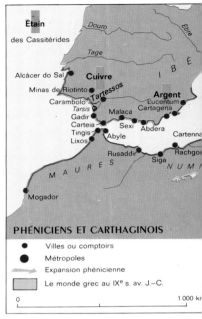

PHÉNICIENS ET CARTHAGINOIS

- Villes ou comptoirs
- Métropoles
- Expansion phénicienne
- Le monde grec au IXᵉ s. av. J.-C.

0   1 000 km

Les Phéniciens (pour Carthage, v. cartes pp. 20, 21 et 262) sont des Sémites du groupe cananéen. Ainsi qu'en témoignent les tablettes de Ras Shamra (XIVᵉ-XIIIᵉ s. av. J.-C.) découvertes sur le site de l'antique Ougarit, leurs cités sont gouvernées par des rois : on connaît également, au Xᵉ siècle, Hiram de Tyr. Paysans d'abord, ils sont ensuite « ces marins rapaces qui, dans leur noir vaisseau, ont mille camelotes » (l'Odyssée, XV, 415). Byblos assure les relations avec l'Égypte (cèdre du Liban contre blé, papyrus) ; en Orient, on vend des produits de luxe (parfums, verrerie, bijoux, étoffes de pourpre). Tyr et Sidon s'adon-

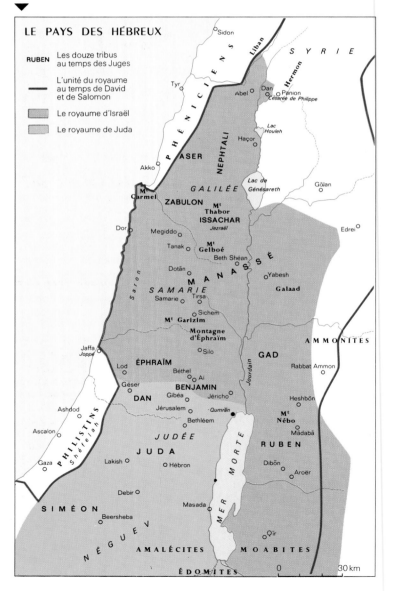

LE PAYS DES HÉBREUX

- RUBEN Les douze tribus au temps des Juges
- L'unité du royaume au temps de David et de Salomon
- Le royaume d'Israël
- Le royaume de Juda

Le pays des Hébreux

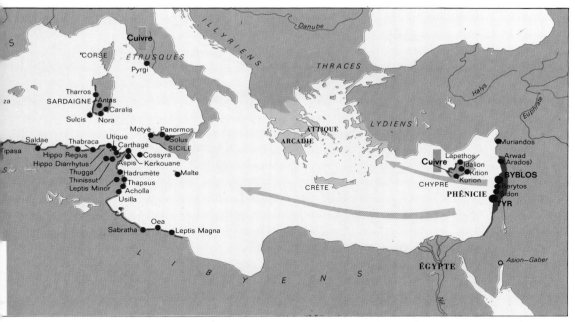

Phéniciens et Carthaginois

nent à un commerce plus lointain, avec la Sicile, l'Afrique,
l'Espagne, pour y échanger des
produits de luxe contre des métaux (Espagne), de l'ivoire (Afrique), des esclaves. Partout, ils
répandent leurs établissements :
à Chypre dès le IXe siècle ; à
Rhodes au VIIe siècle ; dans
l'Ouest méditerranéen surtout
après la fondation d'Utique
et de Carthage, d'où ils diffusent
hommes, produits et cultes
principalement agraires,
au-delà même des Colonnes
d'Hercule (auj. détroit de
Gibraltar). On attachera
davantage d'importance à la plus
extraordinaire des inventions de
ce peuple : l'alphabet.

LE BASSIN MÉDITERRANÉEN
DU IXe AU IIIe SIÈCLE AV. J.-C.

Du IXe au IIIe siècle, les
secteurs est et ouest du
bassin méditerranéen ont
eu des destins différents. En
Orient, des monarchies existent
de longue date : Assyrie (Assourbanipal, VIIe s.) et Babylone (Nabuchodonosor, VIe s.), sans
oublier l'Égypte ; toutes succ-
combent, et le fait majeur de la
période est l'unification de la région, sous la domination perse
d'abord (Cyrus II, v. 556-530 ;
Darios Ier, 522-486). En Grèce,
malgré l'opposition aristocratique
(Sparte), la démocratie athé--

nienne réussit un moment à dominer la scène (ligue de Délos,
477-404) ; mais la Macédoine lui
impose son influence (Philippe II, 359-336), puis détruit
l'Empire perse (Alexandre, 336-
323 ; monarchies hellénistiques).
L'Occident n'est pas encore au
niveau de ces grandes constructions ; la puissance romaine, établie sur l'Italie (272, prise de Tarente), est mise en balance par
celle de Carthage, puis l'emporte
(guerres puniques : 218-201 ; 149-
146). Au nord, les Celtes sont
trop divisés pour régner. *carte p. 10* →

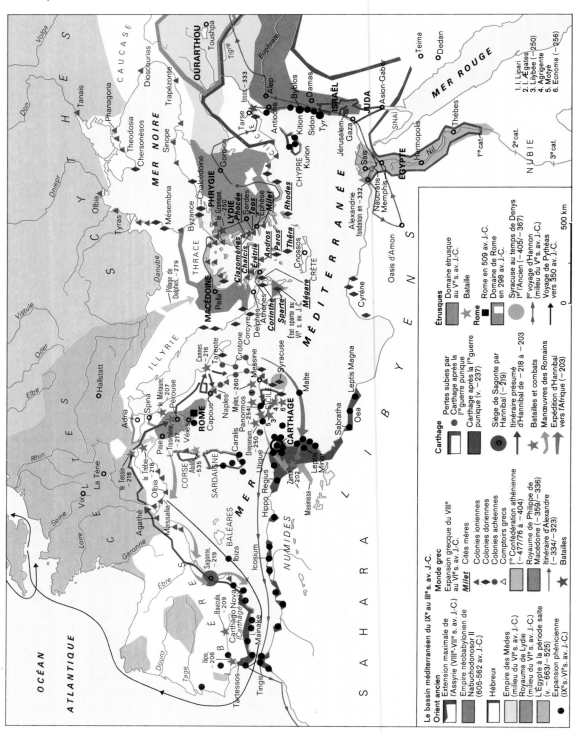

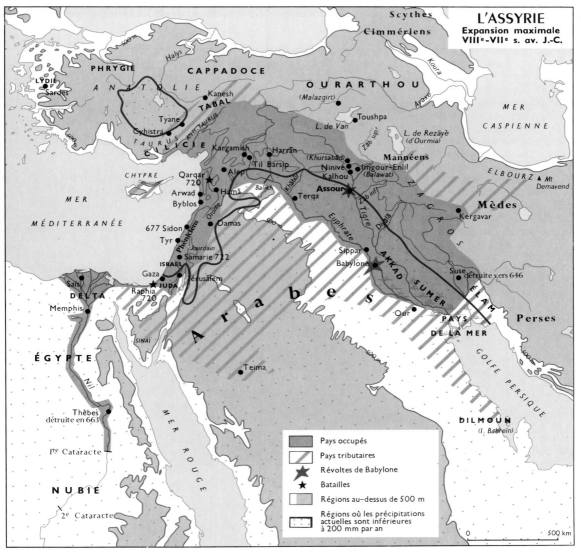

L'ASSYRIE
Expansion maximale
VIIIᵉ-VIIᵉ s. av. J.-C.

Scythes
Cimmériens

PHRYGIE — CAPPADOCE — OURARTHOU

LYDIE
Sardes

ANATOLIE

Kanesh

TABAL

Tyane

Cyhistra

TAURUS — ANTI TAURUS

CILICIE

CHYPRE

MER
MÉDITERRANÉE

Kargamish

Harrân

(Malazgirt)

L. de Van

Toushpa

L. de Rezāyè
(d'Ourmia)

(Khursabad)

Ninivé
Kalhou

Imgour-Enlil
(Balawat)

Mannéens

MER
CASPIENNE

ELBOURZ ▲ Mt
Demavend

Alep

Til Barsip

Qarqar
720 ★

Arwad

Hamâ

Byblos

Orante

Balikh

Khabur

Terqa

Assour ★

ZAGROS

Zab sup.

Zab inf.

Tigre

Mèdes
Kergavar

677 Sidon

Tyr

Phéniciens

Jourdain

ISRAËL

Gaza

JUDA

Raphia
720 ★

Damas

Samarie 712

Jérusalem

Sippar

Babylone ★

AKKAD

SUMER

Sais

DELTA

Memphis

SINAÏ

A r a b e s

Teima

Our

PAYS
DE LA MER

Suse
détruite vers 646

ÉLAM

Perses

GOLFE PERSIQUE

ÉGYPTE

Nil

MER
ROUGE

Thèbes
détruite en 663

Iʳᵉ Cataracte

NUBIE

2ᵉ Cataracte

DILMOUN
(I. Bahrein)

Légende:
- ▨ Pays occupés
- ⧄ Pays tributaires
- ★ Révoltes de Babylone
- ★ Batailles
- ▨ Régions au-dessus de 500 m
- ▭ Régions où les précipitations actuelles sont inférieures à 200 mm par an

0 ——— 500 km

Babylone

B abylone est construite en
fonction de la ziggourat
(« tour de Babel ») et du
temple de Mardouk ; le palais et
ses terrasses ont donc un rôle
secondaire, mais illustrent la
civilisation néobabylonienne,
qui est à son apogée sous Nabuchodonosor II (605-562).

Palais d'été de
Nabuchodonosor

Quai fortifié

Mur d'enceinte
extérieur

Canal

Palais de
Nabuchodonosor
(Jardins suspendus)

Porte d'Ishtar

Double mur
d'enceinte
intérieur

Porte de
Mardouk

Temple
d'Ishtar

EUPHRATE

Canal

Porte de
Ninourta

Ziggourat

Temple
de
Mardouk

Temple de Ninourta
Temple de Goula

0 ——— 1km

L'Assyrie
expansion maximale
(VIIIᵉ-VIIᵉ s. av. J.-C.)

L 'Assyrie se constitue au
XIVᵉ siècle, à l'issue de
l'effondrement du Mitanni,
qui avait longtemps établi son
autorité sur le pays (v. carte Mésopotamie p. 4). Les luttes
contre les montagnards du Zagros habituent les Assyriens à la
guerre et à ses méthodes les plus →

←

barbares. Le premier Empire
(XIVe-XIIe s.) annexe le Mitanni,
occupe un moment le pays de
Babylone, puis s'amenuise sous
l'effet des raids des Araméens.
Du IXe au VIIe siècle, l'Assyrie ne
vit que pour la guerre et se
constitue ainsi un empire immense. Sous Assour-nâtsirapli II
(à tort Assour-Nasirpal II) [883-
859], elle attaque vers la mer
Noire au nord et impose son
autorité à une partie des montagnards du Zagros. L'expansion
s'arrête pendant une longue période de troubles intérieurs
causés par les rébellions des
villes et des nobles. Puis, avec
Toukoulti-apilésharra III (Téglat-
Phalasar III) [746-727], elle est
presque à son apogée, ayant
vaincu l'Ourarthou, les Araméens
(Syrie), l'Élam, la Samarie. Cette
conquête a été rendue possible
grâce à une armée bien équipée
(arc, lance, épée longue), bien
organisée (infanterie, chars, cavalerie pour les nobles ; la polio-
cétique est devenue une science).
Le palais de Sargon II (722-705)
à Khursabād est l'heureux
témoin de cette grandeur : il
se caractérise par le gigantisme
architectural, l'abondance orne-
mentale, cependant que Ninive
offre le luxe de ses reliefs ci-
selés. Fin lettré et roi cruel,
Assour-bân-apli (Assourbanipal)
[669-626] détruit Thèbes d'Égypte
en 663 : jamais l'armée d'Assour
n'a été aussi loin de ses bases.
Mais Babylone et les Mèdes forment une coalition et prennent
Assour en 614 et Ninive en 612.
La monarchie assyrienne et son
armée s'effondrent définitivement
peu après.

La culture assyrienne a été
fortement influencée par
Babylone. L'art a perpétué les
techniques antérieures : villes,
palais et ziggourats ont été édifiés en terre crue, sur de hauts
terre-pleins.

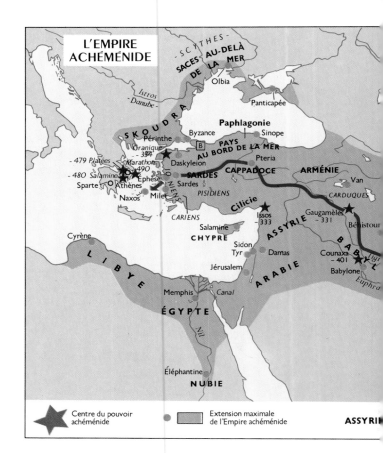

L'EMPIRE ACHÉMÉNIDE

★ Centre du pouvoir achéménide

Extension maximale de l'Empire achéménide

ASSYRI

L'Empire achéménide

Bassin du Tarim

SACES

CHORASMIE

SOGDIANE

Oxus

Bactres

BACTRIANE

GANDARA
- GĀNDHĀRA -

Taxila

USIENS

Hyrcanie

MÉDIE   PARTHIE   ARIE   SATTAGYDIE

Ecbatane   ARACHOSIE

AM   SAGARTIE

VIIᵉ s.   INDE

Suse

PERSE   DRANGIANE   Indus

Pasargades

Persépolis   VIIᵉ-VIᵉ s.

M A K A

Iaxarte

satrapies de Darios Iᵉʳ et de Xerxès Iᵉʳ
ᵉ moitié du Vᵉ s. av. J.-C.
d'après les inscriptions de Béhistoun et de Persépolis

Route royale	
★ Batailles	B Bithynie

0   500   1000 km

Mèdes et Perses sont des conquérants indo-européens arrivés peut-être dès le IIᵉ millénaire en Iran (traces d'habitat en Susiane dès le IVᵉ millénaire). La dynastie des Achéménides est issue du sud-ouest de l'Iran et règne sur un vaste empire grâce aux conquêtes de Cyrus II (v. 556-530) : vers l'ouest, il conquiert la Lydie (prise de Sardes en 547 ou 546), toute l'Asie Mineure (v. 540), la Mésopotamie (chute de Babylone en 539) ; à l'est, il étend son influence jusqu'à l'Indus. Outre qu'elle émane de sa personnalité, sa force repose sur la souplesse de la domination perse et l'unité morale des conquérants ; c'est le temps où se développe le mazdéisme de Zarathustra (Zoroastre), dont les mages sont les prêtres : telle est la religion officielle ; le roi, porteur d'un charisme que la victoire concrétise, rend la justice depuis son palais (il en a plusieurs ; le principal est à Suse). Cambyse II (530-522) ajoute l'Égypte (525) et la région de Cyrène à cet héritage. Darios Iᵉʳ (522-486), après avoir réprimé une révolte en Babylonie, en Élam et en Perse même, mène campagne jusqu'en Inde et chez les Scythes, puis ajoute la Thrace (Skoudra) à cet empire ; mais il est surtout un organisateur : il crée une administration centrale (langue unique, l'araméen), servie par la route royale de Sardes à Suse ; une vingtaine de satrapies sont des circonscriptions pour la collecte de l'impôt et le recrutement militaire. Le souverain dispose ainsi d'une réserve d'or et d'argent, qui lui permet de payer des mercenaires et de subventionner ou corrompre les dirigeants des cités grecques. En 499, l'Ionie se révolte : ainsi débutent deux siècles de conflits gréco-perses (v. carte p. 14). L'Empire est envahi et détruit par Alexandre III le Grand en 330 av. J.-C.

LE MONDE GREC

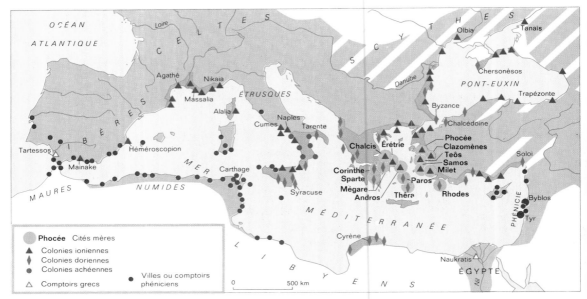

L'expansion grecque (VIIIᵉ-VIᵉ s. av. J.-C.)

notices p. 16 ⟶

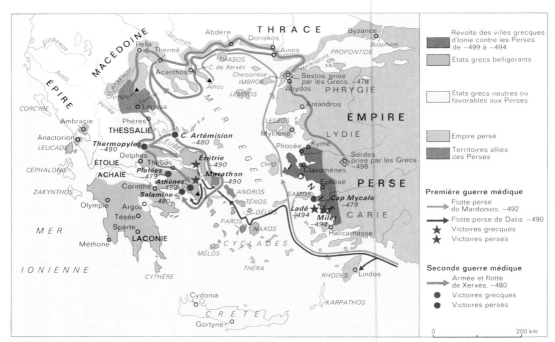

Les guerres médiques (Vᵉ s. av. J.-C.)

THRACE

MACÉDOINE

Apollonie

Byzance
Périnthe
Astakos
Maróneia
Amphipolis
THASOS
Samothrace
Kios
Pella
Akanthos
Méthone
IMBROS
Abydos
Pydna
Potidée
Hellespont
Cyzique
Mendé
LEMNOS
Sigée

ÉPIRE
Larissa
THESSALIE
MER ÉGÉE
Pergame
EMPIRE
CORCYRE
Dodone
Pharsale
Phères
LESBOS
Ambracie
Histiaia
Mytilène
Magnésie du Sipyle
PERSE
Anactorion
EUBÉE
Thermopyles
LEUCADE
ÉTOLIE
Chéronée
Chalcis
O
Sardes
Ithaque
Delphes
Thèbes
Érétrie
CHIOS
Colophon
CÉPHALONIE
ACHAÏE
Oropos
Éphèse
Elis
Marathon
Karystos
SAMOS
Magnésie
ZAKYNTHOS
Corinthe
Salamine
ATHÈNES
Andros
Milet
MER
Arges
Égine
Tenos
Olympie
Épidaure
Mykonos
Halicarnasse
IONIENNE
PÉLOPONNÈSE
Tégée
Trézène
Délos
Paros
Naxos
Messène
Pylos
SPARTE
COS
Cnide
Méthone
Mélos
(Milo)
Théra
RHODES
Cythère

KARPATHOS
SPARTE
Sparte
Ligue du Péloponnèse

Cydonia
Itanos
Cités de la Ligue

CRÈTE
Gortyne
ATHÈNES
L'"empire" athénien au Vᵉ s. av. J.-C. avant la guerre du Péloponnèse
Colonies (clérouquies)

Athènes et Le Pirée

ATHÈNES
AIGALÉOS
Céphise
Long Mur du N
L'Acropole
Long Mur du S
Port du Pirée
P. de Mounychia
Le Pirée
Port de Zéa
Phalère

0   3 km   0   100   200 km

La Grèce au Vᵉ s. av. J.-C.

notice p. 16 →

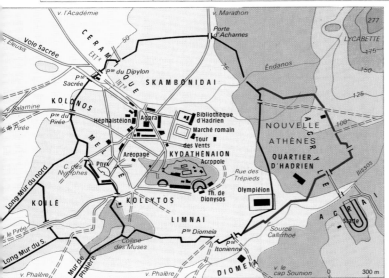

v. l'Académie
CÉRAMIQUE EXT.
Porte d'Acharnes
LYCABETTE
Voie Sacrée
v. Marathon
v. Éleusis
Éridanos
Pte du Dipylon
Pte Sacrée
SKAMBONIDAI
CÉRAMIQUE INT.
le Pirée
Salamine
KOLONOS
Pte du Pirée
Héphaistéion
Agora
Bibliothèque d'Hadrien
Marché romain
Tour des Vents
NOUVELLE ATHÈNES
Aréopage
KYDATHÉNAION
Acropole
Pnyx
C des Nymphes
QUARTIER D'HADRIEN
Rue des Trépieds
Long Mur du nord
Olympiéion
Th. de Dionysos
le Pirée
KOILE
KOLEYTOS
LIMNAI
Pte Diomeia
Source Callirhoé
Colline des Muses
Pte Itonienne
Long Mur du S.
Mur de Phalère
Stade
AGRAI
v. Phalère
v. Phalère
DIOMÉIA
v. le cap Sounion

300 m

Athènes

Au centre de la plaine d'Athènes, le rocher de l'Acropole domine, au sud, la ville riche et, au nord, l'Agora, le tribunal de l'Aréopage et le quartier populaire du Céramique. Cimon, puis Périclès construisent les Longs Murs, qui relient la cité au Pirée, son port depuis Thémistocle.

L'EXPANSION GRECQUE (VIIIᵉ-VIᵉ S. AV. J.-C.)

La colonisation est un moment privilégié de « l'aventure grecque » (P. Lévêque). L'exemple avait été donné par les Mycéniens, les Phéniciens, Ulysse ; on se demande encore si la cause principale en est la faim de terres ou l'intérêt commercial, mais il est sûr que ce mouvement a été facilité par des progrès dans l'art militaire et par le clergé de Delphes. On distingue deux grandes vagues de colonisation. Pour la première (v. 775-v. 675), les considérations agricoles semblent avoir prédominé ; les métropoles sont des cités de l'Isthme et de l'Eubée ; les pays de destination sont en Grande-Grèce. Les préoccupations commerciales ont dû avoir plus d'importance pour la seconde étape (v. 675-v. 550) ; cette fois, les métropoles sont en Grèce propre et en Asie Mineure ; les terres de colonisation sont la Gaule, l'Espagne, l'Afrique, la Thrace, le Pont (Phocée fonde Marseille, et Thêra, Cyrène ; Milet essaime autour du Pont-Euxin). Les colons sont de jeunes aventuriers menés par un *œkiste* (fondateur) promis au destin de demi-dieu ; un enrichissement rapide permet une civilisation brillante sans rupture avec la métropole.

LES GUERRES MÉDIQUES (Vᵉ S. AV. J.-C.)

La révolte de l'Ionie contre la domination perse (499) entraîne l'intervention d'Athènes en faveur des insurgés. Darios Iᵉʳ, qui fait tenter un débarquement, subit un échec (Marathon, 490) ; puis Xerxès est battu (Salamine, 480) : au terme de ces deux guerres médiques, la menace perse est écartée.

Grecs et Perses
- ☆ Révolte des Grecs d'Asie contre les Perses de −499 à −494
- ★ Batailles des guerres médiques, de −490 à −479

Grande-Grèce et Sicile VIᵉ s.
- Influence grecque
- Influence punique
- Influence étrusque
- ☆ Victoires grecques
- → Expédition de Carthage contre la Sicile, 406-405
- Domaine de Syracuse au temps de Denys Iᵉʳ l'Ancien, 405-367

Guerre du Péloponnèse, 431-404
- Extension de l'empire athénien avant la guerre du Péloponnèse
- 431-429, guerre de Périclès
- ◆ Révolte de Corcyre, colonie de Corinthe
- ◈ Siège de Potidée par Athènes, 432-429
- → Expéditions de la flotte athénienne de 432 à 430, 429-404
- ◄--- Expédition d'Alcibiade contre Syracuse, 415-413
- → Autres expéditions
- ★ Batailles
- Neutres

LA GRÈCE AU Vᵉ S. AV. J.-C.

Né à la suite des guerres médiques, l'impérialisme démocratique d'Athènes fait l'unanimité chez les négociants et les prolétaires. On distingue trois phases. En 477, Aristide crée la ligue de Délos (île qui abrite l'assemblée fédérale et le trésor) ; Athènes commande l'armée et installe des clérouquies (colonies militaires), notamment en Thrace. En 454, l'alliance devient empire : la gestion du trésor, transféré sur l'Acropole, passe à l'*ecclésia* d'Athènes ; de nouvelles clérouquies sont installées sur la route des détroits : Eubée, Asie Mineure, Thrace. Mais la guerre du Péloponnèse (431-404) oppose à Athènes, cité ionienne et démocratique, l'aristocratie Sparte, ville dorienne ; après des péripéties complexes, un gouvernement oligarchique est installé en 404 à Athènes ; celle-ci ne s'en remet pas et, malgré l'installation de nouvelles clérouquies (nord de l'Égée), malgré une seconde confédération (378-338), l'Empire athénien est ruiné (guerre des alliés : 357-355).

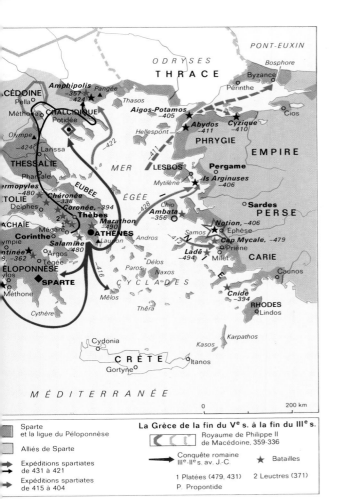

Le monde grec du VIᵉ au IIIᵉ s. av. J.-C.

Légende de la carte :

- Sparte et la ligue du Péloponnèse
- Alliés de Sparte
- Expéditions spartiates de 431 à 421
- Expéditions spartiates de 415 à 404
- La Grèce de la fin du Vᵉ s. à la fin du IIIᵉ s.
- Royaume de Philippe II de Macédoine, 359-336
- Conquête romaine IIIᵉ-IIᵉ s. av. J.-C.
- ★ Batailles
- 1 Platées (479, 431)   2 Leuctres (371)
- P. Propontide

LE MONDE GREC
(VIᵉ-IIIᵉ S. AV. J.-C.)

Homère nous fait connaître une Grèce gouvernée, aux IXᵉ et VIIIᵉ siècles, par des rois ; à ceux-ci succèdent des régimes aristocratiques, eux-mêmes en crise au VIᵉ siècle : l'enrichissement général, l'apparition de l'hoplite font perdre leur rôle aux nobles, supplantés par des tyrans (les Cypsélides à Corinthe ; Pisistrate à Athènes) ou des législateurs (Solon, Clisthène à Athènes). Après les guerres médiques (v. carte p. 14) s'ouvre le temps des hégémonies ; chaque cité, poussée par son impérialisme propre, domine à son tour la scène. Athènes, d'abord, unit la puissance politique (v. carte p. 15), la richesse et la civilisation la plus brillante ; au temps de Périclès (444/443-429), elle est « l'école de la Grèce » (Thucydide, II, 41) : Hérodote vient d'Halicarnasse, Myron d'Éleuthères et Hippocrate de Cos. Après l'hégémonie de Sparte (404-371) et celle de Thèbes (371-362), marquée par les victoires d'Épaminondas sur les Lacédémoniens, le temps des cités est révolu : entretenant dans Athènes même un parti à sa dévotion, Philippe de Macédoine (359-336) étend sa domination sur la Grèce lorsqu'il écrase les démocraties à Chéronée (338). Son successeur, Alexandre (336-323), n'a plus à se préoccuper de la Grèce (v. carte pp. 18-19).

L'EMPIRE D'ALEXANDRE ET LE MONDE HELLÉNISTIQUE

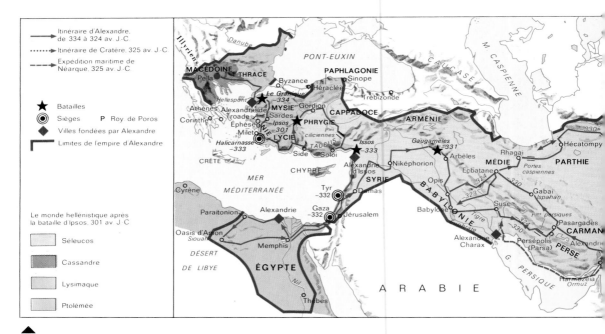

Légende :

Itinéraire d'Alexandre, de 334 à 324 av. J.-C.
Itinéraire de Cratère, 325 av. J.-C.
Expédition maritime de Néarque, 325 av. J.-C.

★ Batailles
◎ Sièges   P Roy. de Poros
◆ Villes fondées par Alexandre
⌐ Limites de l'empire d'Alexandre

Le monde hellénistique après la bataille d'Ipsos, 301 av. J.-C.
☐ Séleucos
☐ Cassandre
☐ Lysimaque
☐ Ptolémée

▲
L'Empire d'Alexandre et les débuts du monde hellénistique

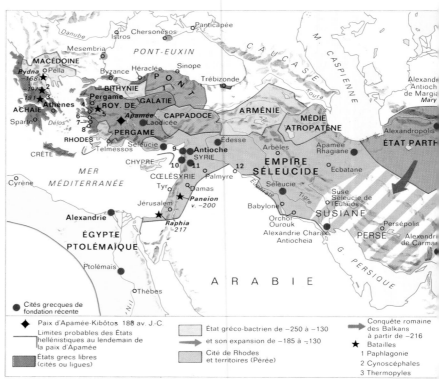

● Cités grecques de fondation récente
◆ Paix d'Apamée-Kibôtos 188 av. J.-C.
⌐ Limites probables des États hellénistiques au lendemain de la paix d'Apamée
☐ États grecs libres (cités ou ligues)

☐ État gréco-bactrien de −250 à −130
→ et son expansion de −185 à −130
☐ Cité de Rhodes et territoires (Pérée)

⇒ Conquête romaine des Balkans à partir de −216
★ Batailles
1 Paphlagonie
2 Cynoscéphales
3 Thermopyles

Pour réaliser des exploits héroïques sur les traces de Dionysos et achever les guerres médiques, Alexandre, grâce à la phalange et à la cavalerie macédoniennes, élargit le monde connu. Après la conquête de l'Orient méditerranéen, marquée par les victoires du Granique en 334 et d'Issos en 333, il fonde Alexandrie, s'empare des capitales perses (Gaugamèles, 331), pousse jusqu'à l'Indus, qu'il descend jusqu'à Pattala. Après un retour difficile, il meurt à Babylone (323).

Alexandre s'est efforcé de diffuser la culture grecque ; il a permis que s'ouvre une période, longtemps décriée, aujourd'hui reconnue comme la « renaissance hellénistique » (Ch. Picard) ; mais sa construction politique se désagrège tandis que cette civilisation se développe. A la mort du conquérant, Perdiccas gouverne l'Orient, Antipatros l'Occident. En 321, à la mort de Perdiccas, un premier partage se fait à Triparadisos entre les *diadoques* (successeurs), Antipatros, Séleucos et Antiganos Monophtalmos. Après la bataille d'Ipsos (301), qui élimine Antizonos, l'Empire d'Alexandre est partagé entre Séleucos, Cassandre, Lysimaque et Ptolémée.

Après la deuxième guerre punique (218-201), Rome peut intervenir dans les affaires d'Orient, mais elle ne le fait que parce que le roi de Macédoine, Philippe V (221-179), la provoque en s'alliant avec Hannibal. A deux reprises, ce souverain sauve son royaume, mais, moins heureux, son fils et successeur, Persée, est vaincu à Pydna. Conquise en 168, la Macédoine devient province romaine en 148. La Syrie résiste plus longtemps : l'ambition d'Antiochos III Mégas (223-187) effraie Rhodes et Pergame, qui appellent Rome ; le souverain séleucide est battu par les Scipions à Magnésie du Sipyle (189) et perd toute l'Asie Mineure au traité d'Apamée (188) ; puis Antiochos IV Épiphane (175-164/163) doit faire face à une révolte juive animée par les Maccabées ; en 141, les Parthes Arsacides s'emparent de la Babylonie ; à Pompée revient la tâche de réduire en province ce qui reste de la Syrie (65/64). A son tour, la riche Égypte attire d'autant plus Rome que, politiquement, elle est en complète décadence ; quand Octave l'emporte à Actium (31), Cléopâtre se suicide, et l'Égypte entre dans le monde romain (30 av. J.-C.). [Royaume de Pergame, p. 20.]

5 Magnésie du Sipyle. −189
6 Éphèse
7 Priène
8 Milet
9 Séleucie de Piérie
10 Laodicée
11 Apamée-sur-l'Oronte
12 Doura-Europos

Le monde hellénistique en 188 av. J.-C. au lendemain de la paix d'Apamée

ROYAUME DE PERGAME – CARTHAGE ET ROME

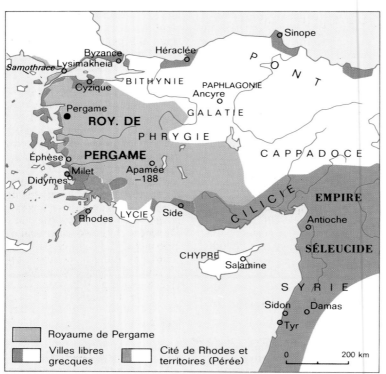

Le royaume de Pergame en 188 av. J.-C. au lendemain de la paix d'Apamée

L'enjeu de la première guerre punique (264-241) est la Sicile. Maîtresse de cette île, l'aristocratique Carthage abandonne sa défense à des mercenaires ; face à ceux-ci, les soldats-paysans de Rome poussent à l'intervention en faveur des mercenaires campaniens installés à Messine (contrôle du détroit). Après des succès initiaux qui montrent son adaptation à la mer (prise d'Agrigente en 262, victoire de Duilius à Myles en 260, débarquement de Regulus près de Clupea, en Afrique, en 256), Rome se heurte à des difficultés (échec en Afrique, défense de la Sicile par Hamilcar Barca, combat de Drepanum) ; mais un dernier sursaut (victoire des îles Égates) lui permet d'imposer un traité à Carthage, qui perd la Sicile, la Corse et la Sardaigne.

Indépendante en fait vers 282, sous le gouvernement de Philétairos, érigée en royaume par Attalos (Attale) Ier en 240, Pergame est le dernier-né des États hellénistiques. Menacé par la Macédoine à l'ouest, la Syrie et les Galates à l'est, le royaume de Pergame s'allie le plus souvent à l'Égypte et à Rome ; son apogée se place sous Eumenês (Eumène) II (paix d'Apamée, 188). Il laisse des trésors d'art (Pergame), suscités par une étonnante politique d'évergétisme (portique d'Attalos à Athènes) et par une administration rigoureuse. Attalos III, par testament, lègue en 133 ses États à Rome (province d'Asie).

La 1re guerre punique

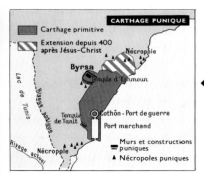

Carthage punique

Née près du « tophet » de Tanit, Carthage s'est développée entre ses ports et sa citadelle (Byrsa). Pratiquement anéantie en 146 av. J.-C., la cité bénéficie des soins de Caius Gracchus, de César et d'Auguste (centuriations). Port de l'annone, elle est peut-être, au milieu du IIIᵉ siècle apr. J.-C., la deuxième ville de l'Empire.

La domination en Méditerranée occidentale est l'enjeu de la deuxième guerre punique (218-201). Fort des richesses ibériques, espérant les alliances gauloise et campanienne, Hannibal, ayant pris Sagonte (219), gagne les Alpes et, grâce à ses mercenaires, remporte une série de victoires en Italie (le Tessin, la Trébie, 218 ; le lac Trasimène, 217 ; Cannes, 216). Mais il hésite (« délices de Capoue ») ; Rome se renforce, contre-attaque en Espagne ; au Métaure, l'armée d'Hasdrubal est détruite (207). Critiqué par le parti pacifiste des Hannon, Hannibal est vaincu à Zama (202) par Scipion, allié à Masinissa. Carthage accepte un traité qui, la désarmant, la livre à la merci de Rome.

Carthage romaine

La 2ᵉ guerre punique

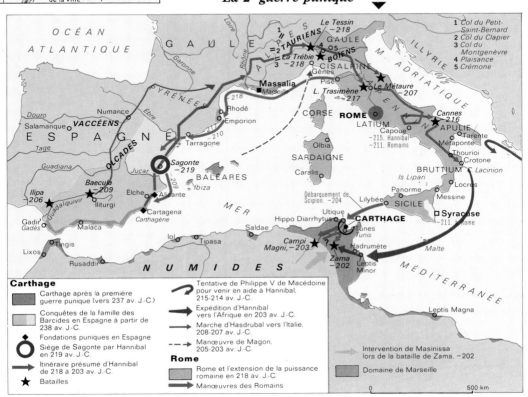

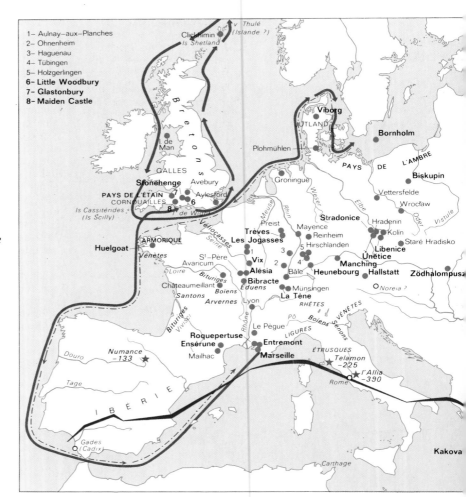

1 – Aulnay-aux-Planches
2 – Ohnenheim
3 – Haguenau
4 – Tübingen
5 – Holzgerlingen
6 – Little Woodbury
7 – Glastonbury
8 – Maiden Castle

Le monde celtique

L es Celtes sont des Indo-Européens dont l'origine précise est mystérieuse ; on les cerne pour la première fois avec précision dans l'actuelle Autriche : la civilisation de Hallstatt dure de 800 à 500 av. J.-C. env. *(tumuli)* ; puis, jusqu'à l'ère chrétienne, c'est le site de La Tène (Suisse) qui sert de référence (tombes à fosse, épées longues, bijoux). Durant le Ier millénaire av. J.-C., ils émigrent par petits groupes, qui dominent,

sans les éliminer, les populations vaincues, et se constituent en une sorte de « tribu royale des chefs » (T.G.E. Powell), contribuant à créer des peuples mixtes. Présents dans les régions alpines et danubiennes (Boïens de Bohême, Gaulois de Cisalpine), ils gagnent le nord de la Gaule (civilisations de Hallstatt et, aux Jogasses, de La Tène) ; de là, ils passent en Bretagne ; vers le sud, ils deviennent Celtibères en Espagne et à l'ouest du

Rhône (Ensérune), Celto-Ligures à l'est du fleuve (Entremont) ; les plus audacieux se sont établis en Anatolie, en 275/274 (Galates). Pour les Anciens, ils étaient surtout des guerriers et aussi des hommes très pieux, honorant, dans les bois et sanctuaires, des dieux fort divers (personnages masculins, déesses mères, divinités animales). [L'économie est étudiée dans la notice de la carte des Celtes de Gaule p. 28.]

L'Étrurie est limitée par l'Arno, le Tibre et le rivage de la mer Tyrrhénienne. Là vivait un peuple aux origines mystérieuses (langue inconnue). Au VIᵉ siècle, les Étrusques sont gouvernés par des tyrans ou des aristocraties et atteignent alors leur apogée : en politique, ils constituent une do-décapole et étendent leur influence sur le Latium, la Campanie, la plaine du Pô ; ils développent la métallurgie (fer de l'île d'Elbe, forges de Populonia et de Vetulonia, cuivre) ; les nécropoles de Tarquinia et de Caere (orfèvrerie, céramique, fresques) nous révèlent une civilisation opulente.

L'Étrurie

LE MONDE CELTIQUE

- ● Sites archéologiques
- **Vix** Sites importants
- Lyon Autres sites
- *Boïens* Peuples celtes
- Limite méridionale des expéditions celtes
- ★ Batailles
- Voyage de Pythéas vers 300 av. J.-C.
- → aller --→ retour

L'ÉTRURIE

- ■ Cités étrusques (Cités/États)
- ◼ Villes étrusques
- ● Agglomérations étrusques
- △ Centres étrusquisés
- □ Cités latines étrusquisées
- ◆ Cités grecques de Campanie
- ◉ Ports francs (commerçants grecs ou phéniciens)

ROME

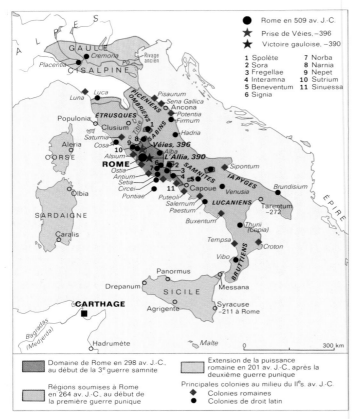

La conquête romaine de l'Italie

ROME SOUS LA RÉPUBLIQUE

À l'extrémité occidentale d'un plateau volcanique, sur la rive gauche du Tibre, sept collines (Capitole, Palatin, Aventin, Caelius, Esquilin, Viminal, Quirinal), encadrant une dépression *(Forum)*, ont vu naître la Ville. De peuplement italique et étrusque à l'origine, Rome remplit plusieurs fonctions : politiques *(Forum)*, économiques *(Forum ; emporium)*. Le rôle religieux est très évident (Capitole), et les lieux de loisirs sont encore peu nombreux. Très vite, l'aristocratie occupe le Palatin.

LA CONQUÊTE ROMAINE DE L'ITALIE

Rome s'impose d'abord à ses voisins latins et étrusques (siège de Véies en 406-396), bien qu'elle soit vaincue en 390 sur l'Allia par les Gaulois. Les Samnites sont ensuite vaincus au terme d'une longue lutte (Sentinum, 295). Enfin, la conquête du sud de l'Italie s'achève avec la prise de Tarente (272). Les premières acquisitions (région centrale) constituent *l'ager romanus* (les cités y sont municipes, préfectures) ; le reste du pays est *l'ager sociorum* (colonies, cités fédérées ou libres).

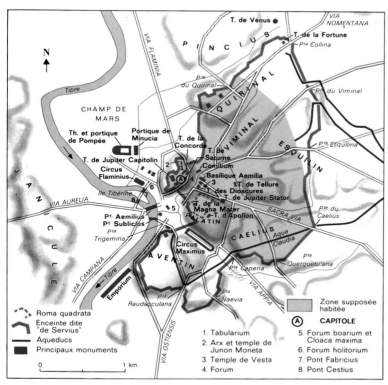

Roma quadrata
Enceinte dite
"de Servius"
Aqueducs
Principaux monuments

0   1 km

Zone supposée
habitée

Ⓐ   **CAPITOLE**

1. Tabularium
2. Arx et temple de
   Junon Moneta
3. Temple de Vesta
4. Forum

5. Forum boarium et
   Cloaca maxima
6. Forum holitorium
7. Pont Fabricius
8. Pont Cestius

LE MONDE ROMAIN
À LA FIN DE LA RÉPUBLIQUE

Au gré des circonstances, les motifs de la conquête romaine sont économiques, militaires (guerres défensives victorieuses) ou psychologiques (besoin de sécurité). Au début du IIᵉ siècle av. J.-C., Rome domine l'Italie, la Sicile, la Corse, la Sardaigne, la côte espagnole. A partir de 150 env., sous la pression de ses hommes d'affaires, elle annexe ou contrôle des territoires riches (Macédoine en 148, Grèce et Afrique en 146, Espagne centrale après la prise de Numance en 133 et Narbonnaise vers 120-117). Prenant le relais, les *populares* poussent à des conquêtes plus lointaines (Asie en 129, Cilicie en 101). Mais, au Iᵉʳ siècle av. J.-C., ce sont les *imperatores* qui dirigent tout : de 67 à 62, Pompée réorganise l'Orient (Pont, Syrie), après les annexions de 74 (Bithynie, Cyrénaïque) et avant celle de 58 (Chypre) ; César s'empare de la Gaule (58-51), de l'*Africa nova*, c'est-à-dire d'une partie de la Numidie (46). Ces conquêtes provoquent une crise grave d'où naît l'Empire.

Le monde romain
à la fin de la République

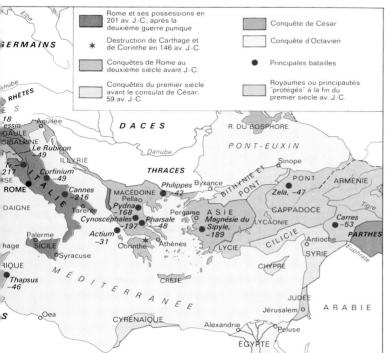

Rome et ses possessions en
201 av. J.-C., après la
deuxième guerre punique

Destruction de Carthage et
de Corinthe en 146 av. J.-C.

Conquêtes de Rome au
deuxième siècle avant J.-C.

Conquêtes du premier siècle
avant le consulat de César,
59 av. J.-C.

Conquête de César

Conquête d'Octavien

Principales batailles

Royaumes ou principautés
"protégés" à la fin du
premier siècle av. J.-C.

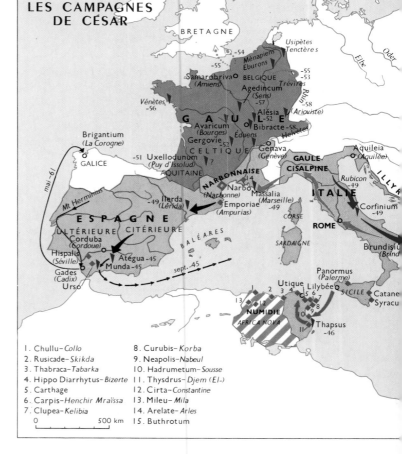

LES CAMPAGNES DE CÉSAR

1. Chullu–*Collo*
2. Rusicade–*Skikda*
3. Thabraca–*Tabarka*
4. Hippo Diarrhytus–*Bizerte*
5. Carthage
6. Carpis–*Henchir Mraïssa*
7. Clupea–*Kelibia*
8. Curubis–*Korba*
9. Neapolis–*Nabeul*
10. Hadrumetum–*Sousse*
11. Thysdrus–*Djem (El-)*
12. Cirta–*Constantine*
13. Mileu–*Mila*
14. Arelate–*Arles*
15. Buthrotum

0   500 km

La conquête des Gaules, de 58 à 51 (v. carte p. 29), a été la première grande guerre menée par César, qui y gagne richesses et prestige. À Rome, la situation politique est instable, et, bien vite, une guerre civile va l'opposer à Pompée, champion de l'aristocratie conservatrice et que le sénat, inquiet des troubles, a nommé consul unique. Soutenu par une équipe d'officiers fidèles et par des soldats qui lui offrent leurs services gratuitement, César, après avoir hésité à s'engager dans un conflit, joue le tout pour le tout en franchissant le Rubicon (49). « Le sort en est jeté », dit-il *(Alea jacta est)*. Il quitte ainsi la Cisalpine, dont le gouvernement ne lui a pas été prorogé, et pénètre en Italie où sa présence à la tête d'une armée est illégale. Cinq jours plus tard, Pompée s'enfuit précipitamment de Rome. Il parvient à Brundisium et s'embarque pour la Grèce. César occupe l'Italie puis gagne, par voie de terre, l'Espagne, où se sont réfugiés bon nombre de pompéiens. Il assiège Massalia révoltée, qui capitule. Vainqueur des pompéiens à Ilerda, il revient à Rome pour se faire attribuer la dictature, puis le consultat pour 48, trouvant ainsi une légitimité nouvelle. Il gagne alors l'Épire puis la Thessalie, et il bat Pompée à Pharsale. Celui-ci s'enfuit en Égypte, où il est assassiné par les agents du roi Ptolémée Aulète. César se fait alors remettre sa tête. La partie n'est pas définitivement gagnée, car les partisans de son adversaire, s'ils sont dispersés, restent résolus. César demeure près de Cléopâtre, qu'il a installée sur le trône d'Égypte, et doit faire face à une insurrection dans Alexandrie, menée par les partisans de Ptolémée. La ville

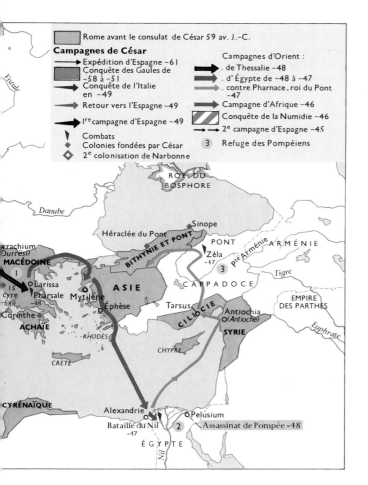

Les campagnes de César

Légende :

Rome avant le consulat de César 59 av. J.-C.

Campagnes de César
- Expédition d'Espagne –61
- Conquête des Gaules de –58 à –51
- Conquête de l'Italie en –49
- Retour vers l'Espagne –49
- Ire campagne d'Espagne –49

Campagnes d'Orient :
- de Thessalie –48
- d'Égypte de –48 à –47
- contre Pharnace, roi du Pont –47
- Campagne d'Afrique –46
- Conquête de la Numidie –46
- 2e campagne d'Espagne –45

- Combats
- Colonies fondées par César
- 2e colonisation de Narbonne
- 3 Refuge des Pompéiens

finit par capituler en 47. La même année, César quitte l'Égypte et se tourne contre Pharnace, fils du Grand Mithridate, roi du Bosphore Cimmérien (63-47), qui a trahi son alliance avec Rome. Il gagne rapidement l'extrémité de l'Anatolie et écrase celui-ci à Zéla. Relatant cet épisode, il écrira : *Veni, vidi, vici* (« Je suis venu, j'ai vu, j'ai vaincu »). En 46, il est en Afrique, où il bat les pompéiens à Thapsus. L'un d'eux, Caton, se suicide dans Utique assiégée. César se dirige alors vers l'Espagne, où se sont réfugiés les derniers pompéiens sous le commandement du fils de Pompée, Cneius Pompeius. Ils sont vaincus à Munda. Les légionnaires auraient tué 33 000 hommes. La guerre civile s'achève sur cette bataille, qui précède de quelques mois la mort du dictateur, aux ides de mars 44.

GAULE

La Gaule transalpine (« au-delà des Alpes » pour les Romains) est constituée de deux ensembles : au sud-est, la « Province », conquise en 125/117, est flanquée sur la côte d'un chapelet de colonies grecques (Massalia [Marseille]) ; au nord-ouest, « la Gaule, dit César (I, 1), est [...] divisée en trois parties : l'une [...] est habitée par les Belges, l'autre par les Aquitains, la troisième par (les) [...] Celtes » (sur leur origine, v. carte p. 22). Dispersés en une soixantaine de tribus ayant pour centre un *oppidum* (place forte), ces derniers créent parfois des confédérations (« royaumes ») ; la religion des druides constitue le seul élément réel d'unité. Cependant, la Gaule possède une économie prospère : blé et orge y sont cultivés sur les domaines des nobles avec des instruments perfectionnés ; on y élève bovins et chevaux ; on y exploite les métaux et le bois. Mais ces richesses attirent autant les Romains que les Germains (Suèves).

La Gaule vers 60 av. J.-C.

ÉDUENS — Peuples celtes
Lutetia — Nom ancien
Paris — Nom moderne
■ Colonie de citoyens romains
● Principaux sites archéologiques préromains

0   200 km

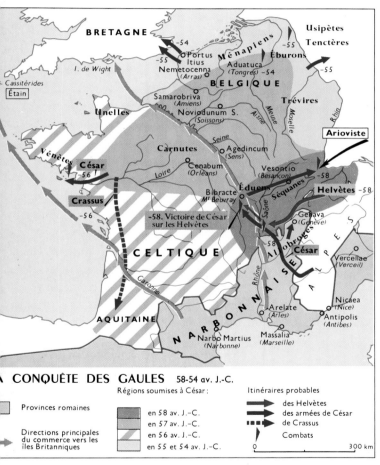

La conquête des Gaules (58-54 av. J.-C.)

A l'âge où Alexandre le Grand avait conquis le monde, César avait le sentiment de n'avoir rien fait. C'est alors que, proconsul de Gaule Cisalpine, à laquelle le sénat avait ajouté la Gaule Transalpine, il trouve l'occasion de montrer sa valeur. En 58, les Helvètes sollicitent l'autorisation de traverser rapidement la Transalpine, dans le cadre d'une de ces migrations fréquentes chez les peuples barbares. César refuse. Les Helvètes s'enfoncent alors dans la Gaule indépendante (la « Gaule chevelue »), provoquant l'inquiétude des Éduens. César, pour leur porter secours, entraîne ses légions à la rencontre des Helvètes et les bat sur la Saône. Au cours de la même année, il est amené à débarrasser la Gaule du péril germanique, incarné par Arioviste, un chef venu aider les Séquanes en conflit avec les Éduens, leurs voisins. Il trouve bientôt un infime prétexte pour attaquer les Belges, qui s'effondrent (57). En 56, en son absence, ses lieutenants opèrent presque aussi vite et occupent tout l'Ouest et le Sud-Ouest, de la Picardie à la Saintonge et à l'Agenais. Établi sur les côtes de l'Océan, César veut aller plus loin. Alexandre s'était aventuré en Orient, lui va vers l'ouest. Il risque une tentative de débarquement en Bretagne insulaire, mais ne parvient qu'à rafler du bétail avant de rembarquer précipitamment pour la Gaule.

29

La révolte gauloise

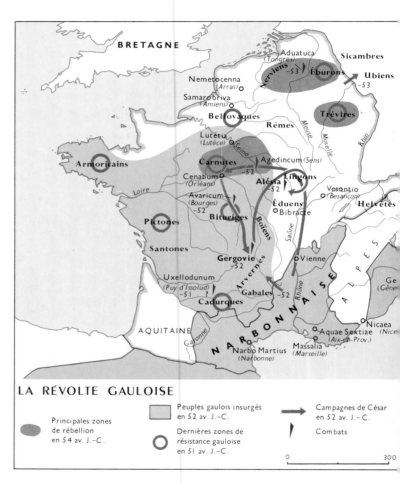

LA RÉVOLTE GAULOISE

- Principales zones de rébellion en 54 av. J.-C.
- Peuples gaulois insurgés en 52 av. J.-C.
- Dernières zones de résistance gauloise en 51 av. J.-C.
- Campagnes de César en 52 av. J.-C.
- Combats

0   300

Les opérations de César sur les confins septentrionaux de la Gaule ont été globalement médiocres. Si le général a conservé, à Rome, tout son prestige de conquérant, il n'en va pas de même en Gaule, où se fomentent des complots. En 54, une légion est attaquée chez les Éburons. La répression commence un an plus tard : les colonnes romaines dévastent l'Ardenne et les régions environnantes, avec l'aide occasionnelle d'aventuriers et même de troupes germaniques. En 52, le signal de la grande révolte est donné avec le massacre des commerçants romains établis à Cenabum, en pays carnute. Vercingétorix, qui avait accompagné un temps les troupes romaines, avec d'autres Gaulois « plus ou moins volontaires ou otages » (Albert Grenier), se distingue en tant que chef de la coalition des peuples en rébellion. Il impose le repli, avec la tactique de la terre brûlée, à laquelle beaucoup de Gaulois répugnent. César, ren-tré en hâte d'Italie, assiège Avaricum et y fait un carnage. Mais il subit un échec devant Gergovie, qui se révèle imprenable, tandis que les Éduens, alliés de Rome, se rallient à la révolte. L'armée romaine doit battre en retraite vers la Province romaine. Harcelés par les cavaliers gaulois, les Romains les mettent en déroute et les poursuivent jusqu'à Alésia, où ils se sont enfermés et qui est bientôt investie. Après diverses péripéties et malgré l'arrivée d'une armée gauloise de secours, les assiégés doivent s'avouer vaincus. César distribue les guerriers gaulois à ses soldats, en qualité d'esclaves.

Les Gaulois possèdent un important réseau de pistes, parfois recouvertes de bois, qui relient entre elles leurs capitales. La plus ancienne des routes romaines en Gaule est la voie Domitienne, menant de la Provence à l'Espagne. La voie Aurélienne longe de loin la côte provençale et ligure et se poursuit vers l'Italie. Agrippa, gendre et collaborateur d'Auguste, crée les principales artères du réseau routier gaulois, à partir de 19 av. J.-C. Les voies ont un tracé très rectiligne, qui se reconnaît encore dans le paysage. Indifférentes aux accidents de la topographie, elles traversent même les Alpes. La chaussée, recouverte de grandes et lourdes dalles, supporte l'intense trafic des unités militaires en déplacement et des marchands transportant vin, huile, céramique (la céramique sigillée), métaux, tissus, produits manufacturés divers. Parmi les itinéraires les plus fréquentés se trouvent celui de la vallée du Rhône et de la Saône, par Lugdunum (Lyon), avec une longue prolongation jusqu'à Trèves et Cologne, en zone militaire, et une autre voie dirigée vers le nord-ouest pour atteindre Portus Itius.

Route et courants commerciaux en Gaule

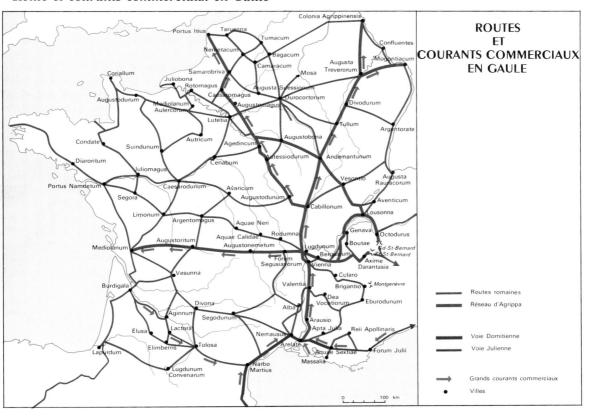

En 31 (bataille d'Actium), la guerre civile est terminée. Dès 27, Auguste impose un partage de l'Empire. Le sénat conservait les provinces pacifiées, et donc désarmées, les plus riches (Asie, Achaïe, Bétique...) ; elles étaient gouvernées par un proconsul, assisté, pour les finances, par un questeur. L'empereur gardait les provinces récemment annexées, moins riches et moins stables : les plus grandes, défendues par des légions (ex. : la Germanie, créée en 16 av. J.-C.), sont administrées par un légat impérial propréteur, secondé d'un procura-

L'Empire au temps d'Auguste

I	Latium-Campanie	**VII**	Étrurie
II	Apulie-Calabre	**VIII**	Émilie
III	Lucanie-Brutium	**IX**	Ligurie
IV	Samnium	**X**	Vénétie-Istrie
V	Picenum	**XI**	Transpadane
VI	Ombrie		

Division de l'Italie en régions
(fin du Ier s. av. J.-C.)

teur financier ; les plus petites n'ont pour garnison que des auxiliaires (Alpes-Grées...) et sont laissées à deux procurateurs, l'un pour l'administration, l'autre, son subordonné, pour les finances. L'Égypte fait exception : trop importante (blé), elle est en quelque sorte la propriété du prince, qui la confie à un préfet, véritable vice-roi, assisté d'une administration fiscale complexe. Les provinces ne sont plus, comme sous la République, des pays vaincus, donc des zones à exploiter.

Sa qualité de pays conquérant place l'Italie, avec Rome, sous un régime administratif ancien. L'*urbs* conserve les comices, le sénat, les magistratures (sauf la censure). Elle est par ailleurs le siège des institutions administratives récentes et de l'autorité impériale. Auguste découpe la ville en 14 régions qui dépassent de beaucoup les limites de l'époque républicaine, lesquelles débordent le tracé du mur de Servius, d'époque royale. L'Italie est divisée en 11 régions, dépourvues de représentant du pouvoir central.

En matière militaire, il existe une différence de traitement entre l'Italie et les provinces. L'Italie est considérée comme une zone démilitarisée, sauf Rome, où sont présents des gardes de l'empereur et les services publics municipaux : police et pompiers. Dans les provinces sont casernées 28 légions, puis seulement 25 après le désastre subi par le général Varus lors d'une incursion téméraire en Germanie.

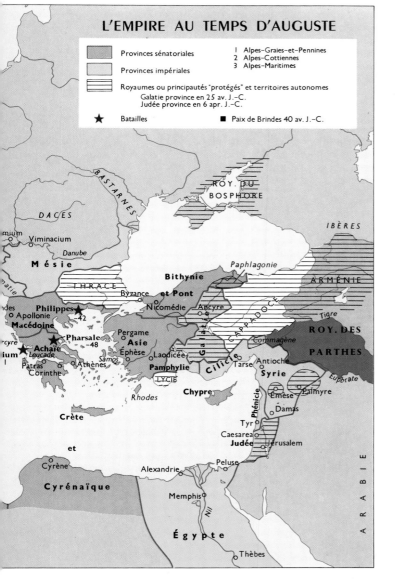

L'EMPIRE AU TEMPS D'AUGUSTE

Provinces sénatoriales

Provinces impériales

Royaumes ou principautés "protégés" et territoires autonomes
Galatie province en 25 av. J.-C.
Judée province en 6 apr. J.-C.

★ Batailles   ■ Paix de Brindes 40 av. J.-C.

1 Alpes-Graies-et-Pennines
2 Alpes-Cottiennes
3 Alpes-Maritimes

Aux IIIᵉ et IVᵉ siècles, une triple menace pèse sur l'Empire : au nord se pressent les Germains, nombreux, instables et belliqueux ; à l'est, les Perses Sassanides, vainqueurs des Parthes Arsacides, constituent le seul État organisé face à Rome ; au sud, les nomades sahariens sont les moins dangereux. La crise est particulièrement grave de 256 à 269, quand les ennemis conjuguent leurs assauts : Châhpuhr Iᵉʳ sur l'Euphrate (capture en 260, près d'Édesse, et supplice de l'empereur Valérien), les Goths sur le Danube et les Francs sur le Rhin (invasions de la Gaule en 253 et 258/259). Mais, de Claude II (268-270) à Dioclétien (284-305),

les empereurs illyriens redressent la situation, en dépit de difficultés réelles (Alamans et Francs se jettent sur la Gaule en 275, etc.) : parfois ils traitent, notamment avec les Sassanides ; mais surtout Dioclétien réorganise l'armée (unités fixes aux frontières, réserve mobile à l'arrière), et ainsi Perses, Goths et Francs sont vaincus, ce qui assure un demi-siècle de tranquillité – paix renforcée grâce au caractère résolu de Valentinien Iᵉʳ (364-375). Remise en cause par la crise de 376, l'œuvre du Bas-Empire s'effondre en Occident, alors qu'elle survit en Orient, où la défense romaine permet la gestation de l'Empire byzantin (v. carte pp. 42-43).

Le Bas-Empire

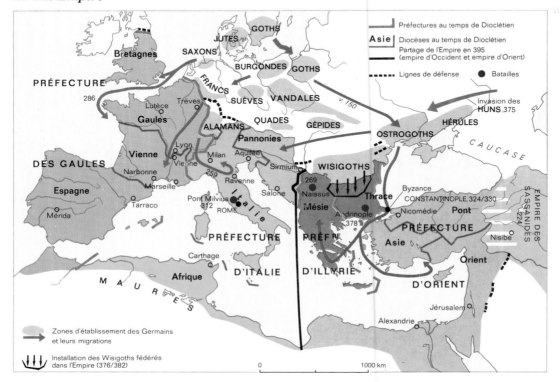

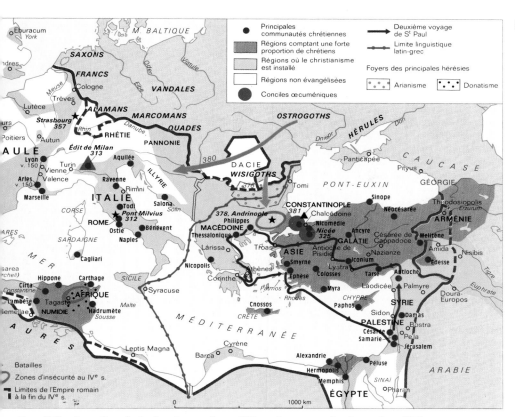

La diffusion du christianisme dans l'Empire romain jusqu'en 395

Issu du judaïsme, le christianisme s'en différencie vite (saint Paul), avant de s'opposer à lui. Toutefois, c'est souvent par le biais des synagogues qu'il pénètre dans les provinces, et, en Occident, il reste longtemps une religion d'étrangers. Il est difficile d'en faire le culte d'un groupe précis : religion des pauvres à l'origine, il atteint bientôt toutes les couches sociales ; seuls résistent les milieux ruraux (au moins en Gaule :

païen vient de paysan) et certains cercles de sénateurs à Rome. Parti de Jérusalem, il gagne, dès le Iᵉʳ siècle, la Syrie depuis Antioche, l'Asie Mineure, la Grèce, Alexandrie, Ostie et Rome. Au IIᵉ siècle, il atteint l'Afrique, essentiellement les villes. L'Espagne et la Gaule ne sont réellement touchées que dans la seconde moitié du IIIᵉ siècle. Chez les Barbares et hors de l'Empire, s'il rencontre relativement peu de succès en Orient,

il séduit des Germains par le biais d'une hérésie (arianisme) et les Berbères par celui d'un schisme (donatisme). L'opposition de l'État (persécutions de Néron, Marc Aurèle, Dèce, Dioclétien), encouragée par les calomnies de concurrents moins heureux (cultes orientaux), s'apaise à partir de Constantin (« paix de l'Église » après la bataille du pont Milvius), et devient appui avec Théodose (379, 380, 391).

BARBARES

Provoquées par la poussée des Huns qui brise en 375 l'empire des Ostrogoths, les invasions germaniques déferlent en quatre vagues sur l'Empire romain.

La première, celle des Wisigoths, franchit le Danube en 376, bat l'empereur Valens qui est tué à Andrinople en 378 et atteint finalement l'Aquitaine en 418. La deuxième, celle des Vandales, des Suèves et des Alains, se rue sur la Gaule le 31 décembre 406 à travers le Rhin. Par la brèche affluent alors les Burgondes, qui s'installent entre Worms et Spire, et les Alamans, en Alsace. Plus lente, la troisième permet l'établissement définitif des Suèves dans l'Espagne du Nord-Ouest en 409, celui des Vandales en Afrique du Nord entre 429 et 439, puis dans les îles de l'Occident méditerranéen entre 455 et 468, enfin celui des Burgondes en *Sabaudia* (alias Sapaudia : Savoie et Helvétie actuelles) en 444. À la fin du vᵉ siècle, la dernière vague entraîne la migration des Ostrogoths en Italie (489-493), celle des Angles, des Jutes et des Saxons en Bretagne, d'où les Bretons sont chassés en Armorique ; surtout elle provoque, entre 486 et 511, la conquête de la Gaule par les Francs de Clovis, qui, en 507, rejettent les Wisigoths en Espagne.

À l'Empire romain disparu en Occident en 476 succède une mosaïque de royaumes barbares qui lui sont théoriquement fédérés et dont un seul a survécu : celui des Francs à qui Clovis donnera une certaine unité. (V. carte pp. 216-217.)

Les invasions barbares au vᵉ s.

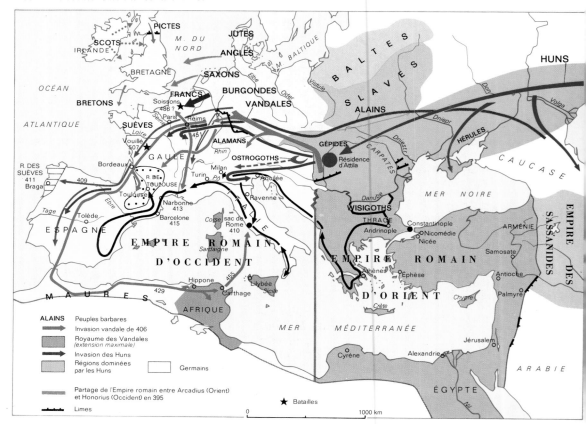

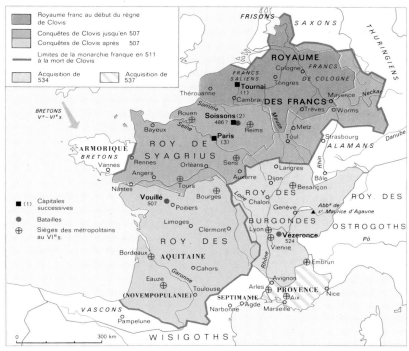

Conquête de la Gaule par Clovis et ses fils

notices pp. 38-39 →

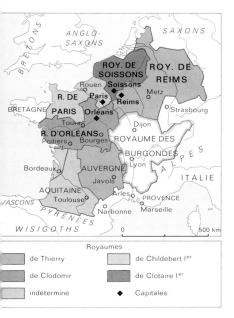

*Partage
de la Gaule
à la mort
de Clovis
(511)*

*Partage
de la Gaule
à la mort
de Clotaire
(561)*

← cartes p. 37

CONQUÊTE DE LA GAULE
PAR CLOVIS ET SES FILS

Sans doute parent des princes régnant à Cambrai, à Thérouanne et à Cologne, le Mérovingien Clovis Ier n'est, à son avènement en 481-482, que le petit mais ambitieux roi des Francs Saliens de Tournai. Annexant d'abord le royaume des Romains de Syagrius, battu à Soissons en 486, brisant la puissance alémanique entre 496 et 506, chassant d'Aquitaine les Wisigoths, vaincus à Vouillé en 507, il contraint parallèlement les autres rois francs (et notamment ceux de Cologne vers 509) à reconnaître son autorité. Ces résultats sont obtenus grâce à la neutralité bienveillante des parents par alliance de Clovis, les rois burgonde et ostrogoth, et grâce à l'appui de l'Église, dont le roi franc a l'habileté de maintenir en place les cadres administratifs à la suite de sa conversion au catholicisme entre 498 et 506. Après sa mort en 511, cette œuvre territoriale est parachevée par ses fils. Vaincus à Vézéronce en 524, ceux-ci annexent pourtant le royaume des Burgondes, en 534, et se font céder la Provence ostrogothique, en 537. Amputée de la Septimanie wisigothique et de l'Armorique bretonne, mais augmentée vers 531 de la Thuringe, la Gaule a dès lors reconstitué son unité dans le cadre du *Regnum Francorum*.

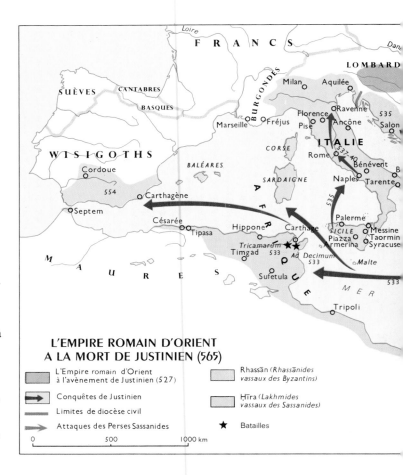

L'EMPIRE ROMAIN D'ORIENT
À LA MORT DE JUSTINIEN (565)

L'Empire romain d'Orient
à l'avènement de Justinien (527)

Conquêtes de Justinien

Limites de diocèse civil

Attaques des Perses Sassanides

Rhassān (*Rhassānides
vassaux des Byzantins*)

Hīra (*Lakhmides
vassaux des Sassanides*)

★ Batailles

0   500   1000 km

PARTAGE DE LA GAULE
À LA MORT DE CLOVIS (511)

Considérant le *Regnum Francorum* comme un bien purement patrimonial, les quatre fils de Clovis : Thierry Ier (511-534), Clodomir (511-524), Childebert Ier (511-558) et Clotaire Ier (511-561), partagent son héritage en quatre lots équivalents. Comprenant chacun un quart des vieux pays francs au nord de la Loire et un quart de la riche Aquitaine au sud, les royaumes de Reims, d'Orléans, de Paris et de Soissons perdent leur unité territoriale. Seul le deuxième d'entre eux échappe à cet inconvénient que compense en partie le regroupement des quatre capitales au cœur du Bassin parisien.

PARTAGE DE LA GAULE
À LA MORT DE CLOTAIRE (561)

Le nouveau partage du *Regnum Francorum* en 561 est remanié dès 567, après la mort de l'un des quatre fils de Clotaire Ier : le roi de Paris, Charibert.

Quatre entités politiques nouvelles apparaissent alors progressivement : l'Austrasie de Sigebert Ier, la Bourgogne de Gontran,

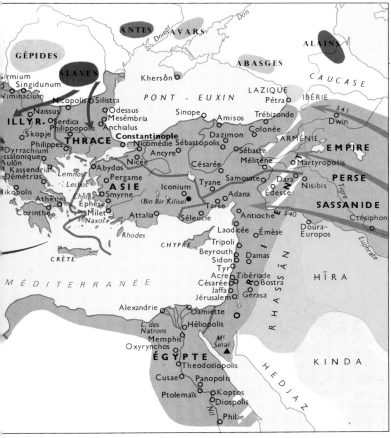

L'Empire romain d'Orient à la mort de Justinien (565)

◀ L'EMPIRE ROMAIN D'ORIENT
À LA MORT DE JUSTINIEN (565)

En consolidant la frontière danubienne, en mettant un terme en 532 au long conflit qui l'oppose à la Perse sassanide, l'empereur Justinien Ier (527-565) libère les forces qui vont lui permettre de reconstituer, autour de la Méditerranée, l'unité de l'Empire romain, replié depuis le ve siècle sur sa moitié orientale.

En 533, une première expédition submerge l'Afrique, puis la Sardaigne, la Corse et les Baléares. Vaincus à *Ad Decimum*, puis à *Tricamarum* par Bélisaire, les Vandales disparaissent de l'histoire. Dès 535, une deuxième expédition déferle sur l'Italie. Pris en tenaille par les forces de Mundus et par celles de Bélisaire qui occupent alors respectivement la Dalmatie et la Sicile, les Ostrogoths ne sont définitivement éliminés par Narsès qu'en 554-555. Enfin, en 554, la dernière expédition, dirigée par Liberius, meurt sur les rivages de la Bétique et de la Carthaginoise.

L'Empire romain paraît dès lors restauré dans sa plénitude méditerranéenne. La Dalmatie est rattachée à l'Illyricum ; les préfectures du prétoire d'Afrique et d'Italie sont rétablies ; les provinces de Sicile (rattachées à Constantinople) et d'Espagne sont reconstituées. En fait, l'œuvre est inachevée, donc fragile, puisqu'elle exclut la Maurétanie, l'Espagne intérieure et la Gaule.

la Neustrie de Chilpéric Ier et l'Aquitaine également partagée entre chacun d'eux mais restée profondément gallo-romaine. Malgré le maintien dans l'indivision de Paris, la dislocation du *Regnum* est concrétisée par le transfert des capitales de Reims à Metz, d'Orléans à Chalon(-sur-Saône) et de Soissons à Tournai.

EMPIRE CAROLINGIEN

Augmentés de l'Alamannie et de la Provence, les vieux royaumes d'Austrasie, de Neustrie et de Bourgogne constituent le cœur du *Regnum Francorum* restauré en 751 par Pépin le Bref. Dès lors débute l'expansion du *Regnum* : extension sous son règne (751-768) aux limites de l'ancienne Gaule, par l'incorporation de la Septimanie et de l'Aquitaine ;

conquête par Charlemagne (768-814), à partir de son avènement, de régions d'Italie et de Germanie, dont l'annexion justifie la restauration à Rome de l'Empire en 800 ; ajustements territoriaux enfin aux confins slaves et hispaniques de l'Empire entre 800 et 814, période au cours de laquelle est achevée la mise en place d'un vaste glacis de marches : Espagne, Frioul, Pannonie, Ba-

vière, pays des Danois, Bretagne. Ces grands commandements militaires ne peuvent d'ailleurs rendre imperméables les frontières carolingiennes aux raids de hardis aventuriers, et notamment à ceux des Normands, qui dévastent ses côtes en 810 (Frise) et en 824 (Noirmoutier). Ainsi, à la mort du conquérant en 814, la survie de l'Empire apparaît-elle déjà menacée.

Formation et partage de l'Empire carolingien

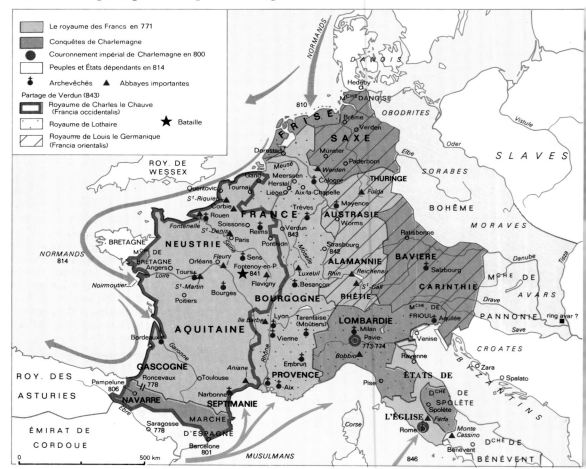

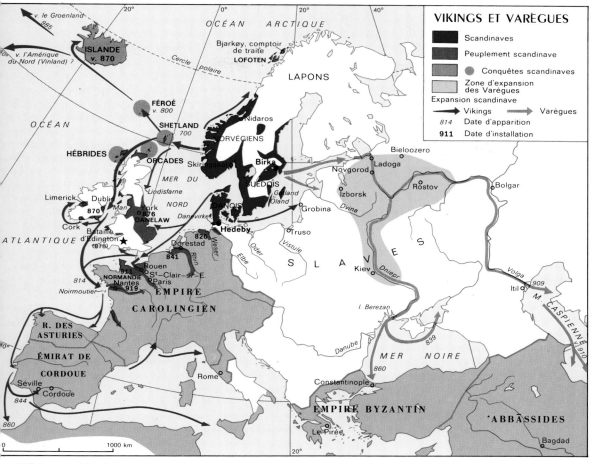

Vikings et Varègues

Vikings et Varègues sont des Germains originaires de Scandinavie où ils se sont différenciés du VIᵉ au XIᵉ siècle en trois peuples peu nombreux : Danois au sud, Norvégiens à l'ouest, Suédois à l'est. Les uns et les autres sont entrés en contact dès le IXᵉ siècle avec les marchands occidentaux à Hedeby, carrefour commercial du Nord entre 804 et 1050.

À la fois pirates et marins, les Vikings sont les agents de l'expansion scandinave, qui se déploie au IXᵉ et au Xᵉ siècle à travers l'Atlantique, sur les rives duquel ils fondent trois principautés (dites « danoises ») en Angleterre et quatre autres (dites « normandes ») sur le continent. Au XIᵉ siècle, ils pénètrent même en Méditerranée (Aversa, Pouille, Sicile, Antioche).

Plus spécifiquement marchands, leurs frères Varègues ont développé parallèlement le commerce fluvial le long de la Dvina, du Dniepr et de la Volga. Fondateurs, au passage, des dynasties princières de Novgorod et de Kiev, ils ont finalement rejoint les Vikings occidentaux à Constantinople, où les empereurs recrutent parmi eux leur « garde varangue ».

L'empereur Basile II a une très forte volonté et une personnalité d'homme d'État. En dépit d'une absence de formation, il sait faire face à l'adversité, acquérir des qualités de chef et affirmer son caractère. Le début de son règne est troublé par la sédition du général Bardas Sklêros, acclamé par ses troupes en 976. Ce rival menace Constantinople. Basile fait appel à un redoutable guerrier, Bardas Phokas, qui réussit à vaincre Sklêros en combat singulier, et le fait fuir avec son armée. À partir de 986, Basile se trouve moins soumis aux entraves politiques. Toutefois se poursuivent les apparitions de nouveaux pré-

tendants au trône, expression du conflit entre monarque et aristocrates. Ces problèmes intérieurs vont durer treize ans. Le basileus se replie sur lui-même, gouverne seul, en autocrate et en adversaire de la noblesse. L'empire, à son avènement, ne gardait de consistance territoriale qu'en Asie Mineure et dans les Balkans. Encore faut-il préciser que, dans cette dernière région, la souveraineté impériale a été

longtemps limitée par la présence des Bulgares, dont l'empire fut difficilement réduit, après trente ans de luttes, par l'empereur Basile II, depuis lors surnommé le *Bulgaroctone* (le « Tueur de Bulgares »).

Le monarque triomphant s'efforce désormais d'élargir à nouveau l'aire territoriale de l'Empire byzantin : à l'est, en occupant le Vaspourakan arménien, dont la conquête est conso-

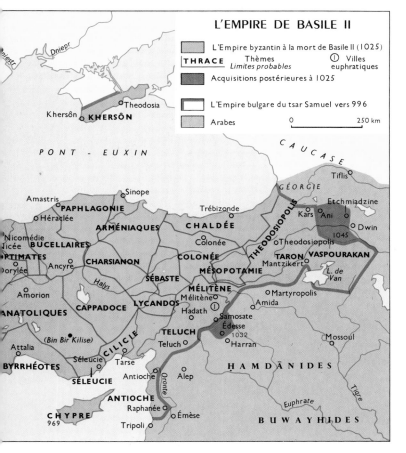

L'EMPIRE DE BASILE II

L'Empire byzantin à la mort de Basile II (1025)

THRACE Thèmes / *Limites probables* — ⓘ Villes euphratiques

Acquisitions postérieures à 1025

L'Empire bulgare du tsar Samuel vers 996

Arabes — 0 ___ 250 km

L'Empire de Basile II

lidée après sa mort par celle d'Ani et d'Édesse ; à l'ouest surtout, en repoussant ou en assujettissant Slaves, Germains ou Arabes, dans le nord-ouest des Balkans, en Italie du Sud et même en Sicile, où il fait occuper Messine en 1025. Coulant ses conquêtes dans le moule administratif des *thèmes* et dans ceux des duchés et des *capétanats*, mieux adaptés à la défense des provinces frontières, il porte

à son apogée l'Empire byzantin, dont la défense reste assurée par des tronçons de l'ancien limes, qui, d'ailleurs, n'a jamais été continu. Il est utile en Syrie comme sur le Danube. Un réseau de routes part de Constantinople pour diverger vers les régions frontalières, les bouches du Danube, Sirmium et Thessalonique, la Grèce et l'Adriatique. À l'est, la traversée de l'Anatolie par le sud amorce la route ter-

restre des Indes ; une autre, par le nord, mène en Arménie. Une certaine cohésion de l'Empire reste aussi assurée par la culture hellénique, propre à ces territoires et bien établie dès avant la période romaine. À cela s'ajoute l'existence d'une même foi chrétienne, en dépit de querelles théologiques, justement qualifiées de « byzantines ».

Au temps de Basile II, le commerce méditerranéen connaît une reprise, avec l'Italie en particulier, et en dépit de la menaçante présence arabe. Les industries de luxe sont florissantes : toiles, soieries, tapisseries, objets de métal ouvragé et décoré.

CONSTANTINOPLE

Construite de 324 à 330 apr. J.-C. sur l'ordre de l'empereur Constantin et sur l'emplacement de la colonie grecque de Byzantion, qui aurait été fondée au VIIᵉ siècle av. J.-C., la « Nouvelle Rome » fut dotée du plan et des privilèges de l'ancienne.

Enserrée par la mer et donc facile à défendre, se dressant en outre en un lieu où se rejoignent l'Europe et l'Asie, Constantinople attire naturellement à elle les hommes, leurs produits et leurs idées.

Ville de ce fait la plus peuplée de l'Europe médiévale puisqu'elle contient au moins 400 000 habitants sous les Comnènes, Constantinople fut, pendant un millénaire, la capitale de l'Empire byzantin et l'un des foyers économique, spirituel et culturel de l'humanité. En témoignèrent l'intensité de son commerce, la qualité de sa production artisanale, la beauté de ses palais (Boukoléon, Blachernes) et de ses églises (Sainte-Sophie), l'éclat de son enseignement supérieur et le rayonnement, encore actuel, de son patriarcat sur le monde orthodoxe.

CONSTANTINOPLE
PLAN ARCHÉOLOGIQUE

EUROPE — BEYOĞLU — BOSPHORE
ISTANBUL — ÜSKÜDAR — ASIE
MER DE MARMARA — Kadıköy
Corne d'Or
Istanbul
0   2 km

Aghiasma des Blachernes
Stᵉ-Pierre-et-Marc ?
Mur de Léon V.   (Atik Mustafa
Tour d'Anémas ?   Paşa Camii)
Tour d'Isaac Ange
Mur de   Stᵉ-Demetrius-Canobos
Manuel Comnène
BLACHERNES   Stᵉ-Jean-Baptiste
Palais de
Constantin Porphyrogénète
(Tekfursarayı)
Porte d'Andrinople   Stᵉ-Sauveur-in-Chora   Stᵉ-Marie-
(Edirnekapı)   (Kahriye C.)   des-Mongols
                  6 5 PHANARION
Stᵉ-Georges   Cit. 7   Chapelle
(Mihrimah Camii) d'Aetius   2 Pammakaristos
              Stᵉ-Jean-B-in-Trullo   Stᵉ-Théodosie
DEUTERON   (Ahmet Paşa M.)   (Gül Camii)
              Cit.   PETRION
              d'Aspar   Christ-Pantépopte
Porte Stᵉ-Romain   (Eski Imaret C.)
(Topkapı)   PLATEA
                  Christ-Pantocrator
              Lykos (Mollazeyrek C.)
                  ZEUGMA   PERAMA
          Mesé   4   Chapelle
Porte Rhêsiou   (Manastir Mescidi)   Chapelle
(Mevlanakapı) Constantin Lips   Kilise C.
              (Fenari Isa C.)   Mère-de-Dieu-
              Col. de   Kyriotissa
              Marcien Stᵉ-   (Kalender C.)
Citerne de   Polyeucte
Mocius   XÉROLOPHOS   Mausolée   Forum
              Forum du Mesé du Taureau
              Boeuf   Col. de
Porte de   Forum   Myrelaion Constantin
Pêghê   d'Arcadius (Bodrum C.) Arc de
(Silivrikapı) VLANGA   Théodose
          Port HEPTASKALON   C. de Philoxène
Porte du   d'Eleuthère   (C. des Binbirdirek)
Xylokerkos Stᵉ-André-in-Crisi
(Belgratkapı) (Koca Mustafa   8
TRITON   Paşa Camii)   Mausolée   KONTOSKALION Port
          Stᵉ-Marie-Périblepte (Sülü Manastir)   Sophien
PSAMATHIA   Stˢ-Karpos-et-Papylos
          Stᵉ-Jean-Baptiste-
          de-Stoudios
(Yedikulekapı) (İmrahor Camii)
Porte Dorée
(Mermer kule)
Via Egnatia
Tour de Marbre
(Mermer kule)

PERA
CORNE D'OR
Tour de Galata   Stᵉ-Georges   Stᵉ-Benoît
(Galata kulesi)
GALATA
BOSPHORE
NEÔRION   Colonne
          des Goths
STRATÉGION   ACROPOLE   Stᵉ-Georges-
Cit. Basilique   des-Manganes
(Yerebatan   Stᵉ-Irène   Christ-Sauveur
sarayı)   Stˢ-
F. de   Stᵉ-   Palais des
Constantin 3 Sophie 9 Manganes
F. de Mangane   10   Palais des
Arc de   Manganes
Théodose   Hippodrome   Augusteon
          Gr. Palais   Sénat
          BOUKOLÉON
          Phare Palais de Justinien ?
          Stˢ-Serge-et-Bacchus
          (Küçük Aya Sofya C.)
PROPONTIDE

Constructions, remparts
Mur de Byzas
Mur de Septime Sévère
Mur de Constantin
Mur de Théodose

Églises byzantines
Monastères
Palais et monuments publics

Constructions publiques dont l'ancienne importance est incertaine
Voies principales
Citernes
Terrains gagnés sur la mer

1. Stᵉ-Euphémie-de-l'Hippodrome
2. Monastère de la Vierge-Pammakaristos (Fethiye Camii)
3. Sainte-Sophie (Aya Sofya)
4. Église des Saints-Apôtres, détruite (Fatih Mehmet Camii sur son emplacement)
5. (Boğdan sarayı)
6. Stᵉ-Nicolas (Kefeli Camii)
7. Stᵉ-Marie (Odalar Camii)
8. Stᵉ-Georges-des-Cyprès (détruite)
9. Aghiasma de Stᵉ-Marie-Hodighitria
10. Milion

0   2 km

L'Europe depuis l'an mille

Cartes générales

LE MONDE OCCIDENTAL EN L'AN MILLE

Le légendaire an mille connaît des bouleversements considérables. L'Islam se décompose entre califats abbasside de Bagdad, fatimide du Caire, omeyyade de Cordoue, incapable de contenir la poussée chrétienne en Espagne et en Méditerranée orientale. Les deux autres ensembles qui ont succédé à la Romania connaissent des destins contrastés. L'Empire romain d'Orient élimine l'Empire bulgare (v. carte pp. 42-43), étendant son influence sur la principauté slave de Kiev qui ébauche les limites de la future Russie.

L'Empire carolingien se dissocie en ambitieuses principautés féodales, qui s'opposent à la royauté. Les particularismes nationaux français, polonais et hongrois commencent à s'affirmer et les États fixent leurs limites, qui seront presque les mêmes mille ans plus tard. Pourtant l'aspiration à l'unité demeure : dès 962, Otton Ier roi de Germanie, restaure l'Empire romain.

LE MONDE OCCIDENTAL AUX XIIe et XIIIe SIÈCLES

Fait majeur de cette période, l'effacement du Saint Empire romain germanique résulte des longs conflits avec la papauté, qui affirme ses prétentions théocratiques, tandis que les villes marchandes italiennes (Gênes, Pise, Venise) s'érigent en cités-États. Dans l'Occident chrétien, l'Islam recule devant la poussée dynamique des jeunes royaumes (France, Angleterre, Castille, Aragon), aussi bien en Italie, Sicile, Espagne qu'en Hongrie. Enfin s'installent en Méditerranée orientale, provoquant l'effondrement de l'Empire byzantin, les États du Levant, assez fragiles toutefois pour que les sultans reconquièrent la Terre sainte à la fin du XIIIe siècle. Dynamiques également, les trois royaumes scandinaves et les chevaliers Teutoniques, qui repoussent vers l'est les frontières chrétiennes, malgré leur échec temporaire devant le raid mongol qui ruine Pologne et Hongrie entre 1239 et 1242.

cartes pp. 46-47 ⟶

← notices p. 45

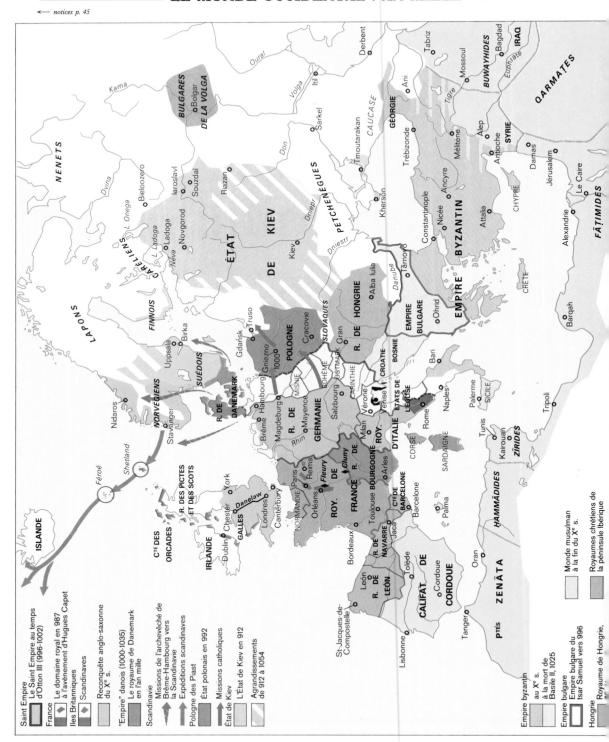

Saint Empire
Le Saint Empire au temps d'Otton III (996-1002)

France
Le domaine royal en 987 à l'avènement d'Hugues Capet
Iles Britanniques
Scandinaves
Reconquête anglo-saxonne du Xe s.

"Empire" danois (1000-1035)
Le royaume de Danemark dans l'an mille

Scandinavie
Missions de l'archevêché de Brême-Hambourg vers la Scandinavie
Expéditions scandinaves

Pologne des Piast
État polonais en 992

Missions catholiques

État de Kiev
L'État de Kiev en 912
Agrandissements de 912 à 1054

Empire byzantin
au Xe s. à la mort de Basile II, 1025

Empire bulgare
Empire bulgare du tsar Samuel vers 996

Hongrie
Royaume de Hongrie,

Monde musulman à la fin du Xe s.

Royaumes chrétiens de la péninsule ibérique

LE MONDE OCCIDENTAL : XIIᵉ-XIIIᵉ S.

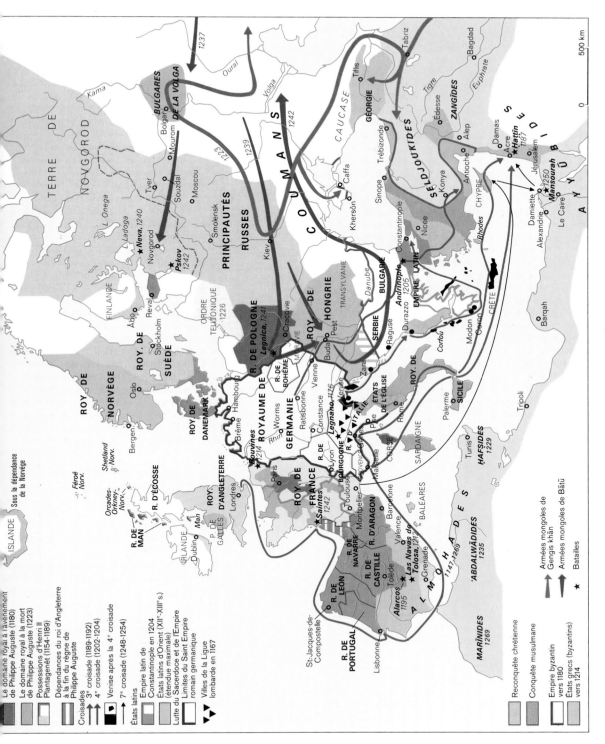

En 909 (ou 910), le duc d'Aquitaine, Guillaume le Pieux, fonde sur son domaine de Cluny un monastère bénédictin, à la tête duquel il place l'un des réformateurs les plus ardents de l'époque : Bernon (909 [ou 910]-926). Prolongée par celle de ses saints successeurs (Odon, 926-942 ; Aymar, 943-965 ; Maïeul, 950-994 ; Odilon, 994-1049 ; Hugues de Semur, 1049-1109), son action éclipse toutes les entreprises de même ordre et assure avec éclat le triomphe de la réforme clunisienne. Après s'être imposée, au Xe siècle, essentiellement dans les limites du royaume de Bourgogne ou à ses abords, celle-ci essaime, dans la première moitié du XIe siècle, en Aquitaine, en Provence et en Espagne, avant de se diffuser largement en France du Nord, en Allemagne, en Lombardie et en Angleterre, entre 1050 et 1100.

Anciens établissements agrégés au groupe ou fondations entièrement nouvelles, les 1 100 monastères clunisiens existant alors (800 en France, 300 hors du royaume) sont placés sous l'autorité absolue de l'abbé de Cluny, unique maison directrice qui agit en particulier par le relais de cinq grands prieurés, Souvigny, Sauxillanges, La Charité-sur-Loire, Saint-Martin-des-Champs (à Paris) et Lewes (en Angleterre). Mais, déjà appauvri spirituellement par le poids de ses richesses temporelles, sans cesse accrues des dons des fidèles et dont témoignent tant de chefs-d'œuvre de l'art roman, l'ordre ne satisfait plus les aspirations réformatrices des chrétiens les plus exigeants, auxquelles prétendent désormais répondre les cisterciens. (V. cartes pp. 49 et 50.)

L'expansion clunisienne

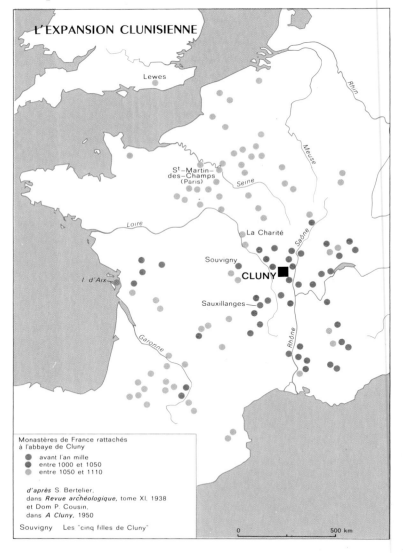

L'EXPANSION CLUNISIENNE

Lewes

Rhin

Meuse

St-Martin-des-Champs (Paris)

Seine

Loire

La Charité

Saône

Souvigny

CLUNY

I. d'Aix

Sauxillanges

Garonne

Rhône

Monastères de France rattachés à l'abbaye de Cluny

- avant l'an mille
- entre 1000 et 1050
- entre 1050 et 1110

d'après S. Bertelier, dans *Revue archéologique*, tome XI, 1938 et Dom P. Cousin, dans *A Cluny*, 1950

Souvigny Les "cinq filles de Cluny"

0   500 km

En 1098, avec quelques compagnons, Robert de Molesmes fonde Cîteaux, qui végète jusqu'à l'arrivée de saint Bernard (1111).

L'expansion commence alors, par essaimage, depuis les abbayes surpeuplées vers les zones encore incultes, puisque les cisterciens recherchent la solitude. Des quatre « filles »

Hovedö 1147
Alvastra 1143
Kinloss 1151
Vitsköl 1158
Nydala 1143
Gudvala 1164
Esron 1154
Herrevad 1144
Melrose 1136
Söró 1162
Boyle 1148
Oliwa 1186
Mellifont 1142
Eldena 1199
Kolbatz 1175
Lond 1144
Tintern 1131
Loccum 1165
Wonchok 1175
Waverley 1129
Altenkampf 1125
Sulejów 1177
Buckfast
Nivelles 1132
Pforta 1132
Leubus 1175
Jedrejów 1149
Orval 1132
Maulbronn 1139
Zwettl 1138
la Trappe 1147
les Vaux
Clairvaux 1115
Savigny 1147
Pontigny 1114
Morimond 1115
Heiligenkreuz 1136
Melleray
Molesmes 1075
Cîteaux 1098
Zircz 1182
la Grâce-de-Dieu 1135
Sept-Fons
La Ferté 1113
Chiaravalle Milanese 1135
Hautecombe 1135
Cadouin 1119
Aiguebelle
Morimondo 1134
la Garde-Dieu
Sobrado 1142
Senanque 1148
Valsaintes
Silvacane
Moreruela 1132
Fontfroide
Le Thoronet
Rome 1140
La Oliva 1150
Valbonne
Casamari 1140
Tarouca 1140
Valbuena 1143
Santes Creus 1152
Fossanova 1135
Alcobaça 1148
S. Stefano 1151
S. Spirito 1172

L'expansion de l'ordre de Cîteaux au XIIᵉ s.

- ● Clairvaux : 80 filles
- ■ Cîteaux : 28 filles
- ● Morimond : 28 filles
- ▲ Pontigny : 16 filles
- ▲ La Ferté : 5 filles
- ▨ Zone de densité monastique

En tout : 525 abbayes à la fin du XIIᵉ siècle

de Cîteaux, la plus prolifique est Clairvaux, par l'action de son premier abbé, saint Bernard. De son abbatiat (1115-1153) date le grand essor de l'ordre. Il se prolonge pendant trois décennies et reste très vif dans le nord-est de la chrétienté. Au début du XIIIᵉ siècle, le monachisme cistercien domine encore la spiritualité de l'Europe ; cependant, les avant-gardes se situent désormais dans d'autres mouvements religieux. Le triomphe des ordres mendiants, franciscain et dominicain, se prépare.

ART ROMAN

L'art roman, s'épanouit à la fin du Xe siècle, encouragé par la croissance économique et par les donations des souverains les plus puissants. Ses foyers créateurs se situent alors dans l'Empire ottonien (Saxe, Rhénanie, Italie du Nord), dans les royaumes de France (Tournus, Saint-Benoît-sur-Loire) et d'Angleterre, ainsi qu'en Catalogne, où l'audacieuse architecture mozarabe l'influence. Après 1050, ce sont les grandes institutions monastiques, riches des aumônes des fidèles, qui multiplient les chefs-d'œuvre, en particulier Cluny dont la congrégation rayonne dans le sud de la chrétienté (Bourgogne, Auvergne, Poitou, Suisse romande, nord de l'Espagne). L'Italie et l'Allemagne perpétuent longtemps l'esthétique romane alors que dans la France du Nord triomphe l'art gothique.

Principaux monuments
- ● Premier art roman
- ● Milieu XIe-XIIe s.

1 St-Martin-du-Canigou
2 St-Guilhem-le-Désert
3 Paray-le-Monial
4 Clermont-Ferrand
5 Solignac
6 Orcival
7 Beaulieu
8 Carennac
9 St-Nectaire

10 St-Junien
11 St-Gilles-du-Gard
12 Arles
13 Ganagobie
14 Sacra di San Michele
15 Murbach
16 Milan
17 Lucques
18 Serrabone
19 Tahull
20 Urgell
21 Santo Domingo de Silos

ART GOTHIQUE

L'art gothique naît au milieu du XIIe siècle, en l'église abbatiale de Saint-Denis. À la fois religieux et civil, il affirme la maîtrise technique de l'homme sur la matière : arcs brisés, hautes voûtes sur croisées d'ogives, effacement des parois murales avec fenêtres ouvertes sur la clarté. Les cathédrales sont les premiers chefs-d'œuvre gothiques en Île-de-France, Champagne, Picardie et Angleterre, préparant la voie à l'équilibre classique de Chartres et au style rayonnant de Reims, d'Amiens et de la Sainte-Chapelle au XIIIe siècle. Puis l'art gothique se diversifie dans le sud de la France, où les ordres mendiants le font pénétrer. Enfin il se diffuse dans toute l'Europe occidentale et même jusqu'au Levant, grâce à la puissance capétienne et à l'extension des routes internationales de commerce.

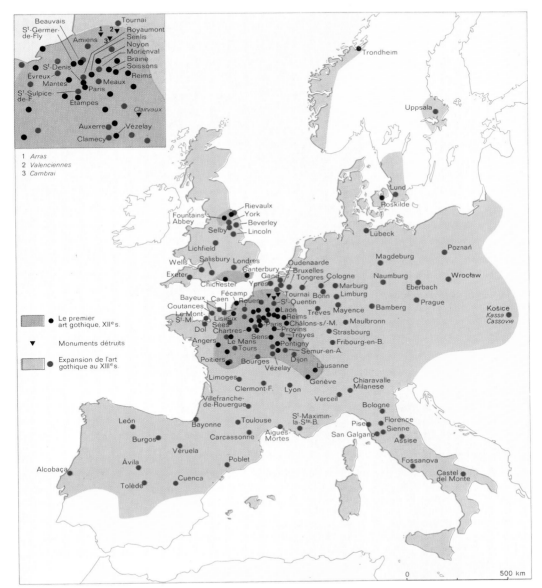

LES PRODUCTIONS
du monde occidental
au XIIIᵉ s.

U ne forte pression démo-
graphique due à un cer-
tain reflux de la morta-
lité, la multiplication des centres
urbains, en particulier en Flandre et en Italie et les exigences
nouvelles d'une bourgeoisie
dynamique et influente en pleine
extension expliquent l'effort de
l'Occident pour augmenter et di-
versifier les produits alimen-
taires, textiles et minéraux ré-
pondant aux nouveaux besoins.

Les paysans étendent les terres
céréalières depuis la Vieille-Castille jusqu'au nord de l'Europe :

froment sur les meilleures terres,
seigle rustique, qui pousse partout, orge, avoine essentielle
pour le cheval. La vigne se développe là où le climat le permet,
mêlée à l'olivier en terres méditerranéennes. Le sel, extrait des
mines de l'Europe continentale
ou fourni par les salins des côtes

atlantiques ou méditerranéennes,
répond à une demande accrue.
Quant à la culture des plantes
tinctoriales (safran, pastel) et à
l'élevage du mouton à laine, ils
s'étendent à la mesure des néces-
sités nouvelles de l'artisanat
textile.

L'essentiel reste pour les pro-

Céréales

Huile d'olive

Vin

◇◇ Safran   ◆◆◆ Pastel

⸗ Élevage du mouton
pour la laine

▼ Sel gemme
▲▲ Sel marin
— Corail   Alun
■ Charbon   Cu Cuivre
Sn Étain   Fe Fer
Au Or   S Soufre
Ag Argent   Pb Plomb

●●● Places d'affaires

⸗ Draperie
• Centres drapiers
▪ Industries métallurgiques
◆ Fabrique de papier

(Carte dressée sous la direction de Michel Mollat, professeur à la Sorbonne)

Fourrures
Bois
Miel
tockholm   Reval
(Tallin)   Novgorod
Riga
dańsk
antzig)
Toruń
(Thorn)
ocław
eslau)
acovie
Wieliczka
Bochnia
Pest
Belgrade
guse
IIIII
S
Kiev
Saray
Tana
Caffa
(Feodosia)
Trébizonde
Constantinople
Thessalonique   Tabriz
arentza
arence)   Nègrepont   Foggia
Smyrne   Mossoul
Tissus légers
Candie   Antioche
CRÈTE   Nicosie   Famagouste   Bagdad
Sucre de canne   CHYPRE   Tripoli   Soie
Sucre de canne   Brésil
Damas
Acre   Armes
Tissus
Épices   1. Tournai
Brésil   Alexandrie   2. Arras
Le Caire   3. Montreuil
4. Ypres
5. Lille
6. Gand

0   250   500 km

Les productions du monde occidental au XIIIe s.

---

ducteurs la proximité d'un fleuve ou d'une mer, seuls aptes à transporter les pondéreux que commercialisent les marchands occidentaux (Italiens, Flamands, Allemands surtout).

Ces marchands se hasardent désormais fort loin, rapportant du Levant et de son arrière-pays asiatique, au sud, le sucre de canne, les épices, la soie, l'alun. Ils diffusent aussi les richesses du monde baltique, au nord : hareng, miel, bois, fourrures.

Enfin les marchands répandent les métaux précieux (or, argent) ou les produits utiles (charbon, étain, cuivre, fer, plomb), dont l'Europe centrale accélère l'extraction, la Sicile fournissant le soufre. Deux grandes régions de concentration artisanale, la Flandre et l'Italie du Nord et du Centre, connaissent alors un remarquable essor. Spécialisées surtout dans la draperie, elles profitent de la convergence des courants commerciaux. Celle-ci entraîne la concentration urbaine et la multiplication des places d'affaires, où domine une riche bourgeoisie avide de luxe alimentaire ou de faste vestimentaire. (V. carte pp. 54-55.)

LE COMMERCE AU XIIIᵉ S.

Les courants commerciaux de l'Occident sont stimulés par la croissance de la production et des besoins (v. carte pp. 52-53).

Deux faits majeurs conditionnent au XIIIᵉ siècle leur renouvellement : l'incorporation à l'Occident de l'Orient méditerranéen, au bénéfice des marchands italiens, et la pénétration profonde de la Hanse en Scandinavie et dans les pays slaves. Le personnage du marchand professionnel s'affirme alors dans la société médiévale, toujours prêt au risque, sur mer notamment, mais bénéficiaire d'une étonnante fortune.

Deux grandes régions commer-

Les relations commerciales dans le monde occidental au XIIIᵉ s.

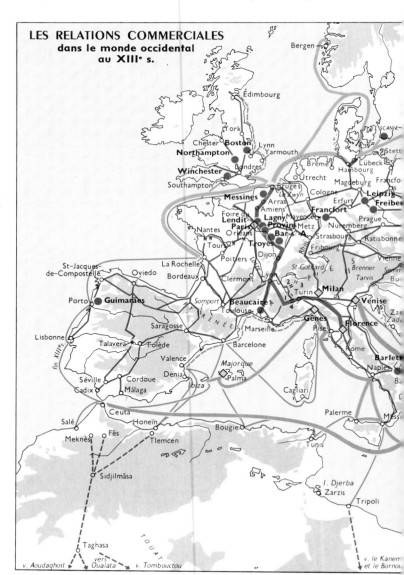

**LES RELATIONS COMMERCIALES
dans le monde occidental
au XIIIᵉ s.**

ciales, essentiellement maritimes, se définissent alors. Celle de la Baltique et de la mer du Nord, avec son prolongement atlantique, commande les échanges allant de La Rochelle ou de Bordeaux jusqu'à Novgorod, avec embranchement sur l'Angleterre. C'est, dans un sens, la route du vin, du sel, des poissons, des draps, et, dans l'autre, celle du bois, des fourrures et du grain. La région méditerranéenne comprend deux grandes orientations : de Venise, Gênes ou Palerme, on emporte vers le Levant, l'Égypte ou le Pont-Euxin, du bois, des armes, du fer, des draps en échange d'alun, de soie, de coton, de blé, de sucre et d'épices ; du Maghreb vers les Baléares, Barcelone, Naples ou la Sicile sont transportés, presque à sens unique, les peaux, l'or, les laines, le corail. À partir de 1278, Gibraltar va s'animer du trafic des Génois qui, pour éviter le coût des routes terrestres, gagnent Southampton et Bruges par l'Atlantique.

Entre ces deux grandes aires commerciales maritimes circulent sur des routes médiocres, les marchands attachés aux deux grands pôles économiques de l'Europe que sont la Flandre et l'Italie. Les voies d'eau sont souvent préférées, pour leur plus grande sécurité et leur gros tonnage. Sur les routes, les marchandises circulent à dos d'homme, de mulets bâtés ou dans les chariots rendus plus efficaces par les perfectionnements d'attelage. Les foires de Champagne (Troyes, Provins, Lagny, Bar-sur-Aube) sont les lieux de rencontre privilégiés et ininterrompus de ce grand commerce.

Ainsi se trouvent stimulés les échanges interrégionaux, qui enrichissent assez l'Europe (surtout par l'exportation des draps en Orient) pour que sa balance commerciale positive contribue à la reprise de la frappe de l'or.

carte dressée sous la direction de
Michel Mollat, professeur à la Sorbonne

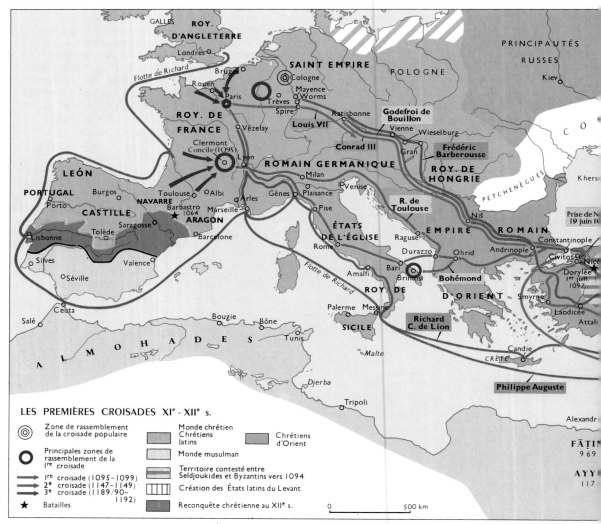

LES PREMIÈRES CROISADES XIᵉ - XIIᵉ s.

- (◎) Zone de rassemblement de la croisade populaire
- (O) Principales zones de rassemblement de la 1ʳᵉ croisade
- → 1ʳᵉ croisade (1095-1099)
- → 2ᵉ croisade (1147-1149)
- → 3ᵉ croisade (1189/90-1192)
- ★ Batailles

- Monde chrétien
  - Chrétiens latins
  - Chrétiens d'Orient
- Monde musulman
- Territoire contesté entre Seldjoukides et Byzantins vers 1094
- Création des États latins du Levant
- Reconquête chrétienne au XIIᵉ s.

0   500 km

Les premières croisades (XIᵉ-XIIᵉ s.)

Entamé en Espagne, où il revêt dès 1064 un caractère interrégional grâce à la participation de guerriers venus d'outre-Pyrénées à la prise de Barbastro, qui marque le début de la Reconquista (v. cartes pp. 47 et 110), facilité par l'occupation de la Sicile par les Normands également aux dépens de l'Islām (1050-1091), le mouvement des croisades prend réellement naissance à Clermont, le 28 novembre 1095, à l'appel du pape Urbain II.

Précédée par les foules de la croisade populaire, massacrée par les Turcs en Asie Mineure dès 1096, la croisade des barons emprunte des itinéraires uniquement terrestres qui convergent à Constantinople. Aboutissant à la libération des Lieux saints et à l'organisation des quatre États latins du Levant, cette expédition s'oppose, en tous points, aux deux suivantes.

Dirigées cette fois par des souverains qui se sont croisés au lendemain de graves échecs

Isolés au sein de l'Islām hostile, dépourvus de toute cohésion territoriale et juridique, faiblement colonisés et donc difficiles à défendre, les quatre États latins du Levant n'ont pas résisté aux assauts de leurs adversaires. Trop en flèche, le comté d'Édesse succombe le premier en 1144-1146. Accrochés au rivage, disposant depuis 1192 d'une base inexpugnable, le royaume de Chypre, les trois autres États ne font que survivre pendant un siècle à la défaite de Ḥaṭṭīn et à la prise de Jérusalem par Saladin en 1187. En 1291, en conquérant Acre, les Mamelouks effacent deux siècles de présence latine en Terre sainte.

L'Orient latin (XIIᵉ-début du XIIIᵉ s.)

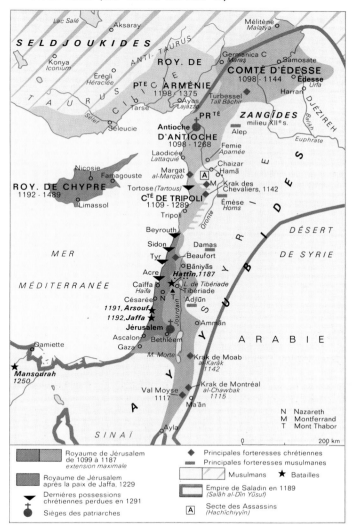

subis par les Latins – perte d'Édesse en 1144, chute de Jérusalem en 1187 –, elles échouent l'une et l'autre, la dernière au terme d'un long périple maritime dont le seul fruit fut la conquête en 1191 par Richard Cœur de Lion de l'île byzantine de Chypre, dont hérita Gui de Lusignan en 1192.

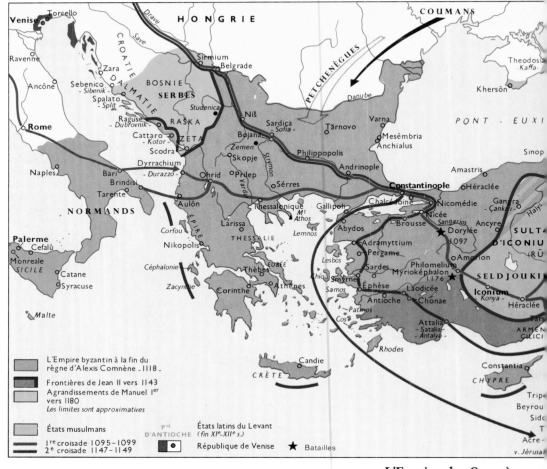

L'Empire des Comnènes

Rétracté à ses seuls territoires balkanique et asiatique, ayant perdu en outre à l'est le contrôle de l'Anatolie au profit des Turcs, l'Empire byzantin était en 1118 dans une situation diamétralement inverse à celle qu'avait connue Basile II en 976, alors que l'Asie Mineure était solidement tenue, mais l'Empire bulgare profondément implanté dans la Romanie d'Europe (v. carte pp. 42-43).

Sur les frontières de l'Empire assiégé se pressaient au nord, les peuples de la steppe, Petchenègues, Oghouz et Coumans ; à l'est, les Turcs Seldjoukides ; à l'ouest, et, depuis 1098, au sud-est, les Normands de Sicile et d'Antioche.

Aussi la tentative de restauration impériale se développa-t-elle en trois temps. En 1122, élimination définitive des Petchenègues par Jean II : la frontière danubienne est colmatée ; de 1135 à 1138, contre-offensive en Orient : les Turcs Dānichmendites sont vaincus, la Cilicie soumise, Antioche réduite par les armes ; de 1149 à 1171, enfin, retour en force des Byzantins en Occident,

L'EMPIRE DES COMNÈNES

Tamatarcha
- Taman -

GÉORGIE

Trébizonde
Ani

NICHMENDITES
Théodosiopolis
- Erzurum -
Sébaste
- Sivas -
Mantzikert

Mélitène
L. de Van

manica C
ras
Samosate

Édesse - Urfa -

D'ÉDESSE
Mossoul

ZANGĪDES
Alep

ANTIOCHE
odice

Euphrate

DE TRIPOLI

Damas

ROY. DE
ÉRUSALEM
0   250 km

Destinée par Innocent III à frapper la puissance musulmane en Égypte, la 4ᵉ croisade est détournée, en 1202-1203, vers Constantinople par les Vénitiens. Aussi aboutit-elle paradoxalement, en 1204-1205, à la dislocation de l'Empire byzantin défaillant en trois principautés indépendantes, à la création de l'Empire latin de Constantinople et à celle de trois autres États francs en Romanie, enfin à l'extension de l'empire commercial et maritime de Venise. Du moins le schisme de l'Église grecque est-il théoriquement terminé, et les positions franques en Orient sont-elles apparemment renforcées en vue de nouvelles croisades (v. cartes pp. 57 et 148-149).

La 4ᵉ croisade

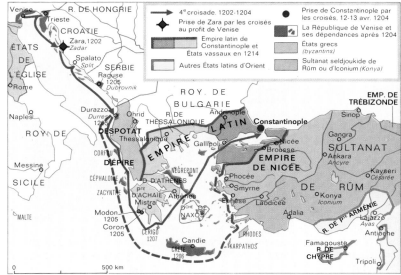

où Manuel II reconquiert le nord-ouest des Balkans. Mais cette restauration s'avéra fragile : impossible en Italie en raison de l'hostilité de Venise, elle fut gravement compromise en Orient par la défaite que les Turcs infligèrent aux Byzantins à Myrioképhalon le 17 septembre 1176. Ruiné, l'Empire tomba sous l'assaut des croisés en 1204.

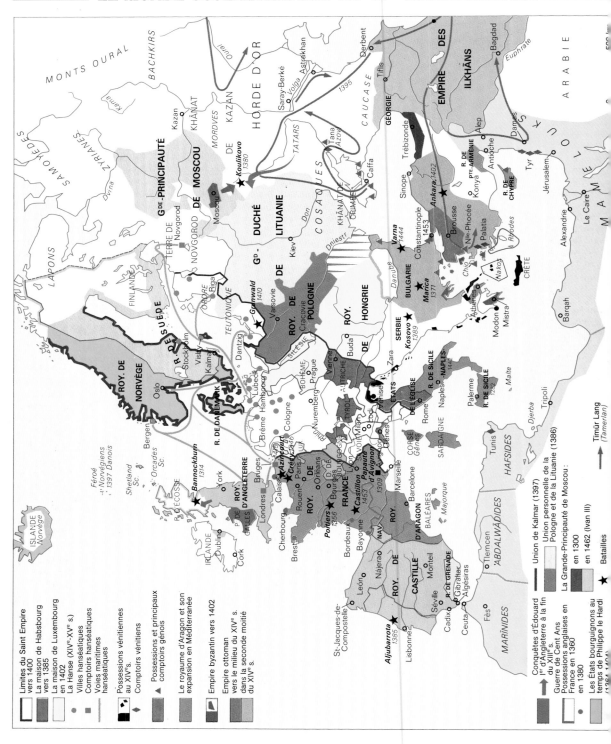

Le monde occidental (1270-1454)

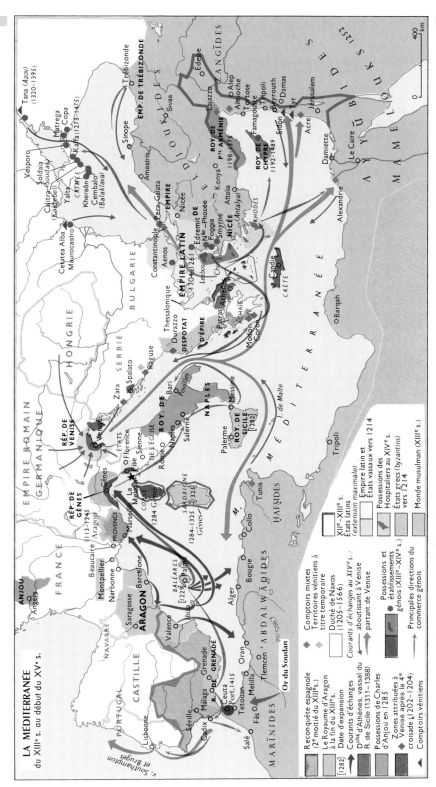

LA MÉDITERRANÉE
du XIIIᵉ s. au début du XVᵉ s.

Reconquête espagnole
(2ᵉ moitié du XIIIᵉ s.)

Le Royaume d'Aragon
à la fin du XIIIᵉ s.

Date d'expansion

[1282]

Courants d'échanges

Dᵉhé d'Athènes, vassal du
R. de Sicile (1311-1388)

Possessions de Charles
d'Anjou en 1285

Zones attribuées à
Venise après la 4ᵉ
croisade (1202-1204)

Comptoirs vénitiens

Comptoirs mixtes

Territoires vénitiens à
titre temporaire

Duché de Naxos
(1205-1566)

Courants d'échanges au XIVᵉs. :
aboutissant à Venise
partant de Venise

Possessions et
établissements
génois (XIIIᵉ-XIVᵉ s.)

Principales directions du
commerce génois

XIIIᵉ-XIIIᵉ s.
États latins
(extension maximale)

Empire latin et
États vassaux vers 1214

Possessions des
Hospitaliers au XIVᵉ s.

États grecs (byzantins)
vers 1214

Monde musulman (XIIIᵉ s.)

La Méditerranée du XIIIᵉ s. au début du XVᵉ s.

notices p. 62 →

LE MONDE OCCIDENTAL (1270-1454)

En moins de deux siècles, l'Occident enfante l'Europe moderne dans la douleur provoquée par le malheur des temps (famines, peste noire, conflits internationaux, guerres civiles, ultime invasion asiatique à l'est). Les puissances traditionnelles s'effacent : Saint Empire et papauté en Allemagne et en Italie, devant la montée des villes, tandis que l'Empire byzantin disparaît après la prise de Constantinople par les Turcs (1453).

Les protagonistes de l'Europe nouvelle sont alors en place : à l'ouest, l'Angleterre, quoique vaincue, et la France, victorieuse, sortent renforcées de la guerre de Cent Ans. Au sud, l'Espagne, en marche vers l'unité, maîtrise le bassin occidental de la Méditerranée, face à l'Empire ottoman qui en domine le bassin oriental. La Russie moscovite s'agrandit, forte de sa tradition byzantine et de sa foi orthodoxe. Les pays scandinaves se regroupent au nord. Au cœur de l'Europe, l'Autriche jette les bases de sa future puissance.

Reste à établir l'équilibre instable de ces forces nouvelles.

LA MÉDITERRANÉE DU XIIIᵉ AU DÉBUT DU XVᵉ SIÈCLE

Lieu privilégié de rencontre mais aussi de conflit des trois civilisations musulmane, byzantine et latine, la Méditerranée retrouve son unité au XIIᵉ et surtout au XIIIᵉ siècle, lorsque l'ardeur évangélisatrice des croisés, les appétits territoriaux de leurs chefs, l'âpreté au gain des marchands occidentaux entraînent le recul de l'Islām en Espagne et en Orient, l'effondrement de Byzance et la création des États latins du Levant au XIIᵉ siècle et de Romanie au XIIIᵉ siècle. Ainsi se trouvent de nouveau privilégiés les axes de navigation ouest-est, que prolonge vers l'Extrême-Orient, jusqu'en 1368, la route mongole le long de laquelle circulent les missionnaires occidentaux et la soie chinoise.

La Méditerranée est à cette époque le théâtre de nombreux conflits. Les uns opposent les villes italiennes entre elles : Gênes enlève ainsi, en 1261, le monopole du commerce en mer Noire à Venise, qui l'avait acquis en 1204, puis elle élimine définitivement la concurrence pisane à la Meloria, en 1284. D'autres font s'affronter les Capétiens et les Aragonais, la politique d'expansion des premiers en Méditerranée se heurtant à la volonté des seconds de contrôler exclusivement son bassin occidental. Le but est presque atteint au soir des Vêpres siciliennes qui chassent les Franco-Angevins de Sicile en 1282.

Communauté économique, la Hanse compte à partir de 1350 au moins 129 villes et un seul prince, le grand maître de l'ordre Teutonique. Son organisation assez lâche donne primauté à Lübeck, où se

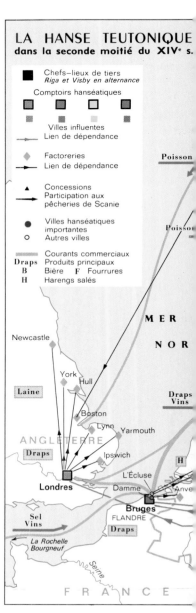

LA HANSE TEUTONIQUE
dans la seconde moitié du XIVᵉ siècle

Chefs-lieux de tiers
Riga et Visby en alternance

Comptoirs hanséatiques

Villes influentes
Lien de dépendance

Factoreries
Lien de dépendance

Concessions
Participation aux pêcheries de Scanie

Villes hanséatiques importantes
Autres villes

Courants commerciaux
Draps — Produits principaux
B — Bière   F — Fourrures
H — Harengs salés

Poisson

Poisso

MER

NOR

Newcastle

York
Hull

Laine

Draps
Vins

Boston

Lynn

Yarmouth

ANGLETERRE

Draps

Ipswich

H

L'Écluse

Londres

Damme   Anve

Bruges
FLANDRE

Draps

Sel
Vins

La Rochelle
Bourgneuf

Seine

FRANCE

*La Hanse teutonique
dans la seconde moitié du XIVᵉ s.*

LA HANSE TEUTONIQUE

tient en général le *Hansetag*, et aux villes où se tiennent les assemblées de tiers : Visby, Riga, Dortmund. Elle prétend au monopole du commerce maritime baltique, de Novgorod à Londres, par Riga, Lübeck et Bruges, de là son contrôle militaire et financier sur le Sund (1370). Sa puissance économique s'appuie sur les anciens privilèges que ses membres maintiennent dans les quatre comptoirs hors d'Allemagne, où ils entretiennent des factoreries locales : Novgorod, Bergen, Londres et, surtout, Bruges, où s'échangent les produits du Nord et de l'Est (bois, fourrures, poissons...) avec ceux d'Occident, de Méditerranée et d'Orient.

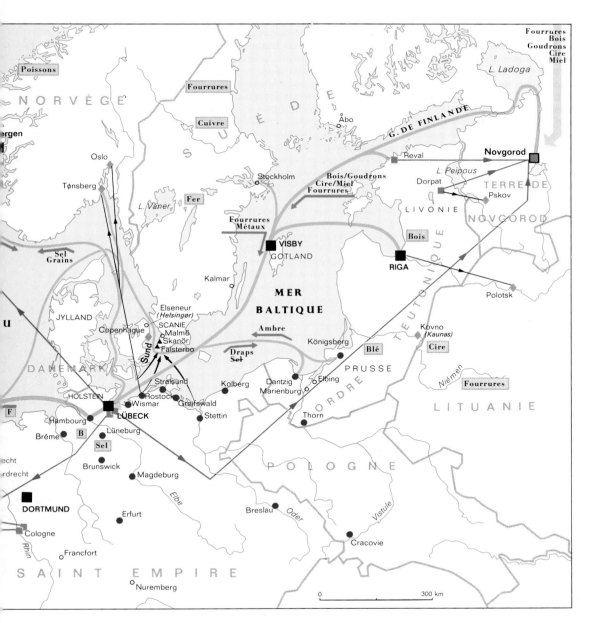

LES GRANDES DÉCOUVERTES

Le Moyen Âge ajoute peu au monde connu des Anciens, bien qu'au XIIIᵉ siècle le Vénitien Marco Polo, qui traverse l'Asie, fasse connaître Cathay (la Chine) et Cipango (le Japon), avant son retour par l'Inde et l'île Saint-Laurent (Madagascar).

Au XIVᵉ siècle, on ne commerce guère qu'en Méditerranée ou sur la côte atlantique, Génois et Dieppois ayant fondé quelques comptoirs sur la côte d'Afrique. Avec le XVᵉ siècle débutent les grandes découvertes, suscitées par le prosélytisme religieux, le désir d'atteindre les Indes (pays des épices), puis l'appât de l'or et d'un commerce fructueux, enfin par la curiosité scientifique.

Avec leurs coques solides, leurs voiles carrées et latines, les caravelles des navigateurs européens, rapides, maniables, défient les tempêtes.

Poussés par l'infant Don Henri, les Portugais s'aventurent d'abord de plus en plus loin sur les côtes d'Afrique (cap Bojador en 1434, cap Vert en 1445, cap de Bonne-Espérance en 1487). Grâce à Vasco de Gama, qui atteint les Indes (1497-98), le Portugal va placer sous son contrôle toutes les routes de l'océan Indien, y créant une cinquantaine

de comptoirs. Chargé d'une expédition en Inde, le navigateur Cabral atteint en 1500 la côte du Brésil. Dans l'intervalle, Christophe Colomb, Génois au service de l'Espagne, a découvert l'Amérique. Pensant que la Terre était ronde, il voulait joindre les Indes par l'Occident, mais il sous-estimait leur distance par rapport à l'Espagne. Le 12 octobre

LES VOYAGES DE CHRISTOPHE COLOMB

1492, il aborde à Guanahani, puis à Cuba et Haïti ; en 1493-1494, il atteint les Petites Antilles et la Jamaïque. En 1498, il visite la Trinité et suit la côte nord de l'Amérique du Sud. Lors de son quatrième voyage (1502-1504), cherchant toujours un passage vers l'Inde, il explore le fond du golfe, et meurt sans se douter qu'il a trouvé un continent. Ame-

rigo Vespucci, voyageur florentin, parle le premier d'un « nouveau monde », que des savants lorrains baptisent « Amérique » (1507). L'erreur de Christophe Colomb apparaît clairement après la découverte du Pacifique par Balboa, qui traverse l'isthme de Panamá en 1513. En 1520, Magellan trouve enfin la route de l'Inde par l'ouest.

Bien que le monde soit encore aux trois quarts inconnu, le pape Alexandre VI le partage par une bulle de 1493, démarcation confirmée par le traité de Tordesillas (1494) : les pays à l'ouest des Açores (Amériques et Pacifique) sont réservés à l'Espagne, les pays à l'est (Orient, Inde, Afrique, Asie) au Portugal. Dans l'Atlantique Nord des pêcheurs de morue anglais, français, espagnols et portugais arrivent dans les parages de Terre-Neuve.

Vers la fin du XVIe siècle, la période des grandes découvertes se termine. Les Espagnols ont trouvé le pays de l'or, les Portugais celui des épices. Cortés a conquis pour l'Espagne le Mexique, Pizarro et Almagro le Pérou et le Chili. Quant aux Portugais, tombés sous la domination de l'Espagne, ils voient leur immense et fragile empire côtier grignoté par les Hollandais, explorateurs à leur tour.

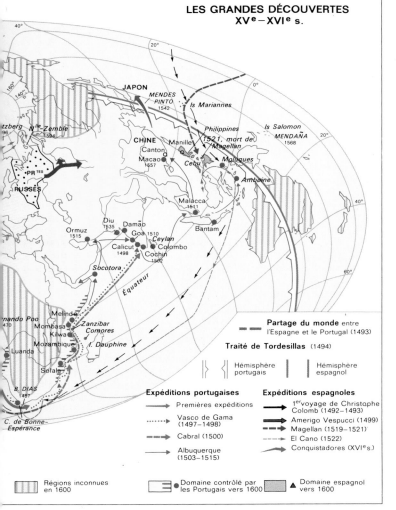

LES GRANDES DÉCOUVERTES
XVe – XVIe s.

Les grandes découvertes (XVe-XVIe s.)

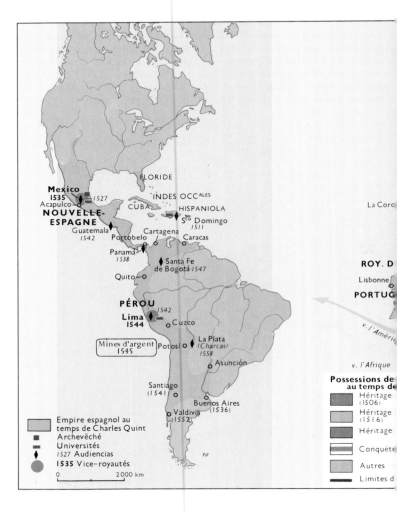

Empire espagnol au temps de Charles Quint
■ Archevêché
= Universités
◆ 1527 Audiencias
● 1535 Vice-royautés

0   2000 km

Possessions de
au temps de
Héritage (1506)
Héritage (1516)
Héritage
Conquête
Autres
Limites d

FLORIDE
Mexico 1535
Acapulco — 1527
NOUVELLE-ESPAGNE
Guatemala 1542
INDES OCC^ALES
CUBA
HISPANIOLA
St° Domingo 1511
Cartagena
Caracas
Portobelo
Panamá 1538
Santa Fe de Bogotá 1547
Quito
PÉROU
Lima 1544 — 1542
Cuzco
Mines d'argent 1545
Potosí
La Plata (Charcas) 1558
Asunción
Santiago (1541)
Buenos Aires (1536)
Valdivia (1552)

La Cor
ROY. D
Lisbonne
PORTUG
v. l'Améri
v. l'Afrique

H éritier des Habsbourg, dont la dynastie avait, depuis 1438, constamment occupé le trône impérial, Charles Quint recueille entre 1506 et 1519 trois héritages qui font de lui le maître d'un domaine sans pareil en Europe. De son père, descendant du Téméraire, il reçoit l'Artois, la Flandre, le Brabant, le Luxembourg, la Franche-Comté. Par sa mère, écartée comme incapable, il est roi d'Aragon et de Castille, avec leurs dépendances d'Italie (Sardaigne, Sicile, Naples), auxquelles s'ajoute l'immense Amérique. De son grand-père Maximilien, il hérite les domaines familiaux des Habsbourg, c'est-à-dire les archiduchés de Haute-Autriche et Basse-Autriche et leurs annexes (Styrie, Carniole, Carinthie, comté du Tyrol, landgraviat de Haute-Alsace). Élu empereur en 1519, il rêve d'unifier les 400 États allemands, de rogner les « libertés germaniques », puis d'étendre encore sa puissance territoriale, déjà redoutable, selon la fière devise « Toujours plus outre », enfin de diriger la chrétienté en établissant son hégémonie sur les autres princes d'Europe.

Pour la France, qui est un obstacle à la réunion de ses deux morceaux d'Europe, il représente une menace d'encerclement et de démembrement, car il souhaite récupérer les éléments de l'héritage bourguignon annexés par Louis XI à la mort du Téméraire (duché de Bourgogne et Picardie). De là les guerres défensives menées par François Ier et Henri II, guerres devenues générales

quand la France s'allie aux Ottomans et aux princes protestants d'Allemagne (ligue de Smalkalde) et quand l'Angleterre d'Henri VIII, soucieuse d'équilibre européen, évolue d'un camp à l'autre. François Ier, battu et fait prisonnier à Pavie (1525), est sauvé par la victoire, à Mohács, du sultan Soliman sur le roi de Hongrie Louis II, beau-frère de l'empereur, et, en 1529, par la

L'Empire de Charles Quint

en déléguant ses pouvoirs aux deux vice-rois de Mexico (1535) et de Lima (1544), l'argent et l'or commençant à arriver du Mexique, de Colombie et du Pérou à partir de 1545. Pourtant, Charles Quint avait échoué dans son aspiration à la monarchie universelle, non faute de qualités personnelles, mais à cause de moyens insuffisants : États trop dispersés, peuples peu sûrs, ressources financières encore médiocres tant que les mines d'Amérique ne parviennent pas à leur plein rendement. L'âge, la lassitude, une vive piété conduisent Charles Quint à renoncer à un pouvoir devenu trop lourd et à se retirer au monastère, après avoir abdiqué ses différentes dignités et partagé l'Empire entre son fils et son frère cadet.

Philippe II reçoit les pays bourguignons, l'Aragon, la Castille, la Sicile, ainsi que les Nouvelles Indes. Ferdinand Ier, outre la dignité impériale, conserve les possessions traditionnelles des Habsbourg. Ainsi est consacrée la scission entre domaines allemands d'une part, domaines espagnols et italiens d'autre part, malgré la persistance des liens d'intérêt et de famille.

paix des Dames (ou de Cambrai), traité par lequel Charles Quint doit renoncer à ses prétentions sur la Bourgogne. La défaite écrasante des protestants allemands à Mühlberg (1547), sera, elle, effacée par l'entrée des Turcs à Buda, par la perte des Trois-Évêchés (occupation française en 1552) et par la paix d'Augsbourg, qui assure la liberté de culte aux princes luthé-

riens d'Allemagne. Enfin, si Charles Quint réussit à contenir le danger ottoman, écarté des côtes d'Espagne par son expédition en Afrique du Nord (occupation de Tlemcen en 1531, de Tunis en 1535), il échoue malgré tout devant Alger (1541) et renonce définitivement à sa politique musulmane et méditerranéenne. En Amérique, il confirme l'installation espagnole

Annoncé en Italie par Pétrarque au XIVe siècle, l'humanisme s'épanouit à partir du concile de Florence (1439), lorsque la pensée de Platon fait « renaître » les penseurs, qui se croient plus proches de l'homme, « humaniores » ; les humanistes sont les érudits, ou, plus généralement, ceux qu'exaltent les valeurs proprement humaines. L'expansion de l'humanisme est rapide dans un Occident prêt à le recevoir, au moment où se diffuse l'imprimerie, dont l'essor, parti de la vallée du Rhin, se répand dans toute l'Europe occidentale. Sans doute imprime-t-on d'abord les ouvrages favoris du Moyen Âge, mais, bientôt, les humanistes italiens, allemands, français demandent des éditions « classiques ». Malgré la modération d'Érasme et de Budé cherchant à harmoniser hellénisme et christianisme, l'humanisme aide à la Réforme.

La « Pré-Réforme », en France, a moins d'influence que les réformateurs : Zwingli, en Suisse ; Luther, en Allemagne du Nord, Scandinavie, Finlande ; Calvin à Genève, puis aux Pays-Bas, en Écosse, dans la plupart des communautés françaises, enfin en Amérique du Nord. Le mouvement s'affaiblit en se fragmentant : anglicanisme d'Henri VIII, presbytérianisme des Écossais et nombreuses sectes. La Réforme laisse l'Europe divisée en une moitié nord, partagée entre des confessions rivales, et une moitié sud, restée fidèle à Rome, qui reconquiert après 1540 une partie de l'Allemagne et la Belgique actuelle. La France, restée catholique, accepta le dualisme de l'édit de Nantes, forme alors unique de tolérance.

Renaissance et humanisme

Légende :
- Les premières imprimeries avant 1471
- MAYENCE → Diffusion de l'imprimerie
- Centres d'imprimerie en 1480
- Universités
- Centres d'humanisme
- **Paris**

0 — 400 km

1. Marburg
2. Heidelberg
3. Tübingen
4. Fribourg
5. Dillingen
6. Padoue
7. Pérouse
8. Plaisance
9. Milan
10. Grenoble
11. Aix-en-P.

Uppsala · Aberdeen · St Andrews · Glasgow · Dublin · Copenhague · Wilno (Vilnius) · Königsberg · Greifswald · Franeker · Rostock · Cambridge · Leyde · Francfort · Oxford · Erfurt · Wittenberg · Anvers · COLOGNE · Leipzig · Iéna · Prague · Cracovie · Londres · Louvain · Eltville · Caen · Paris · MAYENCE · Bamberg · Trèves · NUREMBERG · Vienne · Orléans · Strasbourg · Ingolstadt · Presbourg · Nantes · Bâle · Augsbourg · Buda-Pest · Bourges · Dole · Beromünster · Fünfkirchen · Poitiers · Lyon · Genève · Vicence · Venise · Bordeaux · Valence · Turin · Pavie · Bologne · Orange · Avignon · Pise · Arezzo · Toulouse · Florence · Foligno · Valladolid · Saragosse · Lérida · Montpellier · Sienne · Subiaco · Coimbra · Salamanque · Perpignan · Rome · Naples · Salerne · Lisbonne · Alcalá de Henares · Barcelone · Valence · Séville · Catane

RENAISSANCE ET HUMANISME

La diffusion de la Réforme au XVIe s.

Légende :

- "Pré-Réforme" (groupe de Meaux)
- Principaux centres de diffusion de la Réforme
  - Luthéranisme
  - Calvinisme
  - Anglicanisme
  - Zwinglianisme
  - Autres centres
- Zones principalement atteintes par le protestantisme
- 1534 Adhésion officielle des États au protestantisme
- Régions touchées par les idées réformées ou le catholicisme est resté prédominant
- Principales universités protestantes (académies)
- 1520 Date de fondation ou de conversion au protestantisme
- Pays demeurés catholiques
- Gains de la Contre-Réforme
- Succès partiels de la Contre-Réforme
- Populations chrétiennes dans l'Empire ottoman
- Frontières des États au XVIe s
- Limites du Saint Empire au XVIe s

LES OTTOMANS EN EUROPE

En sollicitant l'aide des Ottomans contre les Serbes dès 1344-45, les Byzantins les attirent en Europe. Établis en 1354 à Gallipoli, les Osmanlis battent les Serbes à Kosovo (1389). La Bulgarie est occupée (1383-1393), la Valachie soumise au tribut (1395), les croisades de secours sont battues à Nicopolis (1396) et à Varna (1444). Enfin

Constantinople tombe le 29 mai 1453. L'Empire byzantin disparaît de l'histoire. Achevant la conquête de la Grèce (Morée, 1460) et les Balkans au sud de la Save et des Carpates, éliminant des Génois de la mer Noire (1461-1475), les Ottomans vont menacer directement l'Occident. Ils occupent un temps Otrante (1480-81), éliminent les Hongrois

à Mohács en 1526, vassalisent la Transylvanie. Mais le reflux s'amorce après la victoire de Chypre (1571). Vaincus par la chrétienté coalisée à Lépante (1571) et à Saint-Gotthard (1664), les Ottomans échouent au siège de Vienne face au roi de Pologne Jean III Sobieski, en 1683, et sont rejetés au sud de la Save et du Danube par les

Expansion et retrait de la puissance ottomane en Europe (XIVᵉ-XVIIIᵉ s.)

Habsbourg (Karlowitz, 1699 ; Passarowitz, 1718 ; Belgrade, 1739). En 1774 et 1792, les Romanov leur ôtent la Crimée et la Bessarabie. Avec l'arrivée des Russes, protecteurs naturels des Slaves orthodoxes, aux bouches du Danube, s'ouvre la question d'Orient.

Né dans l'État pontifical où la réforme catholique affirme après 1570 son triomphalisme face au puritanisme de la réforme protestante, le baroque s'impose à Rome grâce au Bernin, à Borromini et à Guarini. Se diffusant plus particulièrement dans les États habsbourgeois, en particulier à l'initiative des jésuites, il s'épanouit dès le XVIIe siècle dans la péninsule Ibérique, puis marque de son empreinte au XVIIIe siècle les pays germaniques, où il prend naturellement une forme plus sévère dans les États protestants qui n'ont pu résister à sa contagion. Se caractérisant par une recherche esthétique qui vise à toucher les sens par l'organisation de l'espace architectural, par la somptuosité et la surabondance des formes décoratives qui font de lui, par excellence, l'art de la fête mystique, le baroque donne des rapports de l'homme et de Dieu une conception nouvelle, qui imprègne profondément les arts plastiques jusque dans la seconde moitié du XVIIIe siècle.

L'art baroque en Europe

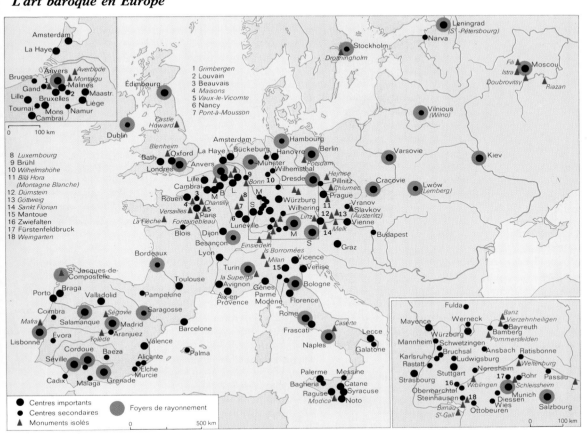

Malgré leur échec au XVIᵉ siècle, les Habsbourg de Vienne et ceux de Madrid reprennent au XVIIᵉ siècle leurs rêves d'Empire héréditaire et de domination catholique universelle. Le conflit, purement allemand au début, devient

européen avec l'intervention du Danemark et de la Suède. L'empereur Ferdinand II parut sur le point d'atteindre à l'hégémonie quand il eut écrasé la Bohême, vaincu le Danemark, proclamé en 1629 par l'édit de Restitution l'obligation faite aux protestants

de rendre les terres qu'ils avaient sécularisées, et repoussé les Suédois (mort de Gustave Adolphe, 1632). En 1635, l'empereur paraît dominer en Allemagne.

C'est alors que Richelieu, après avoir restauré l'autorité royale,

La guerre de Trente Ans et ses prolongements (1618-1660)

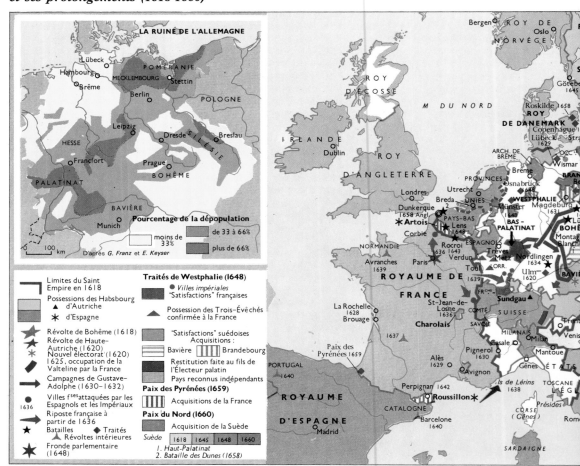

lance la France dans la guerre afin de briser l'encerclement du royaume, après avoir conclu alliance avec la Suède, les princes protestants allemands et les Provinces-Unies. Les victoires françaises, après des débuts difficiles, permettent l'occupation de l'Artois, de l'Alsace et du Roussillon, obligeant l'empereur à signer les traités de Westphalie (1648), charte du droit public européen jusqu'à la Révolution. Étendant la liberté de conscience aux calvinistes, proclamant l'égalité entre protestants et catholiques, accordant aux princes l'autorité suprême en matière religieuse, ces traités faisaient de l'Allemagne un « tout inorganique ».

L'empereur élu était désarmé devant l'oligarchie princière dans une Allemagne où triomphaient les « libertés germaniques ». Les Habsbourg de Vienne étaient vaincus. La France obtenait les droits et les possessions de la maison d'Autriche en Alsace et la reconnaissance officielle de son installation dans les Trois-Évêchés et à Pignerol.

Il fallut à l'Allemagne, champ de bataille de l'Europe, plus d'un siècle pour réparer ses ruines matérielles (chute démographique, terres incultes, famine) et se relever de son affaiblissement intellectuel et moral (tradition nationale brisée, mœurs devenues brutales).

La France, d'abord paralysée par les Frondes, ne put imposer sa victoire sur les Habsbourg de Madrid que cinq ans plus tard. Mazarin poursuivit la politique de Richelieu ; ayant encerclé les Pays-Bas en obtenant l'alliance anglaise et en formant la ligue du Rhin, il imposa le traité des Pyrénées (1659), après les victoires décisives de Turenne. L'Espagne abandonnait à la France l'Artois (moins Aire-sur-la-Lys et Saint-Omer), la haute Cerdagne et le Roussillon, et quelques places de Flandre, du Hainaut et du Luxembourg. Consacrant la toute-puissance et l'habileté diplomatique de Mazarin, l'Europe demanda alors à la France d'arbitrer la paix du Nord, qui fut favorable à son alliée la Suède (v. carte p. 102).

L'idée d'équilibre général a remplacé au XVIIIᵉ siècle les prétentions des Habsbourg puis, après eux, des Bourbons à l'hégémonie. Par ailleurs, à côté des puissances anciennes entrent en lice deux puissances nouvelles : la Prusse et la Russie, dont les ambitions compliquent la situation internationale. Aussi, pendant cinquante ans, l'Europe est-elle troublée par des guerres dites « de succession », dans lesquelles sont engagés tous les pays, inquiets des agrandissements territoriaux qui risqueraient d'accroître la puissance de l'un d'entre eux.

Aux conflits continentaux s'ajoutent par ailleurs les rivalités maritimes et coloniales entre la France et l'Angleterre, qui étendent la guerre au monde entier. Au cours de ces luttes, les

L'Europe au temps de la prépondérance britannique

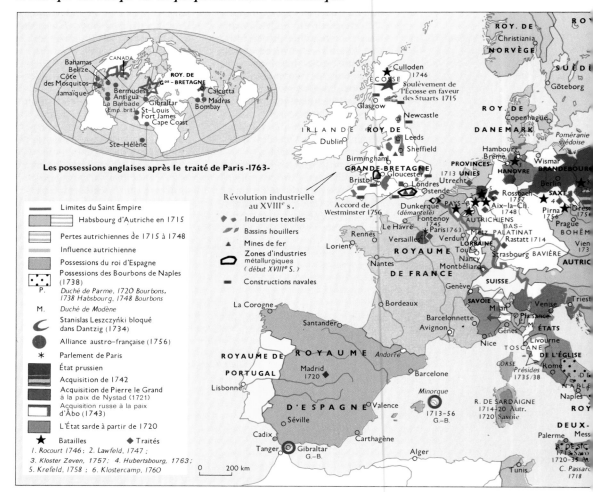

puissances, disposant de forces à peu près égales, recherchent des alliés pour réaliser leurs desseins au mieux de leurs intérêts.

En 1717, afin de contrecarrer les dangereuses ambitions de l'Espagne, la France, l'Angleterre et la Hollande signent la Triple-

Alliance pour maintenir les traités d'Utrecht. En 1733, s'ouvre la succession de Pologne, qui oppose la France à l'Autriche, alliée de la Russie : la Pologne est placée avec Auguste III sous l'autorité austro-russe, mais la France s'assure la réunion de la Lorraine, soustraite à l'Empire, après la mort de Stanislas Leszczyński. La guerre de la Succession d'Autriche oppose Frédéric II de Prusse à l'impératrice Marie-Thérèse d'Autriche : l'Autriche alliée à l'Angleterre lutte contre la France, alliée de la Prusse, qui, en conservant la Silésie, est la grande bénéficiaire du conflit. Enfin la guerre de Sept Ans (1756-1763) partage à nouveau l'Europe en deux camps, les alliances s'étant renversées : Prusse et Angleterre contre France, Autriche et Russie.

Les traités de Paris et d'Hubertsbourg (1763) marquent la défaite de l'Autriche et de la France, qui perd la plus grande partie de son empire colonial en Amérique et en Asie au profit de l'Angleterre, tandis qu'en apparence le statu quo est restauré en Europe continentale.

Bien qu'elle ne soit qu'une île, l'Angleterre s'est alors haussée en Europe au rang d'arbitre par

sa puissance maritime et coloniale et par les immenses réserves de richesses qu'annonce la révolution industrielle dans laquelle elle est la première engagée. L'Angleterre aurait voulu abaisser la France au second rang : celle-ci reste pourtant le plus puissant État d'Europe par sa population et ses armées, mais souffre de discordes intérieures. La Prusse est devenue la première puissance en Allemagne du Nord ; avec une armée forte et disciplinée et un trésor bien garni, Frédéric II enlève dans l'Empire la prépondérance à l'Autriche. Celle-ci, qui a subi de lourdes défaites, tourne désormais ses ambitions vers l'Orient et la Pologne, tout en continuant à dominer, avec l'Espagne, une Italie où le sentiment d'unité tarde à s'affirmer. Les anciens États de l'Europe de l'Est et du Nord, Suède et Pologne, doivent désormais compter avec la Russie, rénovée par Pierre le Grand en État moderne, en façade du moins.

Avec l'énergique Catherine II, la Russie, brusquement transformée, devient une force européenne de premier plan. Ainsi l'équilibre européen est totalement bouleversé par des données nouvelles.

L'EUROPE RÉVOLUTIONNAIRE

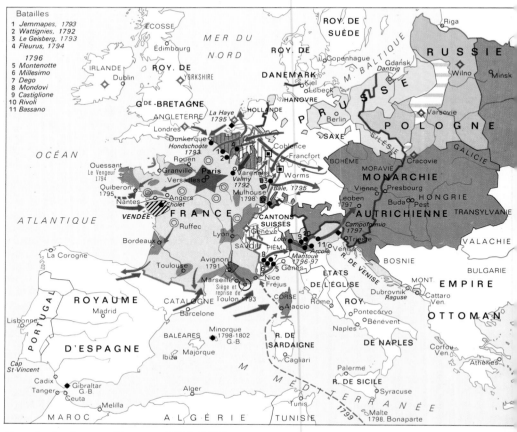

La révolution en Europe (1789-1799)

L'ascension de la bourgeoisie, la poussée des idées libérales, le mécontentement populaire déclenchent en France une révolution. Devenu violent par l'intervention du peuple des villes et des masses paysannes (la Grande Peur), ce mouvement inquiète les souverains étrangers, impressionnés par la propagande des émigrés. Cette hostilité et les difficultés intérieures françaises expliquent la déclaration de guerre à l'Au-

triche (20 avril 1792), alliée à la Prusse.

L'invasion austro-prussienne est arrêtée à Valmy, le 20 septembre 1792, mais, en 1793, la radicalisation de la Révolution et l'entrée des armées françaises en Belgique suscitent une coalition générale. Attaquée de toutes parts, minée par les insurrections vendéenne et fédéraliste, la nouvelle république n'est sauvée, à partir de l'été 1793, que par la Terreur : la mobilisation politi-

que, économique et surtout militaire qu'elle suscite permettent en effet la victoire sur tous les fronts.

Après la dislocation de la coalition en 1795, trois armées sont lancées en 1796 contre l'Autriche. Bonaparte mène en Italie une rapide et brillante campagne. La route de Vienne ouverte, l'Autriche doit, au traité de Campoformio, renoncer à la Rhénanie et à ses possessions italiennes, sauf la Vénétie.

Avec le retour au pouvoir des modérés, en 1794, la « croisade de la liberté contre les tyrans » ne couvre plus qu'une politique d'annexion (Belgique et rive gauche du Rhin intégrées à la République) ou de vassalisation : les « républiques sœurs », aux institutions calquées sur celles de la France. Menée au mépris des vœux des populations et accompagnée d'un pillage organisé, cette politique mécontente même les révolutionnaires étrangers, mais paraît un regain d'expansion révolutionnaire aux souverains, qui ripostent par la deuxième coalition.

Les républiques sœurs

L'EUROPE NAPOLÉONIENNE

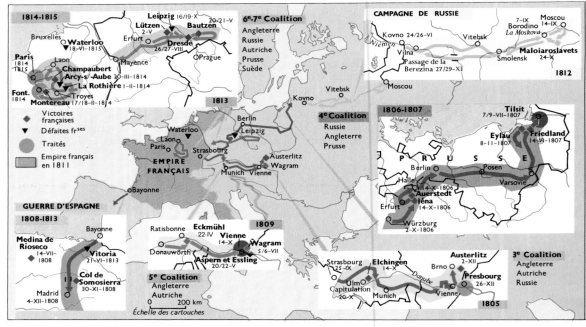

Les guerres du premier Empire

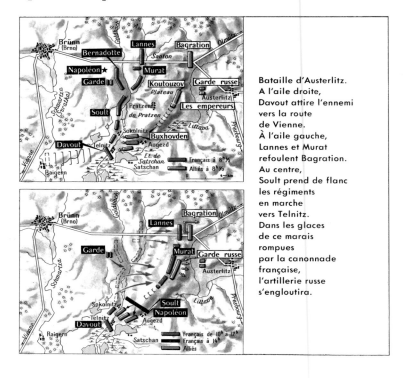

Bataille d'Austerlitz.
A l'aile droite,
Davout attire l'ennemi
vers la route
de Vienne.
À l'aile gauche,
Lannes et Murat
refoulent Bagration.
Au centre,
Soult prend de flanc
les régiments
en marche
vers Telnitz.
Dans les glaces
de ce marais
rompues
par la canonnade
française,
l'artillerie russe
s'engloutira.

**Bataille
d'Austerlitz
(1805)**

Reprenant la guerre dès 1803, l'Angleterre organise des coalitions, avec l'Autriche et la Russie (1805), la Russie et la Prusse (1806-1807), l'Autriche et les insurgés espagnols (1809). Elles sont vaincues par l'efficace stratégie napoléonienne (division des adversaires, battus par de rapides mouvements tournants).

Napoléon occupe le Portugal en 1807 et remplace le roi d'Espagne par Joseph Bonaparte (1808). Mais, dès 1809, le rapport de forces s'inverse. La population espagnole résiste. Les Anglais réoccupent le Portugal, libèrent l'Espagne (1812) et envahissent la France (1814). Après la rupture de l'alliance franco-russe en 1811, la campagne de Napoléon en Russie (dès juin 1812) échoue face à la stratégie russe de recul et de « terre brûlée ». Après l'occupation de Moscou, la Grande Armée en retraite est décimée par la « grande guerre patriotique » des Russes, l'hiver et la faim. Au cours de la sixième coalition, la France, qui perd l'Allemagne en 1813, est envahie en 1814. Malgré la brillante campagne de février, Paris capitule le 30 mars et l'Empereur abdique le 6 avril à Fontainebleau.

Diffusion du Code civil. Code Napoléon

Le Code civil, promulgué en 1804, traduit en règles juridiques l'évolution individualiste et libérale de la société française, qu'accélère la victoire de la bourgeoisie : égalité formelle devant la loi, liberté individuelle, propriété sacralisée. Ce Code se répand dans tous les pays soumis à l'hégémonie française, d'où un contraste durable entre une Europe de l'Ouest, où sont en place les bases juridiques de la révolution libérale et de l'essor du capitalisme, et une Europe centrale et orientale, encore féodale.

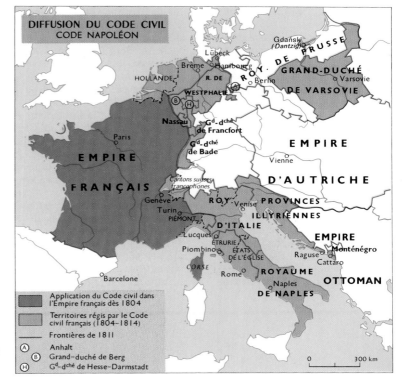

L'Europe napoléonienne en 1811

En 1811, toute l'Europe subit l'influence de Napoléon, sauf l'Angleterre et le Portugal (que l'Angleterre occupe en partie), la Sardaigne, la Sicile et Malte. Pour abattre l'Angleterre, maîtresse des mers depuis Trafalgar (1805), l'Empereur a cru pouvoir l'asphyxier économiquement en retournant contre elle l'arme du blocus qui prohibe les marchandises ennemies. Il doit donc contrôler toute l'Europe. De là, l'annexion ou l'administration directe des zones côtières.

Après l'occupation des États de l'Église et l'annexion de la Hollande, l'Empire français compte ainsi 130 départements. Certains États sont personnellement gouvernés par Napoléon : le royaume d'Italie, où le prince Eugène le représente comme vice-roi, les Provinces illyriennes (Dalmatie, Istrie, Haute-Carinthie, Carniole, Frioul et Croatie), dont Marmont est gouverneur.

Instituant un système familial, Napoléon a établi ses proches parents sur les trônes européens. Les « Napoléonides » gouvernent ainsi le royaume de Naples (Murat, son beau-frère), le grand-duché de Toscane (Élisa, sa sœur), le royaume de Westphalie (Jérôme, son frère), le grand-duché de Berg (Napoléon-Louis, son neveu), le royaume d'Espagne (Joseph, son frère).

L'Allemagne de l'Ouest et du Centre, dont les 36 États sont rassemblés dans la Confédération du Rhin, est placée sous le protectorat officiel de Napoléon. En Suisse, celui-ci est médiateur de la Confédération helvétique. Le grand-duché de Varsovie est placé sous sa tutelle.

D'autres États sont, de gré ou de force, officiellement ses alliés : ainsi, le Danemark et la Russie, malgré une alliance quelque peu ébranlée en 1808 par l'attitude du tsar à Erfurt.

Enfin certains États se rappro--chent de la France ou cherchent à obtenir son amitié : la Prusse, sous l'influence de son ministre Hardenberg, s'engage dans une alliance avec la France ; l'Autriche, après le mariage de Napoléon avec Marie-Louise, s'apprête à fournir un contingent ; la

Suède, qui a pris pour roi le maréchal français Bernadotte, semble, après une longue hostilité, témoigner de dispositions favorables. Réserve faite de l'Angleterre et de l'Empire ottoman où, après la mort du sultan Sélim III, l'influence française re-

cule, l'Empereur semble n'avoir en Europe que des amis ou des alliés, malgré l'incertitude de l'alliance russe. Le prestige de Napoléon et ses alliances donnent aux idées françaises une incomparable force d'expansion. Mais l'arme du blocus apparaît

vite inefficace face à la contrebande qui part des bases anglaises, favorisée par l'hostilité de la bourgeoisie française et surtout par celle des populations européennes, pénalisées économiquement et opprimées politiquement.

L'EUROPE APRÈS LE CONGRÈS DE VIENNE

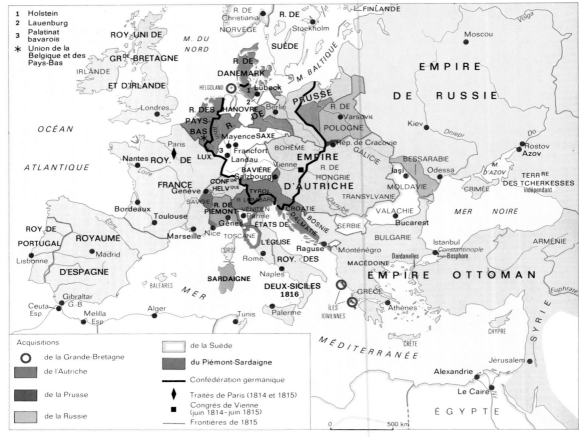

L'Europe du congrès de Vienne

Pour les vainqueurs, la chute de Napoléon doit substituer l'ère de la Sainte-Alliance à celle de la Révolution. Ils réorganisent donc l'Europe, au mépris des vœux des peuples, selon les principes de légitimité, de restauration et de solidarité des princes, que tempère le souci d'un équilibre européen au profit des grandes puissances : les survivances médiévales d'Allemagne et d'Italie disparaissent ; le Saint Empire est remplacé par la Confédération germanique de trente-huit États ; les grandes puissances agrandissent leurs domaines (la Prusse en Rhénanie, l'Autriche en Italie et dans les Balkans, la Russie en Pologne), l'Angleterre se contentant de bases maritimes ; la France, coupable de révolution, est surveillée par deux États tampons renforcés, les Pays-Bas et le royaume de Sardaigne.

Refusant pour son pays un destin si cruel, redoutant pour lui-même un exil plus lointain que l'île d'Elbe, où il a « régné » du 4 mai 1814 au 26 février 1815, Napoléon Ier tente, lors des Cent-Jours (20 mars-8 juillet 1815), de remettre en cause l'œuvre du congrès de Vienne, avant même que celle-ci ne soit validée par l'Acte final du 9 juin 1815.

Consacrée le 18 à Waterloo par la défaite de l'Empereur, qui s'embarque, le 15 juillet, près de Rochefort sur le *Bellerophon*, cette œuvre du congrès de Vienne établit un équilibre des forces en Europe, qui, pour l'essentiel, ne fut pas remis en cause avant la signature du traité de Versailles le 28 juin 1919. (V. carte pp. 92-93.)

En 1846-1848, une crise économique affaiblit les gouvernements et cristallise le mécontentement des bourgeoisies libérales et des masses réduites à la misère. Dès 1846 s'amorce un mouvement révolutionnaire qui, à partir des insurrections de Paris et de Vienne, balaie toute l'Europe. D'inspiration démocratique en France et libérale dans les pays autocratiques, le mouvement prend un sens national dans l'Empire d'Autriche, où les nationalités réclament leur autonomie, en Allemagne et en Italie, où aspirations libérales et unitaires se mêlent.

Ce « printemps des peuples » est bref. La réaction l'emporte en France (mai 1849) et en Italie, avec la réinstallation des Bourbons à Naples, du pape à Rome et la défaite du Piémont par l'Autriche (mars 1849). La répression est cruelle à Vienne, en Bohême et en Hongrie. Enfin, lors de l'humiliante reculade d'Olmütz, en novembre 1850, le gouvernement de Vienne ruine le rêve d'une Allemagne unifiée par la Prusse. [V. cartes pp. 104 et 182.]

Les révolutions de 1848 et la réaction

L'EUROPE DES NATIONS

L'EUROPE DES NATIONS 1850-1914

SUÈDE

DANEMARK

SCHLESWIG-
Kiel
1895
HOLSTEIN
LAUENB°

PAYS-BAS
HANOVRE
P R U S S E
R U S S I E

Berlin
BRANDEBOURG
Varsovie
Anvers
Ruhr
Rhin
P O L O G N E
Kiev
BELGIQUE
Liège
Ems
SAXE
SILESIE
Cracovie
UKRAINE
Paris
Sedan
Lux.
Francfort
Sadowa
Prague
RUTHÈNES
Metz
Heidelberg
BOHÈME
POLONAIS
Lwów
(Lemberg)
Strasbourg
BAVIÈRE
TCHÈQUES
SLOVAQUES
Bade
Wurt
Hohenzollern
Vienne
FRANCE
ALLEMANDS
Leitha
Plombières
Zurich
AUTRICHE
MOLDAVIE
Iasi
Odessa
Lausanne
SUISSE
Gastein
MAGYARS
Budapest
1878
Lyon
SAVOIE
TRENTIN
SLOVÈNES
HONGRIE
Sébastopol
1860
Novare
Milan
VÉNÉTIE
Trieste
Zagreb
ROUMAINS
Panslavisme
Turin
LOMBARDIE
ISTRIE
ROUMANIE
russe et visées
PIÉMONT
Venise
CROATIE
Belgrade
VALACHIE
sur les Détroits
Gênes
Parme
Modène
Fiume
Bucarest
1878
1860
Nice
ROMAGNE
BOSNIE-
SERBIE
Danube
Varna
Marseille
Florence
ÉTATS
HERZÉGOVINE
TOSCANE
DE L'ÉGLISE
Sarajevo
Plevna
BULGARIE
CORSE
1878
ROUMÉLIE OR¹e
MONTÉNÉGRO
1885
THRACE
BOSPHORE
Rome
Mentana
ALBANIE
1913
1913
Andrinople
Constantinople
Pontecorvo
1913 ind.
San Stefano
Gaète
Bénévent
MACÉDOINE 1913
EMPIRE
SARDAIGNE
Naples
ROY. DES
DARDANELLES
DEUX-SICILES
1881
OTTOMAN
Palerme
SICILE
Messine
GRÈCE
Athènes
Tunis
Malte G.-B.
DODÉCANÈSE
1912/20 Italie
CRÈTE
CHYPRE
1878, G.-B.

Empire ottoman

L'Empire ottoman avant
1878 (congrès de Berlin)

Annexions balkaniques :

ce qui devient la Bulgarie

ce qui devient la Serbie

ce qui devient la Grèce

ce qui devient la Roumanie

L'Empire ottoman en 1913

N   Sandjak de Novi Pazar

Empire d'Autriche
Extension de l'Empire
d'Autriche en 1850

Après 1867 :

Cisleithanie

Transleithanie

Bosnie–Herzégovine
1878, occupation. 1908, annexion
➡ Axe d'expansion

Limites de la conféd. germanique

Allemagne
La Prusse en 1861

États intégrés dans la Confédération
de l'Allemagne du Nord (1867)
.... Limite sud de cette confédération
États de l'Allemagne du Sud
intégrés au Reich en 1871

Alsace-Lorraine,
terre d'Empire (1871)

Le Reich en 1871

Italie
Royaume de Piémont-Sardaigne
Annexion de l'Italie centrale
(1859–mars 1860)
Annexion du roy. de Naples et
formation du roy. d'Italie (1861)
Acquisition de la
Vénétie (1866)
Rome
(1870)

1. Magenta   3. Custozza
2. Solferino   4. Villafranca

0   300 km

L'Europe des nations (1850-1914)

LES BALKANS

cartes pp. 86-87 →

1912 - 1913

1912

★ Victoires balkaniques

Empire ottoman
Grèce
Serbie
Monténégro
Bulgarie
Roumanie
Acquisitions
de l'Italie

RUSSIE

Dniestr

AUTRICHE-
HONGRIE

B E S S A R A B I E

Iaşi

Belgrade

ROY. DE
ROUMANIE
Bucarest ◆

DOBROUDJA

BOSNIE-
HERZÉGOVINE
1908 Autr.-Hongrie

ROY. DE
SERBIE

Danube

◦Silistrie

Sarajevo

Niš

ROY. DE
BULGARIE

Morava

◦Varna

ROY. DU
MONTÉNÉGRO

◦Novi Pazar

Bar
(Antivari)
Dulcigno

◦Scútari

Sofia

★ Kúmanovo

Kirk-Kilissa

Vardar

Midia
◦Bosphore

ALBANIE
1913
indépendance

Monastir

Sérrai◦
Kavalla◦

Andrinople
Dedeagač Lüleburgaz ★
Énos

Const.

M A C É D O I N E

◦Salonique

EMPIRE

CORFOU
Ioánnina

◦Lárissa

Dardanelles

THESSALIE
1881

ROY. DE
GRÈCE

Athènes◦

OTTOMAN

Smyrne◦

1913

Empire ottoman :

traité de Londres (30 mai)

traité de Bucarest (10 août)

Acquisitions :

de la Bulgarie
de la Roumanie
de la Grèce
de la Serbie
du Monténégro

Rhodes◦
D O D É C A N È S E

C R È T E

0   250 km

© Lignes de Čataldža

Les Balkans (1912-1913) ▲

D e 1850 à 1914, le principe
d'État-nation l'emporte
sur celui de légitimité. Le
Piémont réalise l'unité italienne,
la Prusse de Bismarck l'unité de
l'Allemagne (guerres contre l'Autriche en 1866 ; contre la France
en 1870). L'Autriche doit accepter le dualisme austro-hongrois
(1867), l'Empire ottoman subit la
poussée des nationalités balkaniques aidées par les grandes
puissances.

P rofitant des révoltes des
populations chrétiennes de
Bulgarie et de Bosnie, la
Russie intervient en 1877 contre
la Turquie, mais se voit imposer
un partage des zones d'influence
dans les Balkans par l'Autriche
et la Grande-Bretagne. En 1912,
les petits États des Balkans infli-
gent une défaite à l'Empire ottoman, mais la guerre reprend en
1913 entre la Bulgarie et ses anciens alliés.

L'EMPIRE COLONIAL PORTUGAIS

A la fin du XVe siècle, les
Portugais fondent un em-
pire colonial (Brésil,
comptoirs d'Asie, possessions
africaines). Après la perte de
leurs comptoirs d'Asie, puis l'indépendance du Brésil (1822), ils
étendent leurs possessions africaines, qu'ils conservent jusqu'en
1974.

L'EMPIRE COLONIAL ESPAGNOL

J usqu'à l'indépendance des
colonies américaines (début
du XIXe s.), cet empire est
immense. En Afrique, où l'implantation est plus tardive, l'Espagne perdra en 1956, 1958 et
1976 ses territoires au Maroc et
au Sahara.

L'EMPIRE COLONIAL FRANÇAIS

A ux XVIIe et XVIIIe siècles, la
France colbertiste crée un
vaste empire aux Antilles,
en Amérique du Nord et en
Inde. L'Angleterre en hérite aux
traités de Paris (1763) et de
Vienne (1815). Édifié à partir de
1830, le « second empire » est
démantelé par les guerres d'Indochine (1947-1954), d'Algérie
(1954-1962) et l'émancipation pacifique du reste de l'Afrique.

L'EMPIRE BRITANNIQUE

É difié en Amérique du
Nord et aux Indes au
XVIIIe siècle, amputé en
1783 par la création des États-
Unis, cet empire s'étend à l'Afrique au XIXe siècle. La fondation
du Commonwealth en 1931 facilite la décolonisation depuis 1945.

COLONISATION ET DÉCOLONISATION

← notices p. 85

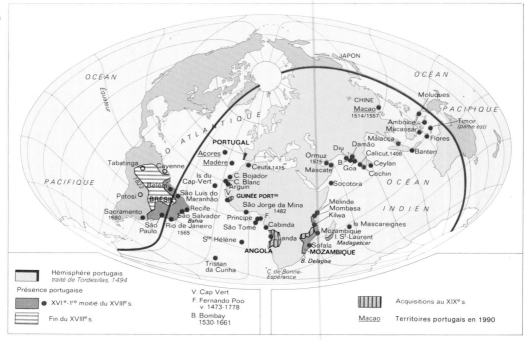

Empire colonial portugais

Légende :
- Hémisphère portugais *traité de Tordesillas, 1494*
- Présence portugaise
  - XVIᵉ-1ʳᵉ moitié du XVIIIᵉ s.
  - Fin du XVIIIᵉ s.
- V. Cap Vert
- F. Fernando Poo v. 1473-1778
- B. Bombay 1530-1661
- Acquisitions au XIXᵉ s.
- Macao : Territoires portugais en 1990

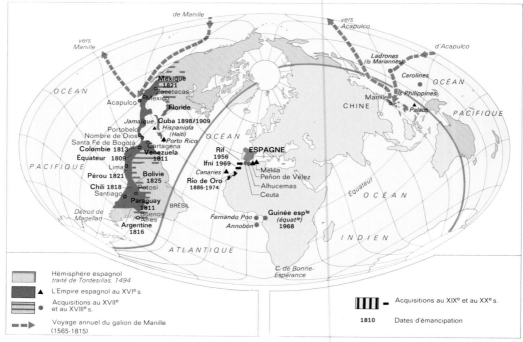

Empire colonial espagnol

Légende :
- Hémisphère espagnol *traité de Tordesillas, 1494*
- L'Empire espagnol au XVIᵉ s.
- Acquisitions au XVIIᵉ et au XVIIIᵉ s.
- Voyage annuel du galion de Manille (1565-1815)
- Acquisitions au XIXᵉ et au XXᵉ s.
- 1810 : Dates d'émancipation

86

notices
p. 85

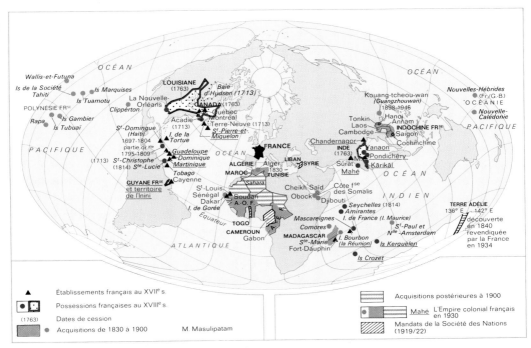

Empire colonial français à son apogée

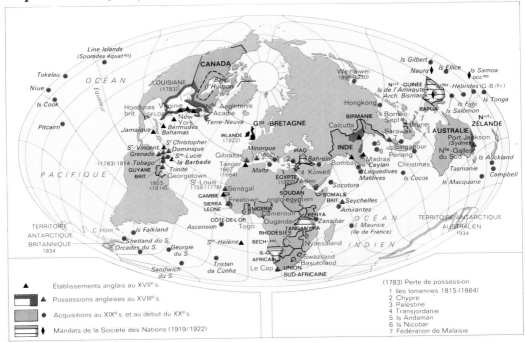

Empire britannique à son apogée

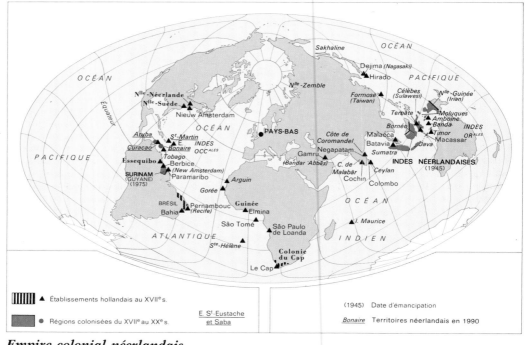

Établissements hollandais au XVIIᵉ s.

Régions colonisées du XVIIᵉ au XXᵉ s.

E. Sᵗ-Eustache et Saba

(1945) Date d'émancipation

Bonaire Territoires néerlandais en 1990

Empire colonial néerlandais

Empire colonial italien

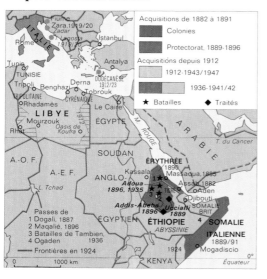

Acquisitions de 1882 à 1891
Colonies
Protectorat, 1889-1896

Acquisitions depuis 1912
1912-1943/1947
1936-1941/42

★ Batailles ◆ Traités

Passes de
1 Dogali, 1887
2 Maqalié, 1896
3 Batailles de Tambien,
4 Ogaden 1936
— Frontières en 1924

L'EMPIRE COLONIAL ITALIEN

Tardivement unifiée, l'Italie s'engage dans la colonisation alors que l'Afrique offre de moindres possibilités : en Éthiopie, elle échoue, en Libye son occupation (1911) reste limitée. Le régime fasciste reprend une politique annexionniste : la conquête de l'Éthiopie (1936) et celle de l'Albanie (1939), en précipitant la Seconde Guerre mondiale, entraînent l'écroulement du régime et de son empire.

EMPIRES CENTRAU
en 1914
possessions allemandes

NEUTRES
en 1914
ayant rompu leurs relations diplomatiques avec les au cours de la guerre

◀ L'EMPIRE COLONIAL NÉERLANDAIS

Après leur émancipation (1579), les Provinces-Unies créent une véritable thalassocratie aux dépens des puissances ibériques. Les compagnies des Indes établissent des comptoirs le long des grandes routes maritimes, assurant au XVIIe siècle la primauté commerciale des Hollandais aux Antilles et en Asie du Sud-Est.

Mais l'Angleterre, à la faveur des guerres révolutionnaires et napoléoniennes, retire à la Hollande ses points d'appui. Limitée aux Indes orientales, la colonisation prend au XIXe siècle un aspect d'exploitation capitaliste. Le mouvement d'émancipation nationale mené par Sukarno et stimulé par l'occupation japonaise de 1942 à 1945 aboutit finalement à l'indépendance de l'Indonésie (1954).

LA GUERRE DANS LE MONDE
(1914-1918)

La montée des nationalismes, l'impérialisme économique et naval de l'Allemagne, l'antagonisme germano-slave dans les Balkans et la course aux armements de la Triple-Entente (France, Grande-Bretagne, Russie) et de la Triple-Alliance (Allemagne, Autriche-Hongrie, Italie) font de l'Europe de 1914 une « poudrière ». L'assassinat par un étudiant bosnia-que de l'archiduc François-Ferdinand d'Autriche (Sarajevo, 28 juin 1914) déclenche la Première Guerre mondiale : ce conflit « total » (industriel, économique, psychologique), qui gagne les colonies des États européens, le Japon (1914), les États-Unis, la Chine et divers États sud-américains (1917), entraînera la mort de 8 millions d'hommes avant de se terminer, le 11 novembre 1918, par la signature de l'armistice par l'Allemagne, à Rethondes.

▼

La guerre dans le monde (1914-1918)

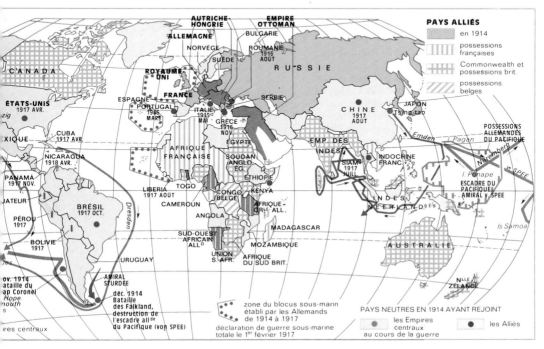

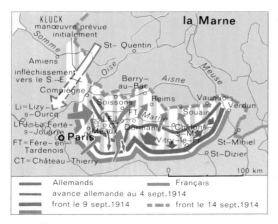

La Marne

Fronts français

1915-1916

1917-1918

C'est sur le front français que, de 1914 à 1918, se joue le sort de la guerre. Suivant le plan conçu par Schlieffen face à l'alliance franco-russe, Moltke fonde sa manœuvre sur la rapidité et l'ampleur du mouvement de ses forces à travers la Belgique. Mais c'est un échec, du fait de l'étonnant redressement de Joffre sur la Marne. À Noël 1914, un front de 750 km s'étend de la mer du Nord à la Suisse, laissant aux Allemands une région vitale pour l'économie française.

D'où l'effort des Alliés, en 1915-1917, pour libérer ce territoire. En 1916, la guerre d'usure est érigée en système par Falkenhayn, pour épuiser les effectifs français (bataille de Verdun). De la Picardie à la Champagne, Ludendorff lance (mars-juill. 1918) cinq « coups de boutoir » sur le front français, pour forcer la victoire avant l'engagement massif des Américains. Mais les Alliés, aux ordres de Foch, reprennent l'initiative des opérations à Villers-Cotterêts (18 juill.), et la garderont jusqu'à la victoire décisive, consacrée par l'armistice du 11 novembre, qui scelle l'effondrement du IIe Reich.

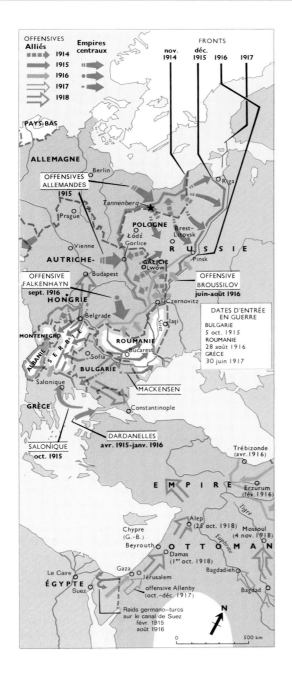

OFFENSIVES
Alliés | Empires centraux | FRONTS
1914 | | nov. 1914 | déc. 1915 | 1916 | 1917
1915
1916
1917
1918

PAYS-BAS

ALLEMAGNE
Berlin
OFFENSIVES ALLEMANDES 1915
Tannenberg
Prague
POLOGNE
Łódź
Gorlice
Vienne
Brest-Litovsk
R U S S I E
AUTRICHE-
GALICIE
Lwów
Pinsk
OFFENSIVE FALKENHAYN sept. 1916
Budapest
OFFENSIVE BROUSSILOV juin-août 1916
HONGRIE
Czernovitz
Iaşi
Belgrade

DATES D'ENTRÉE EN GUERRE
BULGARIE 5 oct. 1915
ROUMANIE 28 août 1916
GRÈCE 30 juin 1917

MONTENEGRO
ROUMANIE
Bucarest
ALBANIE SERBIE
Sofia
BULGARIE
MACKENSEN
Salonique
GRÈCE
Constantinople
DARDANELLES avr. 1915-janv. 1916
SALONIQUE oct. 1915
Trébizonde (avr. 1916)

E M P I R E
Erzurum (fév. 1916)
Alep (25 oct. 1918)
Chypre (G.-B.)
Mossoul (4 nov. 1918)
Beyrouth
O T T O M A N
Damas (1er oct. 1918)
Le Caire
Gaza
Jérusalem
Bagdadieh
ÉGYPTE
Suez
offensive Allenby (oct.-déc. 1917)
Bagdad
Raids germano-turcs sur le canal de Suez févr. 1915 août 1916

N

0 ___ 500 km

Fronts d'Europe orientale et du Moyen-Orient

Sur le front d'Europe orientale, l'offensive russe (août 1914) est stoppée par Hindenburg à Tannenberg, mais les Autrichiens sont battus ; puis le front se stabilise. En 1915-1916, l'expédition des Dardanelles et le débarquement de Salonique, organisés par les Alliés pour aider les Russes et les Serbes et éliminer la Turquie, sont un échec. En 1916, les armées du tsar percent le front autrichien, mais la prise du pouvoir par Lénine, en novembre 1917, entraîne la défection des Russes et l'armistice de Brest-Litovsk (déc.). L'année 1918 est décisive : offensive alliée dans les Balkans et rupture du front bulgare.

Au Moyen-Orient, l'offensive anglaise en Égypte et en Palestine doit protéger le canal de Suez. Arrêtés par les Turcs (Gaza, 1917), les Anglais fomentent la révolte arabe contre la domination ottomane, et le chérif Hussein soutient leur campagne en Palestine (entrée à Jérusalem, déc. 1917 ; à Damas, oct. 1918). Bagdad est occupée en mars 1917. En 1918, le front de Palestine étant rompu par les Anglais, les Ottomans signent l'armistice de Moudros (30 oct.).

L'EUROPE ENTRE LES DEUX GUERRES

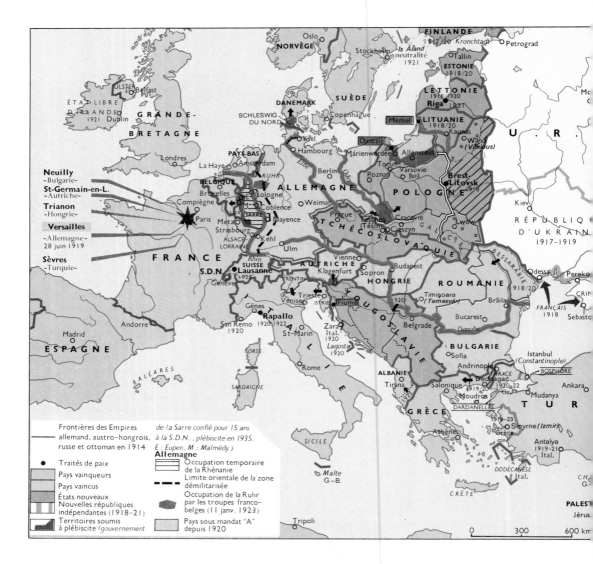

Légende de la carte :

Frontières des Empires allemand, austro-hongrois, russe et ottoman en 1914

de la Sarre confié pour 15 ans à la S.D.N. , plébiscite en 1935.
E : Eupen, M : Malmédy)

Allemagne

- Traités de paix
- Pays vainqueurs
- Pays vaincus
- États nouveaux
- Nouvelles républiques indépendantes (1918-21)
- Territoires soumis à plébiscite (gouvernement

- Occupation temporaire de la Rhénanie
- Limite orientale de la zone démilitarisée
- Occupation de la Ruhr par les troupes franco-belges (11 janv. 1923)
- Pays sous mandat "A" depuis 1920

Neuilly
-Bulgarie-
St-Germain-en-L.
-Autriche-
Trianon
-Hongrie-
Versailles
-Allemagne-
28 juin 1919
Sèvres
-Turquie-

Les traités de 1919-20 fondent la paix sur le « droit des peuples à disposer d'eux-mêmes », affirmé par les « Quatorze Points » du président Wilson, qui consacrent l'achèvement du mouvement des nationalités : démembrement des Empires austro-hongrois et ottoman, indépendance des pays Baltes, de la Finlande, de la Pologne. Mais les craintes ou les ambitions contradictoires des grandes puissances, représentées par Clemenceau, Lloyd George et Orlando, compliquent les règlements concernant l'Allemagne et la Russie. La première, objet d'un affrontement franco-anglais, est désarmée, coupée en deux par le « corridor de Dantzig », humiliée mais non abattue. Pour la Russie, un « cordon sanitaire » doit rejeter le plus à l'est possible les frontières du bolchevisme. Mais la rivalité des jeunes nationalismes, la division des vainqueurs, l'impuissance de la Société des Nations favorisent les projets « révisionnistes » : dès 1919, D'Annunzio s'oppose au statut de Fiume. En 1923, la Turquie impose à Lausanne la révision totale du traité de Sèvres et ampute la Grèce de Smyrne et de la Thrace.

Pologne
- Ligne Curzon (1919)
- Acquisition au traité de Riga (1921)
- Acquisitions de 1920/23

Turquie
- Frontières de 1920 (traité de Sèvres)
- [Dantzig] Villes libres

Memel (Kłajpeda)
1919 administration S.D.N. ;
1923 Lituanie ; 1924 autonomie
Fiume 1919–20 It. (D'Annunzio) ;
1920, indépendance ; 1924 Italie
- Intervention alliée en Russie en 1918
- Voies fluviales internationalisées
- Frontières de 1923

Oufa

RÉP. FÉDÉRATIVE DE TRANSCAUCASIE

GÉORGIE
1918-21 ind.
Batoumi
Tiflis

ANGLAIS 1918
AZERB^{AN}
1921
ARMÉNIE
rébizonde
Kars
Erevar
ARMÉNIE
1918-21 ind.
Van
IRAN

I E
1920
Mossoul
andrette
Alep
aqué
T DES
ITES
SYRIE
(Fr.)
Bagdad
AN
outh
Damas
IRAQ
G.-B.
B
Amman
TRANSJORDANIE G.-B.

L'Europe
de 1919 à 1923

L'expansion hitlérienne
de 1935 à 1939

A près avoir rétabli le service militaire en 1935, Hitler déclenche une série de coups de force en Europe. Ceux-ci réussissent d'autant mieux que la France et l'Angleterre, privées depuis la remilitarisation de la Rhénanie de tout moyen de coercition à l'égard du Reich, s'avèrent incapables de toute réaction autre que verbale (Munich). Après la signature du pacte avec Staline, Hitler se jette sur la Pologne, mais, cette fois, Paris et Londres ne peuvent plus reculer : c'est la guerre.

L'EXPANSION HITLÉRIENNE
de 1935 à 1939

- L'Allemagne en 1935
- Remilitarisation de la zone rhénane
- Annexions allemandes
  Changements territoriaux après Munich
- Indépendance de la Slovaquie
- Acquisitions de la Hongrie
- Limites de l'Allemagne le 1-IX-1939

0   300 km

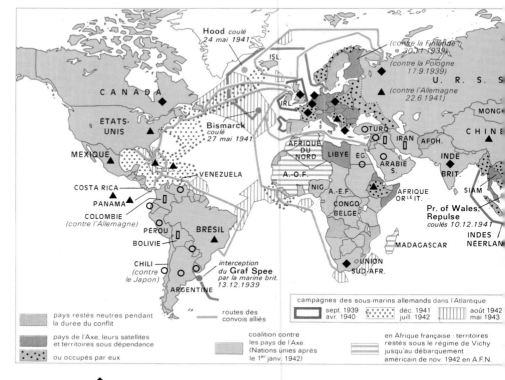

La guerre dans le monde (1939-1945)

Hood *coulé 24 mai 1941*

(contre la Finlande 30.11.1939)

(contre la Pologne 17.9.1939)

(contre l'Allemagne 22.6.1941)

ISL.

CANADA

ÉTATS-UNIS

MEXIQUE

Bismarck *coulé 27 mai 1941*

IRL.

TURQ

U.R.S.S.

MONG

IRAN

AFGH.

CHINE

INDE BRIT.

AFRIQUE DU NORD

LIBYE

EG.

ARABIE S.

VENEZUELA

A.O.F.

COSTA RICA

PANAMA

COLOMBIE *(contre l'Allemagne)*

PÉROU

BOLIVIE

BRÉSIL

NIG

A.-E.F.

CONGO BELGE

AFRIQUE OR.LE IT.

SIAM

Pr. of Wales; Repulse *coulés 10.12.1941*

INDES NÉERLAN

MADAGASCAR

CHILI *(contre le Japon)*

ARGENTINE

interception du **Graf Spee** *par la marine brit. 13.12.1939*

UNION SUD-AFR.

pays restés neutres pendant la durée du conflit

pays de l'Axe, leurs satellites et territoires sous dépendance ou occupés par eux

routes des convois alliés

coalition contre les pays de l'Axe (Nations unies après le 1er janv. 1942)

campagnes des sous-marins allemands dans l'Atlantique

sept. 1939 avr. 1940 | déc. 1941 juill. 1942 | août 1942 mai 1943

en Afrique française : territoires restés sous le régime de Vichy jusqu'au débarquement américain de nov. 1942 en A.F.N.

L'affaire de Dantzig sert de prétexte à Hitler pour déclencher un conflit qui doit affranchir le IIIe Reich du « diktat » de Versailles et lui permettre de dominer l'Europe. À partir de 1941, le conflit embrase le monde, à la seule exception de la neutralité, maintenue jusqu'en 1945, entre l'U.R.S.S. et le Japon. Il oppose les puissances démocratiques alliées aux puissances totalitaires de l'Axe, qui atteignent le maximum de leur puissance expansive au cours de l'été 1942. La guerre se caractérise ensuite par la reprise de l'initiative par leurs adversaires, et ne se termine qu'en 1945, après l'apocalypse d'Hiroshima et de Nagasaki.

La guerre en Europe (1939-1942)

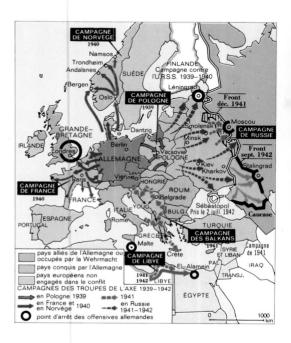

CAMPAGNE DE NORVÈGE 1940

Namsos
Trondheim
Andalsnes
Bergen
Oslo

FINLANDE Campagne contre l'U.R.S.S. 1939-1940

SUÈDE

Léningrad

Front déc. 1941

CAMPAGNE DE POLOGNE 1939

GRANDE-BRETAGNE

IRLANDE

Londres

Dantzig

Berlin

ALLEMAGNE

Smolensk

Minsk

Varsovie POLOGNE

Moscou

CAMPAGNE DE RUSSIE

Front sept. 1942

Kiev
Kharkov

Stalingrad

CAMPAGNE DE FRANCE 1940

Paris

FRANCE

Vienne

HONGRIE

ROUM.

Belgrade

Sébastopol Pris le 2 juill. 1942

Caucase

ESPAGNE

PORTUGAL

ITALIE

Rome

YOUG.

BULG.

TURQUIE

GRÈCE

Malte

Crète

CAMPAGNE DES BALKANS 1941

Campagne de 1941

SYRIE ET LIBAN

IRAQ

CAMPAGNE DE LIBYE

1941 1942 LIBYE

EL-Alamein

PAL

TRANSJ.

ÉGYPTE

pays alliés de l'Allemagne ou occupés par la Wehrmacht

pays conquis par l'Allemagne

pays européens non engagés dans le conflit

CAMPAGNES DES TROUPES DE L'AXE 1939–1942

en Pologne 1939

en France et en Norvège 1940

1941

en Russie 1941–1942

point d'arrêt des offensives allemandes

0   1000 km

tre le Japon
3.8.1945)

JAPON

limite
extrême
de l'avance
japonaise

INDOCHINE
FR SE

HILIPPINES

Singapour

N Ile -
Calédonie

USTRALIE

N LLE -
ZELANDE

iode initiale de la participation
conflit des pays de la coalition

1939, 1940 ☐ 1943

1941, 1942 ○ 1944, 1945

slavie et de la Grèce, la Wehrmacht s'attaque à l'U.R.S.S. le
22 juin 1941. Mais, pour la
première fois, les Allemands
doivent reculer devant Moscou.
Après leur seconde offensive
(juin 1942), la contre-attaque
soviétique lancée à Stalingrad
marque la fin de la guerre-éclair.

I nquiets de l'influence croissante du Japon dans le Pacifique, les États-Unis ripostent
par l'embargo total des exporta-
tions vers ce pays. Assuré de la
neutralité soviétique, le Japon at-

taque par surprise la flotte américaine à Pearl Harbor (7 déc.
1941) et les États-Unis entrent
dans la guerre. Pendant six
mois, le Japon obtient en
Extrême-Orient des succès considérables. Il conquiert les Philippines (déc. 1941-mai 1942), la
Malaisie et Singapour (janv.-févr.
1942), l'Indonésie et la Birmanie
(janv.-mars 1942). Au début de
l'été, une ultime avance permet
aux Japonais de débarquer aux
Aléoutiennes, à Guadalcanal et
en Nouvelle-Guinée. Leurs
avions, qui ont bombardé l'Australie et Ceylan, attaquent
l'Alaska et l'île canadienne de
Vancouver (20 juin). Tokyo est
alors maître de la moitié du
Pacifique.

*La guerre
dans
le Pacifique
(1941-1942)*

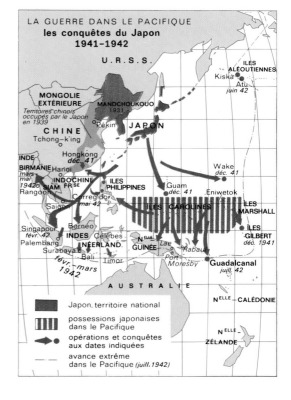

G râce au couple avion-
char, la guerre-éclair
(Blitzkrieg) procure au
Reich trois ans de succès. Après
la conquête de la Pologne (1er-26
sept. 1939), du Danemark, de la
Norvège, la Wehrmacht lance
une offensive générale à l'ouest,
le 10 mai 1940. Six semaines
plus tard, Pays-Bas et Belgique
ont capitulé. La France voit
s'écrouler son front Aisne-
Somme, et l'Italie, neutre
jusqu'alors, lui déclarer la guerre.
Signés par Pétain, les armistices
(22-24 juin) consacrent l'occupation
des trois cinquièmes du sol français.
Après la conquête de la Yougo-

La guerre en Europe (1942-1945)

Après la libération de Guadalcanal (févr. 1943), les offensives américaines se portent sur les îles Gilbert (déc. 1943), Mariannes (juin 1944) et sur la Nouvelle-Guinée. La flotte nipponne est pratiquement détruite sur l'île de Leyte (oct. 1944). Les Philippines sont attaquées, puis les abords mêmes du Japon, lequel est dans une situation désespérée après ses défaites en Birmanie. Les 6 et 9 août 1945, les bombes atomiques américaines détruisent Hiroshima et Nagasaki. Le 8 août, l'U.R.S.S. déclare la guerre au Japon, qui capitule le 2 septembre, en rade de Tokyo.

Le débarquement anglo-saxon en Afrique du Nord (8 nov. 42), qui permet à la France de rentrer en guerre, entraîne la reconquête du sud et du centre de l'Italie, qui capitule dès septembre 1943. De leur côté, les Soviétiques refoulent en dix-huit mois la Wehrmacht de la Volga au Dniestr, pénètrent en Pologne et en Roumanie. Le débarquement anglo-américain en Normandie (6 juin 1944) rompt le front allemand à Avranches (1er août), libère Rennes, Paris, Verdun, Lille, Bruxelles, Anvers (25 août-4 sept.) et rejoint près de Dijon celui de Provence. Dès février 1945, c'est en Allemagne qu'est livrée l'ultime bataille. Après la prise de Berlin et de Vienne, l'Armée rouge rencontre les Alliés sur l'Elbe (25 avril). Le 8 mai 1945, c'est la reddition inconditionnelle de l'Allemagne.

La guerre dans le Pacifique (1942-1945)

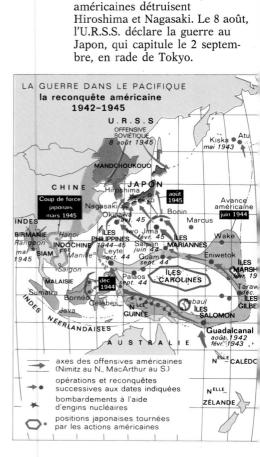

L'EUROPE AU LENDEMAIN DE LA SECONDE GUERRE MONDIALE

Légende :
- Frontières en 1947
- ● Capitales d'États
- Gains territoriaux de l'U.R.S.S.
- ◆ Territoire libre de Trieste (1947-1954)
- ▮▪ Territoires italiens attribués à la Yougoslavie
- ▲ Rectifications de frontières au profit de la France
- Sarre, reliée économiquement à la France jusqu'en 1959
- Acquisition de la Bulgarie
- Partage de l'Allemagne
  - République fédérale d'Allemagne, R.F.A. (1949)
  - République démocratique allemande, R.D.A. (1949)
- ◪ Partage de Berlin
- Ligne Oder-Neisse

ISLANDE · Reykjavik

PETCHENGA *Petsamo*

FINLANDE · Helsinki — CARÉLIE

NORVÈGE · Oslo

SUÈDE · Stockholm

ESTONIE — LETTONIE — LITUANIE

Moscou ●

U · R · S · S ·

DANEMARK · Copenhague

IRLANDE DU NORD — Dublin · IRLANDE

GRANDE-BRETAGNE — Londres ·

PAYS-BAS — La Haye ·

BELGIQUE · Bruxelles

Lux.

Paris · FRANCE

SARRE

Berne · SUISSE

Berlin — Conférence de Potsdam 1945 — R.D.A.

Bonn · R.F.A.

Szczecin *Stettin* Gdańsk *Dantzig* — POLOGNE · Varsovie

Wrocław *Breslau*

Kaliningrad *Königsberg*

Prague · TCHÉCOSLOVAQUIE

RUTHÉNIE SUBCARPATIQUE — BUCOVINE — BESSARABIE

Vienne · AUTRICHE

Budapest · HONGRIE

Trieste ISTRIE Rijeka *Fiume* Zadar *Zara*

ROUMANIE · Bucarest

Conférence de Yalta 1945

DOBROUDJA MÉRIDIONALE

Belgrade · YOUGOSLAVIE

Lastovo *Lagosta*

Sofia · BULGARIE

Istanbul

PORTUGAL · Lisbonne

Madrid · ESPAGNE

Gibraltar (G.-B.)

ITALIE · Rome

Tirana · ALBANIE

GRÈCE · Athènes

Ankara ●

T U R Q U I E

500 km

MALTE (G.-B.)

DODÉCANÈSE

CHYPRE (G.-B.)

L'Europe au lendemain de la Seconde Guerre mondiale

Les accords de Yalta (4-11 févr. 1945), entre les États-Unis, l'U.R.S.S. et la Grande-Bretagne, définissent des zones d'influence dans l'Europe d'après-guerre. La conférence de Potsdam (juillet-août 1945) par-tage l'Allemagne, administrée en commun, en quatre zones d'oc-cupation alliées. Berlin reproduit ce schéma. Les traités marquent une nouvelle avance des Slaves vers l'ouest : l'Italie (1947) cède l'Istrie à la Yougoslavie, Trieste devient ville libre. La Pologne s'étend jusqu'à la ligne Oder-Neisse et cède la moitié de ses territoires à l'est à l'U.R.S.S., qui gagne également les États baltes, la Carélie sur la Finlande, la Bessarabie sur la Roumanie.

Les pays d'Europe

S sacré et proclamé *rex Francorum* à Aix-la-Chapelle le 8 août 936, prenant à Pavie le 23 septembre 951 le titre de *rex Langobardorum* (ou *Italicorum*), également à l'instar de Charlemagne, exerçant depuis 937 une tutelle de fait sur le royaume de Bourgogne, Otton Ier étend dès lors son autorité sur les deux tiers de l'ancien Empire carolingien, à l'exclusion de la *Francia occidentalis*. Auréolé du prestige du vainqueur des Hongrois et des Slaves au Lechfeld et sur la Recknitz les 10 août et 16 octobre 955, il reçoit à Rome la couronne impériale des mains du pape Jean XII le 2 février 962. Relayant l'Empire carolingien dans sa prétention à assurer l'héritage de l'Empire romain et donc à imposer aux autres royaumes chrétiens d'Occident un *dominium mundi* idéal mais irréalisable, le *Sacrum Imperium* est déjà dans les faits romain germanique. Flanquée, à l'est, de marches constituées en pays slave et évangélisées à partir de Magdeburg, cette construction politique apparaît très fragile, les souverains ne pouvant exercer leur autorité que s'ils contrôlent les six ducs nationaux. Retenant le droit de lever l'armée, ceux-ci jouent un rôle essentiel dans l'élection des rois de Germanie. En 1002, la mort d'Otton III scelle l'échec du rêve d'un Empire universel.

Le Saint Empire au Xe s.

Patriarcats
Archevêchés
Évêchés
Abbayes importantes

Duchés nationaux
Duché de Lorraine, dans la mouvance germanique en 925
Royaume d'Italie

Marches

Limites du Saint Empire
Principales campagnes d'Otton Ier
Invasions hongroises
États de l'Église

Batailles
Cols

0   300 km

Le Saint Empire au temps des Hohenstaufen (XIIᵉ-XIIIᵉ s.)

ambitions des princes : l'Allemagne se pulvérise en une multitude de petits États, vassaux en droit, indépendants en fait des empereurs. Qu'ils appuient leurs actions sur ce royaume (Frédéric Iᵉʳ Barberousse, 1152-1190) ou sur la Sicile, que le mariage d'Henri VI (1190-1197) fait passer entre les mains de Frédéric II (1197-1250), que leurs troupes soient vaincues à Legnano en 1176 ou victorieuses à Cortenuova en 1237, les Staufen ne peuvent maîtriser la coalition qui, autour de la ville nouvelle d'Alexandrie, lie la papauté aux communes italiennes unies au sein des ligues lombardes de 1167 et de 1226. Humiliée à Venise par le pape en 1177, à Constance par les villes en 1183, l'autorité impériale ne survit pas à la mort, en 1250, de Frédéric II et à l'émiettement de la souveraineté de part et d'autre des Alpes. En apparence, tout au moins, le triomphe du Sacerdoce sur l'Empire est assuré.

Au XIIᵉ et au XIIIᵉ siècle, le Saint Empire est le champ clos des rivalités de deux familles : celle des ducs de Bavière, puis de Saxe, les *Welfs* (al. guelfes), qui n'accèdent qu'épisodiquement à l'Empire (Otton IV de Brunswick, 1198/1209-1218) ; celle des ducs de Souabe, les *Staufen* (ou Waiblingen, al. gibelins), adversaires irréductibles du Saint-Siège, auquel ils disputent le *dominium mundi*, dans le cadre de la querelle du Sacerdoce et de l'Empire. L'insuffisance et la dispersion de leurs biens patrimoniaux ainsi que le mirage italien, qui séduit même Otton IV, ne permettent pas aux rois de Germanie de juguler les

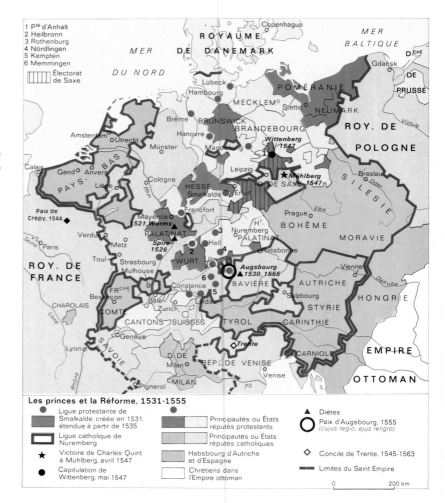

Les princes et la Réforme

Les princes et la Réforme, 1531-1555

- ● Ligue protestante de Smalkalde, créée en 1531, étendue à partir de 1535
- ☐ Ligue catholique de Nuremberg
- ★ Victoire de Charles Quint à Mühlberg, avril 1547
- ● Capitulation de Wittenberg, mai 1547
- Principautés ou États réputés protestants
- Principautés ou États réputés catholiques
- Habsbourg d'Autriche et d'Espagne
- Chrétiens dans l'Empire ottoman
- ▲ Diètes
- ○ Paix d'Augsbourg, 1555 (*cujus regio, ejus religio*)
- ◇ Concile de Trente, 1545-1563
- Limites du Saint Empire

0   200 km

E n proclamant que les biens du clergé appartiennent à chacun, Luther avait déchaîné·une tempête de convoitises, exacerbées par l'inflation : la Réforme sombrait dans l'anarchie. Elle fut sauvée par les princes, qui, après avoir écrasé les masses des hobereaux et des paysans (v. carte p. 67), sécularisèrent les biens d'Église.

L'Électeur de Saxe, Jean-Frédéric I⁰ʳ, et Philippe de Hesse voulaient fonder un Empire évangélique et n'hésitèrent pas à combattre Charles Quint quand il ordonna de rétablir le passé ; leur ligue de Smalkalde est à l'origine de ce que l'on a appelé le « protestantisme militaire et politique », car la politique l'emporta : la Ligue accepta la

France et la Bavière catholiques, le Pape même ! Ce protestantisme armé brisa, plus que ne le firent François I⁰ʳ et Henri II, la tentative d'hégémonie des Habsbourg. La paix d'Augsbourg fut la victoire des princes luthériens : les biens sécularisés leur restèrent, et la religion du prince fut désormais celle de ses sujets, selon le principe *cujus regio, ejus religio*.

Deux héritages heureux (Clèves en 1614, Prusse en 1618), un traité bénéfique (Westphalie, 1648) permettent aux Hohenzollern de constituer dès le XVIIᵉ siècle, tout autour de l'électorat de Brandebourg, un État certes discontinu, mais qui s'étire en écharpe à travers la plaine de l'Allemagne du Nord, des rives du Niémen à celles du Rhin. Consacrée par l'octroi d'une couronne royale « en » Prusse, c'est-à-dire « hors » du Saint Empire, le 18 janvier 1701, cette œuvre territoriale est parachevée par Frédéric II (1740-1786).

En 1763, au terme d'une longue et parfois dangereuse lutte contre l'Autriche, ce souverain annexe définitivement la Silésie.

Cette possession fait de l'État des Hohenzollern une grande puissance, à laquelle le triple partage de la Pologne, en 1772, en 1793 et en 1795, assure à la fois cohésion géographique et vocation à réaliser l'unité allemande aux dépens des Habsbourg, mais il faudra attendre 1871 pour qu'elle devienne réalité. (V. carte p. 103.)

Brandebourg-Prusse (XVIIᵉ-XVIIIᵉ s.)

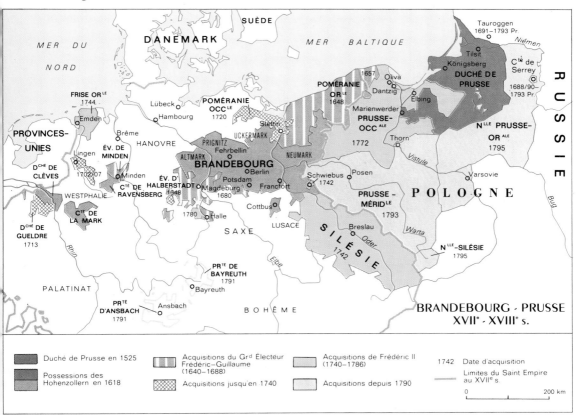

Ferdinand II tenta de réaliser par les armes ses desseins d'hégémonie. Pour commander ses bandes de mercenaires, il eut deux bons généraux : Tilly, un Wallon, Wallenstein, un Tchèque. Tilly écrasa l'insurrection de la Bohême à la Montagne Blanche et battit, à Lutter, Christian IV de Danemark, que Wallenstein coupa, à Dessau, des Transylvains et des Turcs. L'irruption, en 1630, de Gustave-Adolphe transforma la guerre : une armée nationale, un armement léger, des formations en ordre mince. Tilly fut vaincu et tué, et Wallenstein battu à Lützen, mais Gustave-Adolphe périt dans l'action. La victoire de Ferdinand sur les Suédois à Nördlingen en 1634 lui rendit la prépondérance dans l'Empire. La France entra alors dans la guerre. Condé et Turenne furent vainqueurs à Fribourg-en-Brisgau en 1644 et à Nördlingen en 1645 ; la jonction de Turenne avec les Suédois à Zusmarshausen menaça directement Vienne et contraignit l'empereur à négocier (traités de Westphalie, 1648) ; l'état de dévastation quasi totale de l'Allemagne ne lui laissait d'ailleurs que ce choix. (V. carte pp. 72-73.)

L'Allemagne pendant la guerre de Trente Ans (1618-1648)

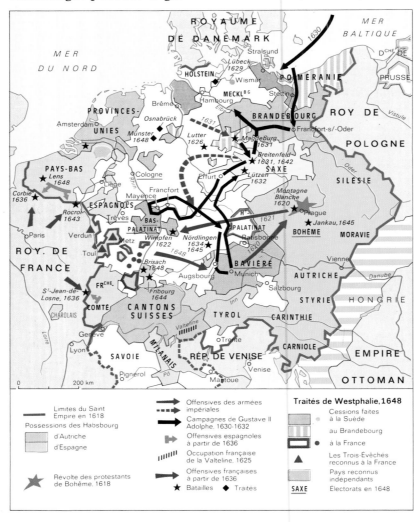

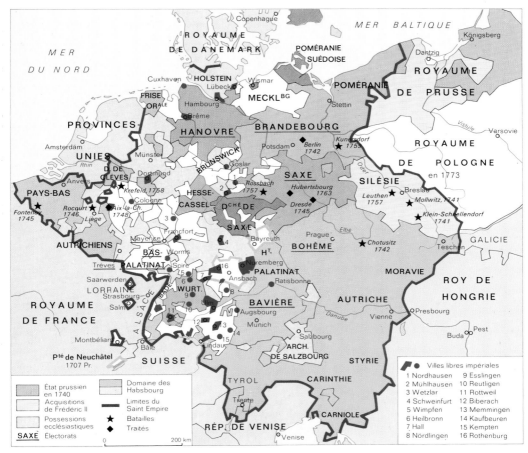

Les Allemagnes à la fin du XVIIIe s. (1786)

R éduit depuis 1273 au seul royaume de Germanie, mais pulvérisé en plus de 400 États princiers et urbains, le Saint Empire n'est plus, au XVIIIe siècle, qu'une institution prestigieuse sans contenu réel. A la Diète (Reichstag), trois collèges rivaux (neuf électeurs, princes, villes) s'affrontent, opposés par leur statut juridique, leur condition économique et sociale, leur religion, leurs intérêts politiques, sans jamais aboutir à l'unanimité réglementaire. Ainsi, le Habsbourg de Bohême et d'Autriche, le Hohenzollern du Brandebourg, le Welf de Hanovre, respectivement rois en Hongrie, en Prusse et en Grande-Bretagne, mènent des politiques discordantes. Ainsi s'aggravent l'anarchie et le particularisme, au moment où l'Aufklärung favorise la naissance du despotisme éclairé et du sentiment national allemand. Enfin Habsbourg et Hohenzollern engagent pour la Silésie un long combat dont l'enjeu est la réunification des Allemagnes, qui ne se réalisera qu'en 1871 au profit de la Prusse. (V. carte p. 105.)

ALLEMAGNE – LA CONFÉDÉRATION GERMANIQUE

Légende de la carte :

- Limites de la Confédération germanique
- **Francfort** Siège de la Diète
- ★ Batailles
- ◆ Traités
- ● Universités
- 0 ————— 200 km

1 Birkenfeld (Oldenburg)
2 Principauté de Lichtenberg
3 Marburg
4 Fulda
5 Mannheim
6 Stuttgart
7 Principauté de Liechtenstein

La Confédération germanique (1815-1866)

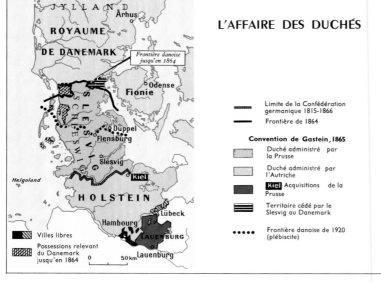

L'AFFAIRE DES DUCHÉS

Légende :
- ▪▪▪ Limite de la Confédération germanique 1815-1866
- ——— Frontière de 1864

Convention de Gastein, 1865
- Duché administré par la Prusse
- Duché administré par l'Autriche
- **Kiel** Acquisitions de la Prusse
- Territoire cédé par le Slesvig au Danemark
- ••••• Frontière danoise de 1920 (plébiscite)

- ▪ Villes libres
- ▨ Possessions relevant du Danemark jusqu'en 1864
- 0 ——— 50 km

L'« affaire des duchés » est la première étape de la politique prussienne d'unification de l'Allemagne. Ces trois territoires, surtout peuplés d'Allemands, ont été incorporés au Danemark en 1863 : se posant en champion du nationalisme allemand, la Prusse entraîne l'Autriche dans une guerre rapidement menée, qui aboutit (convention de Gastein), à un partage des duchés favorable à la Prusse (qui construit le canal de Kiel).

L'affaire des duchés

L'EMPIRE ALLEMAND

Le congrès de Vienne organise les États d'Europe centrale en une Confédération germanique qui remplace le Saint Empire. Cette association, citadelle du particularisme, défend surtout les intérêts des Habsbourg et ceux des petits États. Malgré la tentative d'union économique (Zollverein, 1834), la Confédération est vite anachronique. Le réveil des idées nationales en 1848, puis la politique unitaire prussienne ruinent la Confédération, dont l'Autriche, vaincue, se retire en 1866.

Commencée dès 1834 au plan économique par une union douanière *(Zollverein)* qui renforce la primauté de la Prusse en Allemagne du Nord, l'unification politique de l'Allemagne passe désormais par l'élimination de l'Autriche. Fort de

L'unité allemande

L'UNITÉ ALLEMANDE

Affaire des duchés
Convention de Gastein, 1865

▨ D^ché administré par la Prusse
▨ D^ché administré par l'Autriche

▥ ■ Acquisitions de la Prusse

◆ Traités de paix

Le royaume de Prusse en 1861

Guerre austro-prussienne, 1866
✪ Victoire prussienne de Sadowa, 3-VII-1866

Acquisitions prussiennes en 1866

Confédération de l'Allemagne du Nord 1866-1871

États de l'Allemagne du Sud

Guerre franco-allemande de 1870-1871
Limites de l'Empire allemand proclamé le 18-I-1871

Alsace-Lorraine, terre d'Empire

0   150 km

FORMATION DU ZOLLVEREIN

1828
1834
1854
1867

105

l'appui de la bourgeoisie rhénane, des milieux nationalistes et même des libéraux, gagnés par un projet de réorganisation de la Diète, Bismarck rompt avec l'Autriche dès 1866 ; l'armée prussienne, modernisée et « rodée » par la guerre des Duchés, bat rapidement les alliés de l'Autriche à Langensalza et défait celleci à Sadowa. Mais, soucieux de se concilier l'Empire, Bismarck limite ses ambitions à l'exclure de la nouvelle Allemagne, en constituant, autour de la Prusse agrandie, une Confédération de l'Allemagne du Nord dont le roi de Prusse est le président. Reste, pour achever l'unité, à rallier les États du Sud : la maladresse de la diplomatie française (qui a réclamé, en échange de sa neutralité en 1866, des compensations en Allemagne) en offre l'occasion ; permettant l'annexion de l'Alsace-Lorraine, qui devient « terre d'Empire », c'est-à-dire la propriété commune de tous les États allemands, la guerre de 1870 cimente l'unité, qui est concrétisée par la proclamation de l'Empire allemand, dont la structure fédérale ménage le particularisme du Sud. (V. carte p. 136.)

Les frontières allemandes depuis 1914

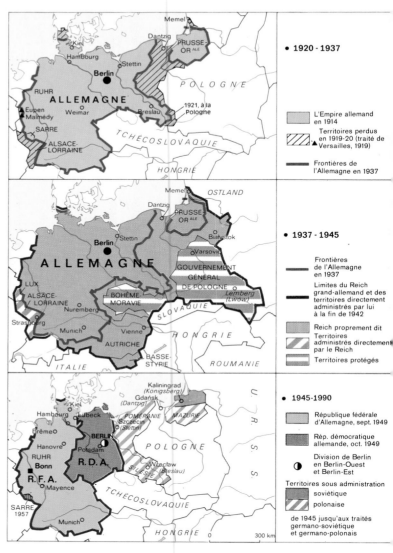

V aincue en 1918, l'Allemagne est contrainte (traité de Versailles, 28 juin 1919) de restituer l'Alsace-Lorraine à la France, Eupen et Malmédy à la Belgique, le Schleswig du Nord aux Danois, de céder la Posnanie et la haute Silésie à la Pologne. Le couloir de Dantzig coupe l'Allemagne de son territoire de Prusse-Orientale. Hitler remilitarise la Rhéna-

nie (1936), annexe l'Autriche, démembre la Tchécoslovaquie, envahit la Pologne (1939). L'Allemagne de 1945, ramenée à ses frontières de 1937 (moins la Poméranie, la Prusse-Orientale et la Silésie), est divisée en zones d'occupation anglaise, américaine, française et soviétique. De 1949 à 1990, les trois premières forment la R.F.A., la zone soviétique devenant la R.D.A.

L'ALLEMAGNE DEPUIS 1945

L'Allemagne au lendemain de la Seconde Guerre mondiale

A près la capitulation de l'Allemagne (8 mai 1945), l'autorité de l'État revient au Conseil de contrôle quadripartite, chargé de limiter la puissance industrielle du pays et de procéder à sa démilitarisation, sa dénazification et sa démocratisation. Mais, en déclenchant la « guerre froide » en 1947,

l'U.R.S.S. accélère la socialisation économique de sa zone d'occupation. Les alliés occidentaux favorisent alors le redressement économique de leurs zones. Les Soviétiques ripostent par le blocus de Berlin-Ouest (24 juin 1948-12 mai 1949), puis par la construction du mur de Berlin (12-13 août 1961) qui sépare les

deux États (R.D.A. et R.F.A.) créés en 1949. Ce symbole tombe le 9 nov. 1989. Un an après, l'Allemagne est réunifiée.

L'Espagne wisigothique

Chassés du sud de la Gaule – sauf de Septimanie – par Clovis (Vouillé, 507), les Wisigoths réduisent leur domination à l'Espagne, dont Tolède devient, vers 554, la capitale politique et spirituelle. Fixant l'essentiel de leur peuple en Vieille-Castille, ils annexent en partie le royaume des Vascons (578), celui des Suèves (585), et chassent au VIIe siècle les Byzantins du sud-est du royaume. Affaibli par les intrigues successorales et aristocratiques, celui-ci est submergé de 711 à 714 par les Maures islamisés de Ṭāriq.

La conquête musulmane

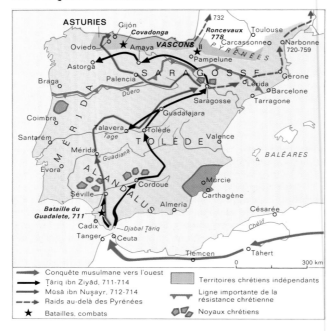

En 711, l'invasion berbéro-musulmane franchit les colonnes d'Hercule (futur détroit de Gibraltar) et écrase le roi Rodrigue près de Cadix. En 713, toute la Péninsule, soumise au gouverneur du Maghreb, Mūsā ibn Nusạyr, forme un émirat au sein du califat. Mais des territoires chrétiens indépendants subsistent au nord (Pyrénées) et au nord-ouest (Asturies) de l'Espagne. Après le coup d'arrêt donné à cette invasion par Charles Martel en Gaule franque (Poitiers, 732), les Maures se replient en deçà des Pyrénées.

La Reconquête au XIᵉ s.

ROYAUME DE FRANCE

St-Jacques-de-Compostelle
Oviedo
ROY. DE
León
ROY. DE
NAVARRE
Pampelune
Union de 1076 à 1134
CERDAGNE
FENOUILLET
Perpignan
ROUSSILLON
GALICE
LEÓN ET CASTILLE
1037 - 1157
Astorga
León
Burgos
Ebre
Jaca
ROY.
D'ARAGON
Seo de Urgel
PALLARS
BESALÚ
VALLESPIR
AMPURDÁN
Braga
Cᵀᴱ DE
PORTUGAL
1097
Zamora
Calahorra
Tudela
Soria
Barbastro
1064
Saragosse
Cᵀᴱ DE
BARCELONE
1035
Porto
1035
Toro
CASTILLE
SARAGOSSE
Barcelone
Duero
Ségovie
Morella
Tarragone
Salamanque
Ávila
Guadalajara
Albarracin
Tortose
Coimbra
Coria, 1077
Tage
TOLÈDE
Minorque
Santarém
1099
Tolède
1085
Consuegra
1097
Cuenca
Alicante
VALENCE
Valence
Majorque
Palma
BALÉARES
1093
Lisbonne
Sagrajas
1086, Zalaca
1094
Guadiana
Júcar
1099
Denia
Ibiza
DENIA
BADAJOZ
Badajoz
R
DE
Bairén
1097
Alicante
Beja
CORDOUE
Aledo
1091
Murcie
SÉVILLE
Cordoue
MURCIE
MÉDITERRANÉE
Silves
Séville
CARMONA
GRENADE
Alger
v. 1082
Huelva
Guadalquivir
Ronda
Grenade
ALMERÍA
Almeria
MER
OCÉAN
ARCOS
Málaga
MÁLAGA
Ténès
Chélif
Tarifa
Algésiras
Tanger
Ceuta
1083
Oran
ATLANTIQUE
Tlemcen
A L M O R A V I D E S
★ Batailles

Royaumes chrétiens en 1035 à la mort de Sanche III Garcés, roi de Navarre

○ Prise de Tolède par Alphonse VI de Castille, 1085

Royaumes de taifas

Limites de la Reconquête en 1035

Royaumes tributaires du Cid ou protégés par lui, 1092

Almoravides

Limites de la Reconquête en 1099, à la mort du Cid

Seigneurie du Cid 1094-1102

Campagnes de Yûsuf ibn Tâchfin
1094

0   300 km

Au début du XIᵉ siècle, les États créés au nord de l'Espagne (Navarre, Aragon) s'ouvrent à l'influence française : celle des pèlerins de Saint-Jacques-de-Compostelle et celle des chevaliers qui participent aux raids des princes espagnols contre les 25 royaumes musulmans nés de la disparition du califat de Cordoue (1031). De 1035 à 1065, le roi de Castille, puis de León, Ferdinand Iᵉʳ, mène la « Reconquête » et vassalise les souverains de Badajoz, Saragosse, Tolède, Séville. Une grande expédition est menée dans la vallée de l'Èbre (1063-1064). Cette « croisade » chrétienne est surtout castillane : Alphonse VI prend Tolède (1085), le Cid Campeador constitue à son profit la seigneurie de Valence (1094-1102). Mais l'arrivée des Almoravides en Espagne, vainqueurs d'Alphonse VI (1086), freine déjà la Reconquête.

ESPAGNE ET PORTUGAL

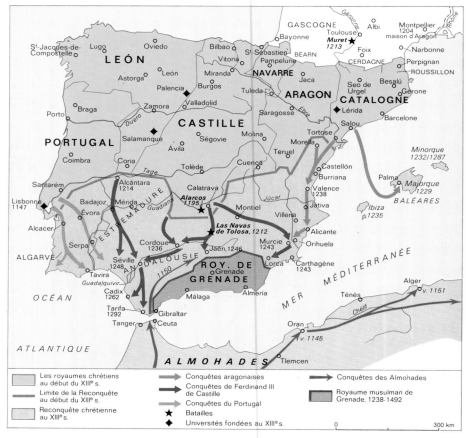

La Reconquête au XIIIᵉ s.

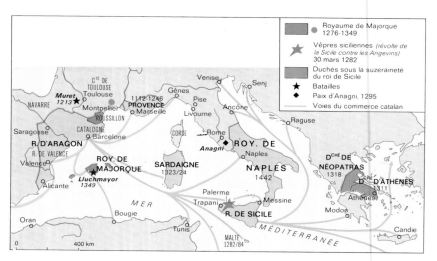

**Expansion
de l'Aragon
en Méditerranée**

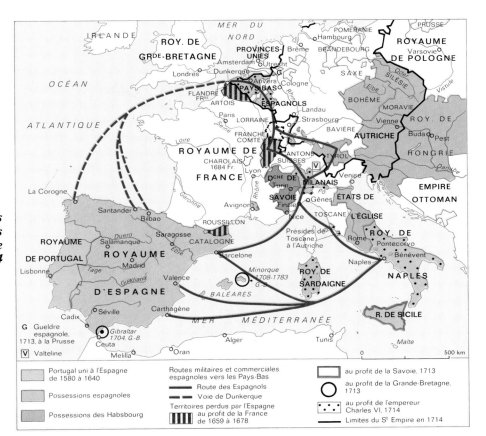

Les possessions espagnoles en Europe jusqu'en 1714

Légende de la carte :

Portugal uni à l'Espagne de 1580 à 1640
Possessions espagnoles
Possessions des Habsbourg

Routes militaires et commerciales espagnoles vers les Pays-Bas
Route des Espagnols
Voie de Dunkerque
Territoires perdus par l'Espagne au profit de la France de 1659 à 1678

au profit de la Savoie, 1713
au profit de la Grande-Bretagne, 1713
au profit de l'empereur Charles VI, 1714
Limites du St Empire en 1714

G Gueldre espagnole, 1713, à la Prusse
V Valteline

LA RECONQUÊTE AU XIIIᵉ SIÈCLE

Créé en 1139-1143, le royaume du Portugal est, au XIIᵉ siècle, le seul gain des États chrétiens face à l'Islâm des Almohades. Affaiblie par ses luttes contre le León, la Castille est battue à Alarcos (1195), mais le traité de Cazola (1179) relance la Reconquête (victoire de Las Navas de Tolosa, 1212). Refoulés au-delà de la sierra Morena, les musulmans ne s'accrochent plus, après 1232, qu'au royaume nasride de Grenade.

EXPANSION DE L'ARAGON EN MÉDITERRANÉE

Après la défaite de Muret devant la France (1213), qui met fin à son rêve occitan, l'Aragon se tourne vers l'Espagne (conquête de Palma de Majorque en 1229, de Valence en 1238), puis la Méditerranée. Les Vêpres siciliennes (1282) chassent les Angevins de Sicile, et Pierre III en est proclamé roi. Par la paix d'Anagni (1295), Jacques II obtient le droit de conquérir la Corse et la Sardaigne, mais il renonce à la Sicile et à Majorque.

LES POSSESSIONS ESPAGNOLES EN EUROPE JUSQU'EN 1714

À la paix des Pyrénées (1659), l'Espagne cède à la France le Roussillon et l'Artois, et consent au mariage de l'infante Marie-Thérèse avec Louis XIV, qui gagnera une partie de la Flandre (1668) et la Franche-Comté (1678). Dès 1701, la non-renonciation du nouveau roi d'Espagne, Philippe V, petit-fils de Louis XIV, à ses droits à la couronne de France, coalise l'Europe contre les Bourbons ; En 1703, l'archiduc d'Autriche, Charles de Habsbourg, est reconnu roi d'Espagne. Animée par son père, l'empereur Léopold Iᵉʳ, et surtout par l'Angleterre, la guerre de la Succession ruine la France et l'Espagne, sauvées par les victoires de Villaviciosa et de Denain. A Utrecht et à Rastatt, la présence des Bourbons à Madrid est confirmée, mais les Habsbourg d'Autriche et la Savoie se partagent les Pays-Bas et l'Italie espagnols, et l'Angleterre obtient la maîtrise des mers.

*Guerre civile d'Espagne
(1936-1939)*

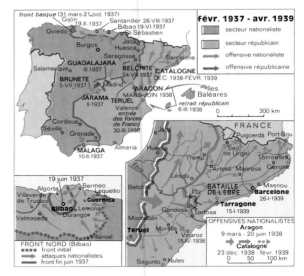

La victoire, aux élections de février 1936, du *Frente popular,* accompagnée d'une vague d'agitation sociale (réclamation d'une réforme agraire, mouvements anarchistes), alarme les grands propriétaires fonciers et la bourgeoisie, solidement appuyés sur l'armée et l'Église. Le soulèvement organisé le 18 juillet par les généraux Sanjurjo et Franco ne réussit pourtant que partiellement, en raison de la résistance populaire organisée par le gouvernement socialiste, avec l'appui des syndicats ouvriers, des salariés agricoles, des autonomistes basques et catalans.

La guerre civile s'internationalise bientôt en raison de l'importance stratégique de l'Espagne et de l'enjeu idéologique de la guerre (dictature ou démocratie ; fascisme ou socialisme). Mais les forces sont inégales entre les nationalistes de Franco, puissamment aidés par l'Italie fasciste et l'Allemagne nazie, et les gouver-nementaux, qui ne reçoivent que des secours limités (rôle surtout des brigades internationales) : après l'écrasement du Pays basque durant l'été 1937, une offensive nationaliste en Aragon coupe en deux la zone gouverne-mentale. La contre-offensive désespérée sur l'Èbre ne peut empêcher la chute de la Catalogne en janvier 1939. En mars, la prise de Madrid par les franquistes achève une guerre qui a fait au moins 636 000 morts, entraîné le départ en exil d'environ 350 000 Espagnols, et ruiné un pays dont le territoire a servi de base d'essai aux armements et aux troupes des protagonistes de la Seconde Guerre mondiale.

V. FINLANDE   pp. 178-179

Coïncidant avec le déclin de l'Empire carolingien, les invasions, normandes et sarrasines au IXe siècle, hongroises au Xe siècle, convergent au cœur de la *Francia occidentalis,* n'épargnant que les régions éloignées des côtes et à l'écart des fleuves.

Apparus vers 810 au nord et à l'ouest, multipliant à partir de 834 leurs raids depuis leurs bases (Angleterre, Noirmoutier), remontant la Seine, la Loire... sur leurs légers *snekkja,* poursuivant à cheval leur pénétration à l'intérieur du royaume, les Normands contraignent les souverains à leur verser de lourds tributs, puis à reconnaître l'existence des États qu'ils créent sur leurs territoires (Nantes, 919-937 ; duché de Rouen, 911).

S'orientant du sud vers le nord depuis la Méditerranée dès 828, mais ne devenant systématiques qu'avec la constitution de la base de *Fraxinetum* près de Saint-Tropez (v. 890-972/973), les raids des Sarrasins ravagent les Alpes jusqu'aux abords du lac de Constance, où ils recoupent les rapides chevauchées des Hongrois qui, venus de l'est, sèment la désolation de la Lorraine au Languedoc entre 917 et 955. Ils porteront un coup fatal à la puissance carolingienne, qui ne s'en relèvera pas.

Les invasions en France aux IXe et Xe s.

LES INVASIONS EN FRANCE AUX IXe ET Xe s.

Si la force des armes et la vertu d'un traité (Saint-Clair-sur-Epte, 911) sont à l'origine du duché de Normandie, celui-ci se distingue par la vigueur de son particularisme régional, voire ethnique et linguistique. Un même particularisme caractérise toutes les principautés périphériques qui se sont constituées entre 880 et 920 : duchés d'Aquitaine et de Bourgogne ; comtés de Bretagne, de Barcelone, de Toulouse et de Flandre.

Plus petites, plus tardivement émancipées sont les principautés comtales du cœur de la *Francia* (Anjou et Maine, Vermandois, Blois et Chartres, Troyes et Meaux). Elles restent soumises à l'autorité des ducs de France, les descendants de Robert le Fort. L'un d'eux, Hugues Capet, est élu roi, contre le Carolingien Charles, à Senlis en 987. Il se hâte d'associer, par le sacre, à la magistrature royale son fils aîné Robert. Ainsi commence la dynastie capétienne.

La France à la fin du Xe s.

LA FRANCE À LA FIN DU Xe S.

Le Domaine royal à l'avènement d'Hugues Capet (987)

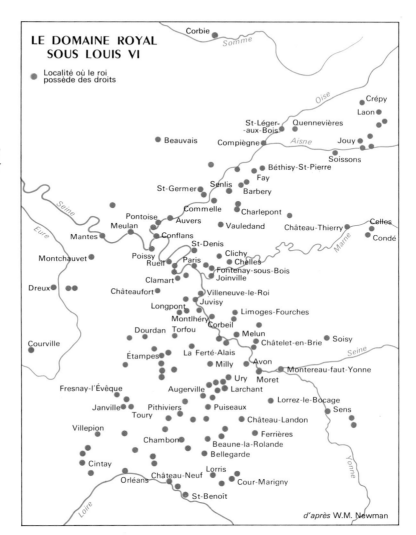

**LE DOMAINE ROYAL
SOUS LOUIS VI**

● Localité où le roi
possède des droits

Corbie

Somme

Oise

Crépy
Laon

St-Léger-
-aux-Bois   Quennevières

Beauvais   Compiègne   *Aisne*   Jouy

Soissons

Béthisy-St-Pierre

Fay

St-Germer   Senlis   Barbery

Commelle   Charlepont

Pontoise   Auvers   Château-Thierry   Celles

Meulan   Vauledand   Condé

Mantes   Conflans   *Marne*

St-Denis

Montchauvet   Clichy

Poissy   Chelles

Ruell   Paris   Fontenay-sous-Bois

Clamart   Joinville

Dreux   Châteaufort   Villeneuve-le-Roi

Longpont   Juvisy

Montlhéry Corbeil   Limoges-Fourches

Dourdan Torfou

Melun   Soisy

Courville   Châtelet-en-Brie

Étampes   La Ferté-Alais   *Seine*

Milly   Avon

Ury Moret   Montereau-faut-Yonne

Fresnay-l'Évêque   Augerville   Larchant

Janville   Pithiviers   Puiseaux   Lorrez-le-Bocage

Toury   Sens

Villepion   Château-Landon

Chambon   Ferrières

Beaune-la-Rolande

Bellegarde

Cintay   Lorris

Orléans   Château-Neuf   Cour-Marigny

Yonne

St-Benoît

Loire

d'après W.M. Newman

Seine

Eure

**Le domaine royal
sous Louis VI**

Hérité en partie des Carolingiens (palais royaux de Compiègne, d'Attigny, etc.), et en partie des Robertiens, le domaine royal est constitué de trois ensembles territoriaux principaux : autour d'Orléans et de Sens au sud, Paris au centre, Senlis au nord ; il dispose en outre, dès l'origine, d'un débouché sur la mer (Montreuil-sur-Mer). Au XIe siècle, il s'adjoint les comtés du Gâtinais et du Vexin, la vicomté de Bourges, et des droits sur les grandes abbayes de Corbie et de Saint-Denis.

De superficie modeste mais sans cesse accrue, le domaine royal est sans doute plus vaste et plus riche que ceux de tous les grands vassaux, à l'exception du duc des Normands. Des châtelains, tels les seigneurs de Mont-lhéry, de Montmorency, tentent d'y créer des principautés indépendantes : Philippe Ier et Louis VI s'acharnent à les ramener à la soumission. La politique d'expansion des comtes de Blois-Champagne menace le domaine. Mais, joint au prestige du sacre et aux prérogatives féodales du souverain, le domaine royal forme l'assise de la puissance capétienne.

La puissance capétienne s'affirme réellement à l'aube du XIIIe siècle, lorsque Philippe II Auguste réussit à tripler, pour le moins, la superficie du domaine royal par les moyens les plus divers : acquisitions matrimoniales (Artois, 1180, avec, au traité de Boves, en 1185, la reconnaissance par les barons de la possession d'Amiens et du Vermandois) ; commise féodale en 1202 des terres d'un vassal félon, le roi d'Angleterre, Jean sans Terre et, en dépit de périodes critiques (défaites de Fréteval en 1194 et Courcelles en 1198 infligées par Richard Cœur de Lion, qui meurt à Châlus en 1199), occupation progressive des fiefs de ce dernier par la force des armes (Normandie, Maine, Anjou, Touraine, Terre d'Auvergne). En brisant la coalition anglo-germano-flamande de 1214 à La Roche-aux-Moines et à Bouvines, où Jean sans Terre et l'empereur Otton IV de Brunswick sont tour à tour vaincus, Philippe II Auguste consolide ses conquêtes, affaiblit de manière décisive la dangereuse puissance des Plantagenêts à l'intérieur du royaume de France et, par contrecoup, affirme la sienne propre à l'égard des autres grands vassaux : l'avenir de la dynastie est assuré, à tel point que son fils et successeur, Louis VIII le Lion (1223-1226), rompant avec une tradition qui remontait à Hugues Capet, ne se fait pas couronner du vivant de son père, mais trois semaines après la mort de celui-ci. (V. carte p. 141.)

La France au temps de Philippe Auguste (1180-1223)

LA FRANCE AU TEMPS DE PHILIPPE AUGUSTE, 1180-1223

- Le domaine royal en 1180
- Le domaine royal en 1223
- Possessions d'Henri II Plantagenêt en 1154
- Possessions anglaises en France à la fin du règne de Philippe Auguste
- Fiefs mouvant de la Couronne
- Seigneuries ecclésiastiques
- ● Batailles
- ■ Traités

0   300 km

Maîtres d'un royaume riche de 12 à 16 millions d'habitants ainsi que d'un domaine qui en englobe désormais les deux tiers – et qui s'accroît en 1349 de Montpellier et du Dauphiné –, les Valois disposent dès 1338 de moyens incomparablement supérieurs à ceux des Plantagenêts. L'Angleterre n'est, en effet, peuplée que de 4 millions d'habitants, et les possessions continentales de ses rois sont réduites au Ponthieu et à la Guyenne, terres pour lesquelles ces derniers voudraient être déliés de tout hommage à l'égard du roi de France, dont ils revendiquent par ailleurs la couronne.

La médiocrité politique et militaire des premiers Valois et la crise économique et monétaire française permettent à Édouard III d'Angleterre de l'emporter progressivement, grâce à des alliances avec le Hainaut, Berg, Clèves, le Brabant, le Limbourg, et avec l'aide des Flamands (à partir de 1340) puis celle, dès 1341, des Bretons de Jean de Montfort, pour des motifs dynastiques. La supériorité militaire des Anglais est plus marquée encore, grâce à l'enrôlement des montagnards aguerris venant du pays de Galles et d'Écosse. Le roi Edouard est vainqueur sur mer, le 24 juin 1340 à l'Écluse, sur terre, le 26 août 1346 à Crécy et le 4 août 1347 à Calais, qu'il transforme en tête de pont économique et militaire en France du Nord. La guerre peut reprendre.

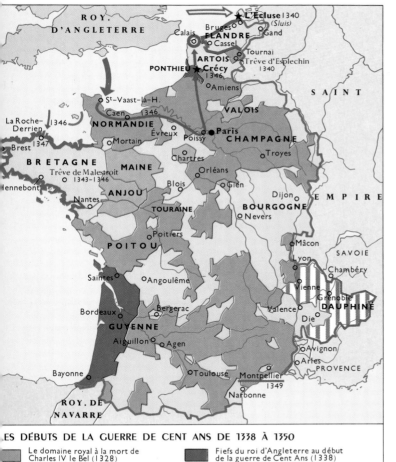

Les débuts de la guerre de Cent Ans de 1338 à 1350

LES DÉBUTS DE LA GUERRE DE CENT ANS DE 1338 À 1350

- Le domaine royal à la mort de Charles IV le Bel (1328)
- Le domaine royal à l'avènement de Philippe VI de Valois (1328)
- Acquisition de 1349
- ★ Batailles
- Fiefs du roi d'Angleterre au début de la guerre de Cent Ans (1338)
- Zones d'influence anglaise
- → Chevauchée d'Édouard III (1346)
- ○ Siège et prise de Calais par Edouard III (4 sept. 1346–4 août 1347)

0   300 km

*Conquête anglaise
et reconquête française
de 1356 à 1380*

CONQUÊTE ANGLAISE ET RECONQUÊTE FRANÇAISE DE 1356 À 1380

Domaines de la Maison d'Évreux-Navarre vers 1354 (*Charles le Mauvais*)
Chevauchée du Prince Noir (1356)
Jean le Bon (1356)
Révolution parisienne conduite par Étienne Marcel en 1358
Jacquerie de 1358
Chevauchée d'Édouard III (1359-1360)
Possessions du roi d'Angleterre après le traité de Brétigny-Calais (1360)

Duché de Bretagne reconnu à Jean IV de Montfort au traité de Guérande (1365)
Principales randonnées des Grandes Compagn
Chevauchée de Jean de Lancastre (1373)
Reconquête française sous Charles V
<u>Bordeaux</u> Possessions anglaises à la mort de Charles V (1380)
■ Traités ★ Batailles

0 _____ 300 km

T rois bases territoriales (Bordelais, Ponthieu, Calaisis), l'appui des maisons de Montfort en Bretagne, d'Évreux-Navarre en Normandie, tels sont les atouts dont dispose Édouard III lorsque le prince de Galles Édouard (le Prince Noir) fait prisonnier Jean II le Bon près de Poitiers en 1356, contraignant ce souverain à signer en 1360 le traité de Brétigny-Calais. Cette victoire assure la possession de l'Aquitaine aux Plantagenêts, dont l'empire continental est partiellement reconstitué à l'heure où les Valois sont affaiblis par la révolution parisienne d'Étienne Marcel et par l'insurrection paysanne des Jacques.

La crise intérieure surmontée dès 1358, Charles V et du Guesclin renversent la situation : Charles le Mauvais est vaincu à Cocherel en 1364 ; la Bretagne rentre dans la vassalité française par le traité de Guérande en 1365 ; la France est libérée des Grandes Compagnies qui sont envoyées en 1367 en Castille, laquelle devient son alliée ; les Anglais, enfin, vaincus à Pontvallain et à Bressuire en 1370, sont rejetés hors du royaume, où ils ne contrôlent plus en 1380 que cinq ports : Calais, Cherbourg, Brest, Bordeaux et Bayonne. La reconquête française semble alors parvenue à son terme.

FRANCE DE 1415 À 1436

France divisée, 1415-1428
→ Chevauchée d'Henri V (1415)
▨ Domination française, "royaume de Bourges"
▨ Domination anglaise
▨ Domination bourguignonne
— Frontières du royaume de France

★ Combats   ■ Traités

L'arrivée de Jeanne d'Arc, 1429
◯ Levée du siège d'Orléans (8 mai 1429)
→ Chevauchée du sacre (1429)

La neutralité bourguignonne
▥ Acquisitions du duc de Bourgogne confirmées au traité d'Arras (1435)

0   300 km

de 1415 à 1419, l'assassinat de Jean sans Peur à Montereau par les hommes du Dauphin entraînent, le 21 mai 1420, la signature du traité de Troyes. Celui-ci rend possible l'avènement d'Henri VI de Lancastre au trône de France le 21 octobre 1422 et consacre la division du royaume entre les trois dominations, anglaise, bourguignonne (Philippe le Bon), delphinale (Charles VII).

L'intervention de Jeanne d'Arc renverse alors la situation : Orléans est sauvée le 8 mai 1429, et Charles VII sacré à Reims le 17 juillet. L'exécution de l'héroïne à Rouen, le 30 mai 1431, pour hérésie, bloque un moment la reconquête. Favorisée par la paix franco-bourguignonne d'Arras du 21 mai 1435, celle-ci aboutit à la reprise de Paris par les troupes de Charles. Le destin des Lancastre en France est scellé.

L ongtemps retardée en France par la folie de Charles VI, par la querelle des Armagnacs et des Bourguignons, en Angleterre par la crise dynastique de la fin du xive siècle, la reprise des hostilités est provoquée en 1411 par l'appel du duc de Bourgogne, Jean sans Peur, à Henri IV de Lancastre.

La victoire décisive de son successeur, Henri V, à Azincourt le 25 octobre 1415, l'occupation de la Normandie par ses troupes

Les acquisitions
de Louis XI

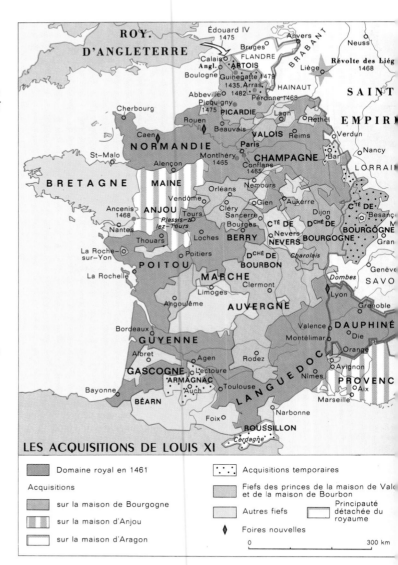

LES ACQUISITIONS DE LOUIS XI

▨ Domaine royal en 1461	⋰ Acquisitions temporaires
Acquisitions	▨ Fiefs des princes de la maison de Valois et de la maison de Bourbon
▨ sur la maison de Bourgogne	
▥ sur la maison d'Anjou	▨ Autres fiefs ☐ Principauté détachée du royaume
☐ sur la maison d'Aragon	◆ Foires nouvelles
	0 ————————— 300 km

B ut essentiel de la politique de Louis XI, le renforcement de l'autorité monarchique dans les domaines économique et politique se traduit par les résultats suivants : création de foires franches à Lyon, à Caen et à Rouen, afin de favoriser l'enrichissement du royaume ; rétablissement de la paix avec l'Angleterre par la trêve de Picquigny, qui met pratiquement fin à la guerre de Cent Ans le 29 août 1475 ; adjonction, enfin, au domaine royal des biens de la maison de Bourgogne, après la défaite et la mort de Charles le Téméraire devant Nancy en 1477 (duché de Bourgogne, Picardie et Boulonnais) et de l'héritage angevin dans (Anjou, 1480 ; Maine, 1481) et hors du royaume (Provence, 1481), à la mort du roi René en

1480 et à celle de Charles du Maine en 1481. Bien que Charles VIII rétrocède à l'Aragon en 1493 la Cerdagne et le Roussillon occupés depuis 1475 et bien qu'il restitue aussi aux

Habsbourg en 1493 l'Artois et le « comté » de Bourgogne, également occupés depuis 1477, l'essentiel des acquisitions territoriales de Louis XI reste aux mains de la monarchie.

Relevant soit de l'Empire, soit du royaume de France, l'État fondé par Philippe le Hardi se caractérise à l'origine par une triple hétéro-généité, politique, économique et surtout géographique, 200 kilomètres séparant ses deux blocs constitutifs. Désireux de les rendre plus cohérents, Philippe le Bon s'efforça d'abord d'unifier les Pays-Bas sous son autorité directe (Brabant, Luxembourg) ou indirecte (Liège, Cambrai). Puis Charles le Téméraire tenta de les souder en un seul ensemble géopolitique soit en imposant à Louis XI l'abandon de la Champagne à un prince dévoué à ses intérêts (Charles de France, en 1468), soit en occupant de gré ou de force les terres lotharingiennes jusqu'au Rhin (Lorraine, en 1473). Mais le triple échec subi devant Neuss en 1474-75, en Suisse en 1476 et près de Nancy en 1477 scella le destin des Valois-Bourgogne dont la seule héritière, Marie de Bourgogne, légua aux Habsbourg le rêve impérial en épousant Maximilien d'Autriche.

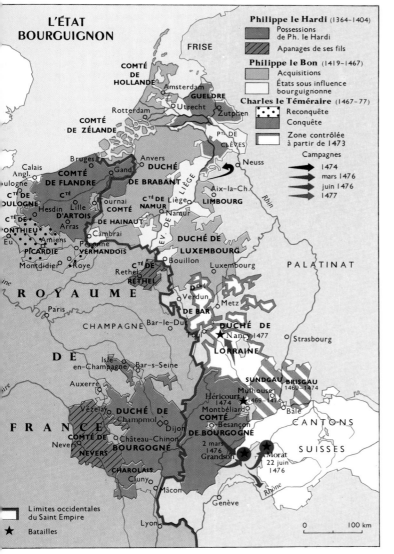

L'État bourguignon

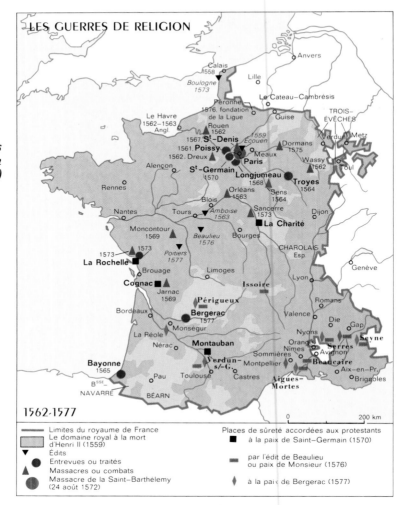

Les guerres de Religion (1562-1577)

LES GUERRES DE RELIGION

1562-1577

Limites du royaume de France
Le domaine royal à la mort d'Henri II (1559)
▼ Édits
● Entrevues ou traités
▲ Massacres ou combats
◕ Massacre de la Saint-Barthélemy (24 août 1572)

Places de sûreté accordées aux protestants
■ à la paix de Saint-Germain (1570)
▬ par l'édit de Beaulieu ou paix de Monsieur (1576)
◆ à la paix de Bergerac (1577)

L es protestants avaient d'abord été des réformateurs, puis ils fondèrent une Église séparée, obtenant par le premier édit d'Amboise (1560) une liberté de conscience illimitée et une liberté de culte limitée. Enfin, ils s'organisèrent en parti politique dirigé par Antoine de Bourbon, le prince de Condé, son frère, et l'amiral de Coligny. Mais le parti catholique s'était uni derrière la famille des Guise, dont la nièce, Marie Stuart, avait épousé le jeune roi François II. S'ouvrit alors l'« ère des révoltes, combats, traités », la reine mère, Catherine de Médicis, cherchant vainement la conciliation. Il y eut huit guerres civiles. Durant les six premières, les protestants furent le plus souvent battus (à Saint-Denis, Jarnac, Moncontour). Mais les « paix » leur rendaient les libertés de 1560, parfois accrues : paix d'Amboise, de Longjumeau, de Saint-Germain (ils obtinrent quatre « places de sûreté »), de La Rochelle, de Beaulieu (la plus avantageuse : huit places de sûreté), de Bergerac (1577). Une république protestante s'était peu à peu créée au sein du royaume. Mais tous n'admettaient pas son existence.

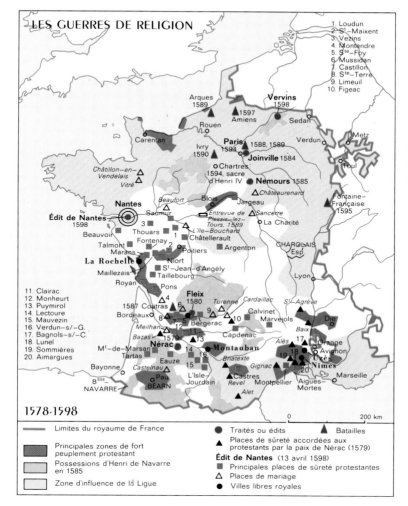

LES GUERRES DE RELIGION

1. Loudun
2. St-Maixent
3. Vezins
4. Montendre
5. Ste-Foy
6. Mussidan
7. Castillon
8. Ste-Terre
9. Limeuil
10. Figeac

Arques 1589
Vervins 1598
1597 Amiens
Sedan
Rouen
Carentan
Metz
Ivry 1590
Paris 1594
1588, 1589
Verdun
Toul
Joinville 1584
Chartres 1594, sacre d'Henri IV
Nemours 1585
Châtillon-en-Vendelais
Vitré
Châteaurenard
Fontaine-Française 1595
Beaufort
Blois
Jargeau
Nantes
Saumur
Entrevue de Plessis-lez-Tours, 1589
Sancerre
Édit de Nantes 1598
3
L'Île-Bouchard
La Charité
Beauvoir
Thouars
Fontenay
Châtellerault
Talmont
Marans
2
Poitiers
Argenton
CHAROLAIS Esp.
La Rochelle
Niort
St-Jean-d'Angély
Lyon
Maillezais
Taillebourg
Royan
Pons
11. Clairac
12. Monheurt
13. Puymirol
14. Lectoure
15. Mauvezin
16. Verdun-s/-G.
17. Bagnols-s/-C.
18. Lunel
19. Sommières
20. Aimargues
Fleix 1580
Turenne
Cardaillac
St-Agrève
1587 Coutras
6
4
9
Calvinet
Die
Bordeaux
8
10
Marvejols
Baix
Meilhan
12
Bergerac
Capdenac
Mt-de-Marsan
Bazas 1579
11
13
Alès
17
18
19
Orange
Avignon
Uzès
Nérac
14
16
Montauban
Briatexte
Gignac
20
Nîmes
Tartas
Eauze
15
Marseille
Bayonne
Casteinau
L'Isle-Jourdain
Castres
Revel
Montpellier
Aigues-Mortes
Bsse-NAVARRE
Pau
BÉARN
Alet

1578-1598

0   200 km

— Limites du royaume de France

● Traités ou édits   ▲ Batailles
▲ Places de sûreté accordées aux protestants par la paix de Nérac (1579)

Édit de Nantes (13 avril 1598)
■ Principales places de sûreté protestantes
△ Places de mariage
● Villes libres royales

Principales zones de fort peuplement protestant
Possessions d'Henri de Navarre en 1585
Zone d'influence de la Ligue

Les guerres de Religion (1578-1598)

Après la septième guerre, ce « feu de paille » (1579-1580), s'ouvre la huitième guerre (1585-1598), dite « des Trois Henri » (Henri III, Henri de Navarre, Henri de Guise), qui voit triompher les protestants (Coutras). Le vainqueur, Henri de Navarre, fils d'Antoine de Bourbon et futur Henri IV, devient le prétendant légitime après l'assassinat d'Henri III, mais le parti catholique (la Ligue, dirigée par le duc de Mayenne) refuse de le reconnaître. Il doit alors faire la conquête de son royaume (bataille d'Arques, d'Ivry, siège de Paris), jusqu'au moment où les excès des ligueurs, les inquiétudes provoquées par l'intervention de l'Espagne (qui prétend mettre sur le trône l'infante Isabelle, nièce d'Henri III) et la lassitude entraînent un mouvement général de soumission à Henri IV, qui a abjuré le protestantisme (1593). L'édit de Nantes (1598) assure la paix intérieure en garantissant aux protestants la liberté complète de conscience, une centaine de places de sûreté, l'égalité des droits civils et politiques et la liberté partielle de culte : tolérance unique en Europe !

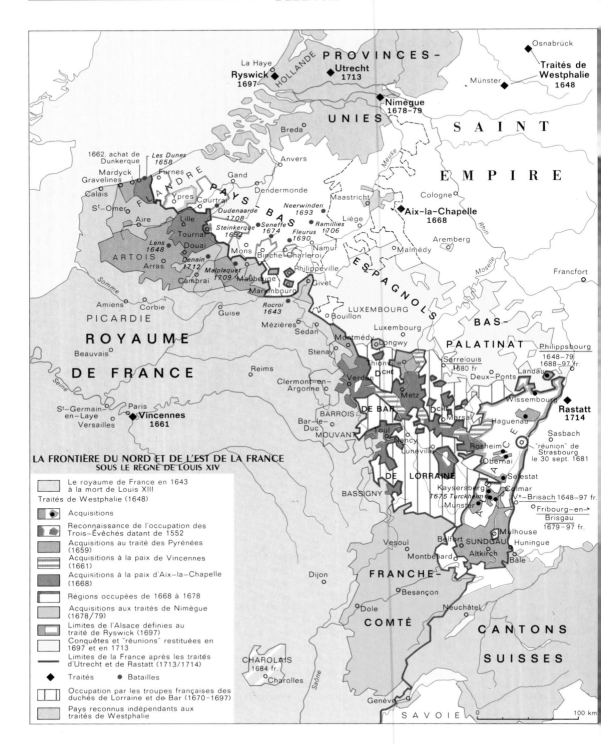

LA FRONTIÈRE DU NORD ET DE L'EST DE LA FRANCE
SOUS LE RÈGNE DE LOUIS XIV

Le royaume de France en 1643
à la mort de Louis XIII

Traités de Westphalie (1648)

Acquisitions

Reconnaissance de l'occupation des
Trois-Évêchés datant de 1552

Acquisitions au traité des Pyrénées
(1659)

Acquisitions à la paix de Vincennes
(1661)

Acquisitions à la paix d'Aix-la-Chapelle
(1668)

Régions occupées de 1668 à 1678

Acquisitions aux traités de Nimègue
(1678/79)

Limites de l'Alsace définies au
traité de Ryswick (1697)

Conquêtes et "réunions" restituées en
1697 et en 1713

Limites de la France après les traités
d'Utrecht et de Rastatt (1713/1714)

◆ Traités   ● Batailles

Occupation par les troupes françaises des
duchés de Lorraine et de Bar (1670-1697)

Pays reconnus indépendants aux
traités de Westphalie

Les traités de Westphalie et des Pyrénées n'avaient fait qu'améliorer les mauvaises frontières de l'Est et du Nord : l'Espagne en Franche-Comté, l'Alsace sans Strasbourg, la Lorraine occupée mais non annexée, les plaines sans défense des Pays-Bas espagnols d'où débouchent les routes d'invasion de la Lys, de l'Escaut, de la Sambre. Dès 1662, Louis XIV acheta Dunkerque à Charles II d'Angleterre. A Aix-la-Chapelle, il acquit une partie de la Flandre maritime et gallicante, avec Lille ; et, pour servir soit de bases de départ soit de monnaie d'échange, il obtint, en outre, des enclaves au nord (Oudenaarde, Ath, Binche, Charleroi). Ces enclaves furent échangées, à Nimègue, contre douze villes, dont Saint-Omer, Cambrai, Valenciennes, Maubeuge qui fermaient les voies d'invasion ; l'Espagne cédait la Franche-Comté. En pleine paix, Louis XIV « réunit » Strasbourg *(Gallia Germanis clausa)* et d'autres positions avancées, qu'il fallut rendre au traité de Ryswick ; mais Strasbourg resta française ; en outre, la Lorraine retournait à son duc. Ainsi, les frontières actuelles au nord étaient à peu près atteintes. Elles restèrent intactes, malgré les défaites de la guerre de la Succession d'Espagne ; mais, par le traité d'Utrecht, l'Angleterre obtint en 1713 la destruction des forts et du port de Dunkerque : ainsi renforça-t-elle sa prépondérance dans la Manche et en mer du Nord.

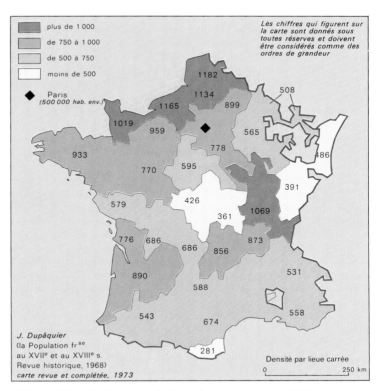

Répartition de la population française vers 1700

Cette carte a été établie d'après les dénombrements de la période 1695-1699 et ceux de 1709 à 1713, dont les résultats, confrontés, ont permis d'éliminer un certain nombre de chiffres invraisemblables.

Malheureusement, la superficie des intendances n'étant connue avec précision que pour la fin du XVIIIe s., les calculs ont dû être faits dans le cadre administratif de la fin de l'Ancien Régime, qui a subi de profondes modifications de 1770 à 1787, avec la création des intendances d'Auch et de Pau.

Vers 1700, on peut distinguer deux zones de haute pression démographique : la région du Nord-Nord-Ouest, entre Dunkerque et Avranches, et la région Bourgogne-Auvergne ; et trois zones de basse pression : l'Est, le sud du Bassin parisien (Berry-Bourbonnais) et le Roussillon. A noter que la ville de Paris n'a pas été prise en compte pour le calcul de la densité de sa généralité : sur une carte plus détaillée, l'Île-de-France apparaîtrait entourée d'une couronne de pays faiblement peuplés (sauf au nord de Paris).

La frontière du nord et de l'est de la France sous le règne de Louis XIV

LA FRANCE EN 1789

- Pays d'état
- Pays d'élection
- ARTOIS | Gouvernements militaires

0   200 km

La France en 1789

Les premières défaites dans la guerre commencée le 20 avril 1792 ont provoqué en été (10 août) une radicalisation du mouvement révolutionnaire qui aboutit à la proclamation de la république le 21 septembre. Ce sursaut permet d'arrêter l'invasion austro-prussienne à Valmy dès le 20 septembre et même de pénétrer en Belgique (victoire de Jemmapes). Mais les succès mêmes de la Convention, qui semble défier l'Europe par l'exécution du roi le 21 janvier 1793, provoquent une coalition des pays voisins, dont les armées bousculent les troupes françaises, souvent mal commandées (trahison de Dumouriez après un échec à Neerwinden le 18 mars). La nouvelle poussée à gauche qui en résulte suscite des révoltes intérieures, attisées et utilisées par les Anglais : celle des paysans de l'Ouest, solidement encadrés par leurs seigneurs et par un clergé fanatisé, contre la levée de 300 000 hommes décrétée par la Convention le 24 février ; celle de la bourgeoisie « girondine » éliminée du pouvoir le 2 juin 1793 et qui appelle à une insurrection des provinces contre le Paris des « sans-culottes ». L'extrême péril de l'été 1793 explique la formation du gouvernement révolutionnaire qui, mobilisant les énergies par la Terreur, écrase dans le sang (surtout à Lyon, à Nantes, en Vendée) les révoltes intérieures, avant de passer à l'offensive à l'extérieur : la victoire de Fleurus permet l'occupation des Pays-Bas et de la rive gauche du Rhin.

L'absolutisme, qui définit théoriquement un pouvoir sans limites et fortement centralisé, est en fait limité par le maintien de « privilèges » sociaux et territoriaux. C'est ce qui explique l'absence d'unité nationale véritable : aux pays d'élection, où la centralisation est très forte (notamment au point de vue fiscal), s'opposent les pays d'états, dans les régions périphériques les plus récemment réunies : dans ces derniers, l'existence d'états provinciaux, aux importantes attributions administratives et fiscales (ils lèvent eux-mêmes la taille « réelle »), limite le pouvoir des intendants. Ils disparaîtront en 1789.

La France
sous la Convention

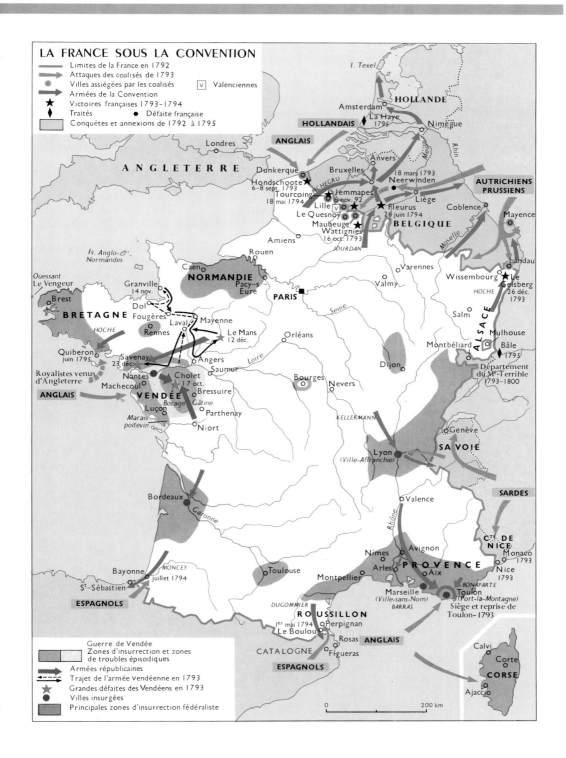

LA FRANCE SOUS LA CONVENTION

- Limites de la France en 1792
- Attaques des coalisés de 1793
- Villes assiégées par les coalisés   V Valenciennes
- Armées de la Convention
- ★ Victoires françaises 1793–1794
- Traités   ● Défaite française
- Conquêtes et annexions de 1792 à 1795

I. Texel

HOLLANDE

Amsterdam

La Haye 1795

Nimègue

HOLLANDAIS

ANGLAIS

Londres

ANGLETERRE

Dunkerque

Hondschoote
6–8 sept. 1793

Tourcoing
18 mai 1794

Lille
V
Le Quesnoy

Maubeuge
Wattignies
16 oct. 1793

JOURDAN

Anvers

Bruxelles

18 mars 1793
Neerwinden

Jemmapes
6 nov. 92

Fleurus
26 juin 1794

Liège

Coblence

BELGIQUE

AUTRICHIENS
PRUSSIENS

Mayence

Moselle

Landau

Wissembourg   Le
Geisberg
26 déc.
1793

HOCHE

ALSACE

Mulhouse

Montbéliard   Bâle
1795

Département
du Mt-Terrible
1793–1800

Amiens

Rouen

Varennes

Salm

Is. Anglo-
Normandes

Ouessant
Le Vengeur

Brest

BRETAGNE

HOCHE

Quiberon
juin 1795

Royalistes venus
d'Angleterre

ANGLAIS

Caen

NORMANDIE

Granville
14 nov.

Dol

Fougères

Rennes

Savenay
23 déc.

Nantes

Machecoul

VENDÉE

Cholet
17 oct.

Luçon   Bocage   Gâtine

Marais
poitevin

Niort

Pacy-s/-
Eure

PARIS

Laval   Mayenne

Le Mans
12 déc.

Angers

Saumur

Bressuire

Parthenay

Valmy

Orléans

Bourges

Nevers

Loire

Seine

Dijon

KELLERMANN

Lyon
(Ville-Affranchie)

SAVOIE

Genève

Bordeaux

Garonne

SARDES

Valence

Rhône

Avignon

Cte DE
NICE

Monaco
1793

Nice
1793

BONAPARTE

Siège et reprise de
Toulon–1793

Bayonne

St-Sébastien

MONCEY
juillet 1794

ESPAGNOLS

Toulouse

Montpellier

Nîmes   Arles

Marseille
(Ville-sans-Nom)

BARRAS

Aix

PROVENCE

Toulon
(Port-la-Montagne)

DUGOMMIER
1er mai 1794
Le Boulou

ROUSSILLON

Perpignan

Rosas

Figueras

CATALOGNE

ESPAGNOLS

ANGLAIS

Calvi

Corte

CORSE

Ajaccio

Guerre de Vendée

- Zones d'insurrection et zones
  de troubles épisodiques
- Armées républicaines
- Trajet de l'armée vendéenne en 1793
- ★ Grandes défaites des Vendéens en 1793
- ● Villes insurgées
- Principales zones d'insurrection fédéraliste

0   200 km

Les « sections » parisiennes, simples circonscriptions électorales en 1790, deviennent vite des organismes politiques permanents, regroupant les éléments les plus avancés de la « sans-culotterie », dont les soulèvements périodiques organisés par la puissante Commune (installée après le 10 août 1792), jouent un rôle essentiel dans l'accélération de la Révolution.

Ce rôle de Paris s'explique d'abord par son poids démographique : dans l'enceinte des Fermiers généraux s'entassent déjà environ 550 000 personnes, inégalement réparties entre les faubourgs (encore de gros villages, principalement à l'ouest) et le centre surpeuplé (ce qui y explique l'acuité du problème des subsistances). D'ailleurs, hormis les faubourgs de l'ouest, Paris est une ville populaire (280 000 personnes vivent du salariat) : le centre et le nord, fortement ou-

*Paris
pendant la Convention*

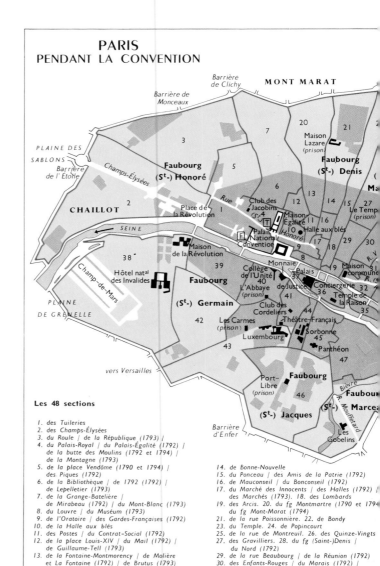

PARIS
PENDANT LA CONVENTION

Les 48 sections

1. des Tuileries
2. des Champs-Élysées
3. du Roule / de la République (1793) /
4. du Palais-Royal / du Palais-Égalité (1792) /
   de la butte des Moulins (1792 et 1794) /
   de la Montagne (1793)
5. de la place Vendôme (1790 et 1794) /
   des Piques (1792)
6. de la Bibliothèque / de 1792 (1792) /
   de Lepelletier (1793)
7. de la Grange-Batelière /
   de Mirabeau (1792) / du Mont-Blanc (1793)
8. du Louvre / du Muséum (1793)
9. de l'Oratoire / des Gardes-Françaises (1792)
10. de la Halle aux blés
11. des Postes / du Contrat-Social (1792)
12. de la place Louis-XIV / du Mail (1792) /
    de Guillaume-Tell (1793)
13. de la Fontaine-Montmorency / de Molière
    et La Fontaine (1792) / de Brutus (1793)

14. de Bonne-Nouvelle
15. du Ponceau / des Amis de la Patrie (1792)
16. de Mauconseil / du Bonconseil (1792)
17. du Marché des Innocents / des Halles (1792) /
    des Marchés (1793). 18. des Lombards
19. des Arcis. 20. du fg Montmartre (1790 et 1794
    du fg Mont-Marat (1794)
21. de la rue Poissonnière. 22. de Bondy.
23. du Temple. 24. de Popincourt.
25. de la rue de Montreuil. 26. des Quinze-Vingts
27. des Gravilliers. 28. du fg (Saint-)Denis /
    du Nord (1792)
29. de la rue Beaubourg / de la Réunion (1792)
30. des Enfants-Rouges / du Marais (1792) /

vriers (avec des entreprises relativement grandes), apparaissent curieusement moins « remuants » que les faubourgs de l'est (Saint-Antoine) et du sud (Saint-Marceau), dont la population plus composite comprend des petits artisans, des compagnons, et surtout des indigents (un habitant sur trois dans le faubourg Saint-Antoine). La sans-culotterie est moins une classe qu'un groupe social hétérogène, pour qui le droit de manger et l'égalité des propriétés sont les revendications essentielles. Son action politique sera, en fait, de courte durée.

carte p. 130 →

LES DÉPARTEMENTS AUX ÉPOQUES RÉVOLUTIONNAIRE ET IMPÉRIALE

La loi du 22 décembre 1789, qui vise à unifier l'administration sur une base territoriale, découpe la France en départements. Leur nombre va évoluer au rythme des circonstances politiques et des conquêtes : 83 en 1790, 86 en 1793, 87 en 1808, et finalement 130 sous l'Empire, à l'apogée du système continental (1811). Le recensement de 1806, effectué à des fins économiques et militaires, souffre de l'imperfection des méthodes utilisées, mais éclaire certaines données permanentes de la géographie humaine de l'Europe occidentale : fortes concentrations autour des capitales (Paris, Amsterdam, Aix-la-Chapelle, Rome), dans les grandes régions industrielles du textile (Flandre, haute Normandie, Toscane) ou du charbon (Flandre, Saône-et-Loire), dans les zones agricoles les plus riches (Picardie, Île-de-France, basse Normandie, Alsace) ou de forte natalité (Bretagne) ; faible peuplement ailleurs, sauf dans quelques départements isolés (Gironde et Dordogne viticoles, Isère industrielle) ; sous-peuplement enfin dans les départements montagnards (Alpes méridionales, Lozère, Hautes-Pyrénées) et dans les pays pauvres que les Italiens (Ombrone) et les Néerlandais (est des Provinces-Unies) n'ont pas encore aménagés systématiquement. (V. cartes pp. 77 et 81.)

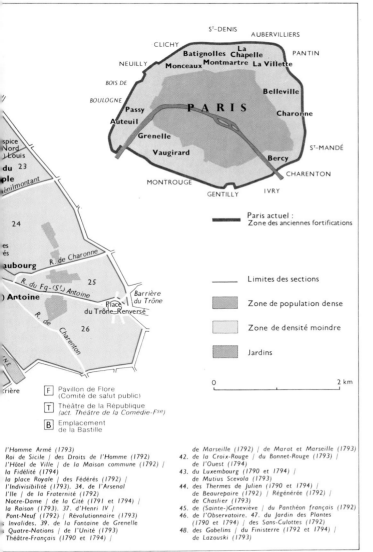

Paris actuel :
Zone des anciennes fortifications

Limites des sections

Zone de population dense

Zone de densité moindre

Jardins

0   2 km

F Pavillon de Flore
   (Comité de salut public)
T Théâtre de la République
   (act. Théâtre de la Comédie-Fse)
B Emplacement
   de la Bastille

l'Homme Armé (1793)
Roi de Sicile / des Droits de l'Homme (1792)
l'Hôtel de Ville / de la Maison commune (1792) /
la Fidélité (1794)
la place Royale / des Fédérés (1792) /
l'Indivisibilité (1793). 34. de l'Arsenal
l'Île / de la Fraternité (1792)
Notre-Dame / de la Cité (1791 et 1794) /
la Raison (1793). 37. d'Henri IV /
Pont-Neuf (1792) / Révolutionnaire (1793)
s Invalides. 39. de la Fontaine de Grenelle
s Quatre-Nations / de l'Unité (1793)
Théâtre-Français (1790 et 1794) /

de Marseille (1792) / de Marat et Marseille (1793)
42. de la Croix-Rouge / du Bonnet-Rouge (1793) /
de l'Ouest (1794)
43. du Luxembourg (1790 et 1794) /
de Mutius Scevola (1793)
44. des Thermes de Julien (1790 et 1794) /
de Beaurepaire (1792) / Régénérée (1792) /
de Chaslier (1793)
45. de (Sainte-)Geneviève / du Panthéon français (1792)
46. de l'Observatoire. 47. du Jardin des Plantes
(1790 et 1794) / des Sans-Culottes (1792)
48. des Gobelins / du Finistère (1792 et 1794) /
de Lazouski (1793)

129

FRANCE

← *notice p. 129*

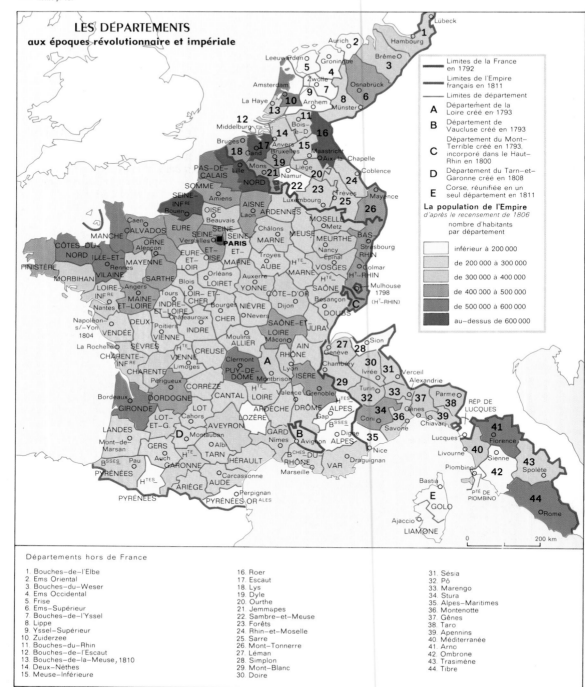

LES DÉPARTEMENTS
aux époques révolutionnaire et impériale

Légende:
- Limites de la France en 1792
- Limites de l'Empire français en 1811
- Limites de département
- **A** Département de la Loire créé en 1793
- **B** Département de Vaucluse créé en 1793
- **C** Département du Mont-Terrible créé en 1793, incorporé dans le Haut-Rhin en 1800
- **D** Département du Tarn-et-Garonne créé en 1808
- **E** Corse, réunifiée en un seul département en 1811

La population de l'Empire
d'après le recensement de 1806
nombre d'habitants par département
- inférieur à 200 000
- de 200 000 à 300 000
- de 300 000 à 400 000
- de 400 000 à 500 000
- de 500 000 à 600 000
- au-dessus de 600 000

0 — 200 km

Départements hors de France

1. Bouches-de-l'Elbe
2. Ems Oriental
3. Bouches-du-Weser
4. Ems Occidental
5. Frise
6. Ems-Supérieur
7. Bouches-de-l'Yssel
8. Lippe
9. Yssel-Supérieur
10. Zuiderzee
11. Bouches-du-Rhin
12. Bouches-de-l'Escaut
13. Bouches-de-la-Meuse, 1810
14. Deux-Nèthes
15. Meuse-Inférieure

16. Roer
17. Escaut
18. Lys
19. Dyle
20. Ourthe
21. Jemmapes
22. Sambre-et-Meuse
23. Forêts
24. Rhin-et-Moselle
25. Sarre
26. Mont-Tonnerre
27. Léman
28. Simplon
29. Mont-Blanc
30. Doire

31. Sésia
32. Pô
33. Marengo
34. Stura
35. Alpes-Maritimes
36. Montenotte
37. Gênes
38. Taro
39. Apennins
40. Méditerranée
41. Arno
42. Ombrone
43. Trasimène
44. Tibre

Malgré le principe de l'obligation et de la gratuité de l'enseignement primaire proclamé par la Révolution, la scolarisation est médiocre en 1830, l'école renvoyant l'image d'une société archaïque : un adulte sur deux est analphabète. Une ligne Saint-Malo-Genève partage le pays en deux zones inégales de scolarisation. Plus urbanisée et ouverte sur l'extérieur, dotée d'une industrie rurale qui élargit l'« horizon mental » des villageois, la France du Nord est déjà bien scolarisée (740 816 élèves pour 13 millions d'habitants). En tête viennent la région parisienne, la Lorraine et la Normandie. Plus exclusivement rurale, confinée dans des activités agricoles, la France de l'Ouest et du Sud apparaît comme un désert scolaire (375 931 élèves pour 18 millions d'habitants). Partout, les taux de fréquentation estivale (mai-novembre) sont inférieurs, parfois des deux tiers, à ceux d'hiver. A ces insuffisances, la loi Guizot du 28 juin 1833 sur l'enseignement primaire apporte un premier remède, qui reste insuffisant. Il faudra attendre Victor Duruy et surtout Jules Ferry pour voir reculer l'analphabétisme.

L'analphabétisme au début de la monarchie de Juillet

Les départements aux époques révolutionnaire et impériale

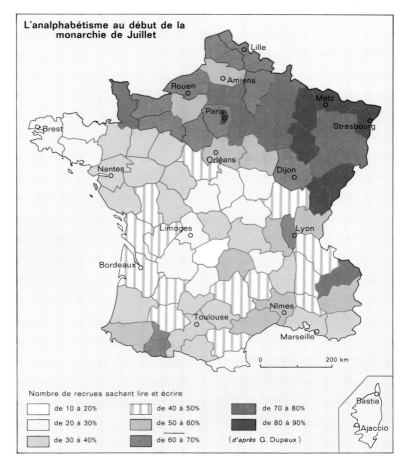

L'analphabétisme au début de la monarchie de Juillet

Nombre de recrues sachant lire et écrire

de 10 à 20%
de 20 à 30%
de 30 à 40%
de 40 à 50%
de 50 à 60%
de 60 à 70%
de 70 à 80%
de 80 à 90%

(d'après G. Dupeux)

0   200 km

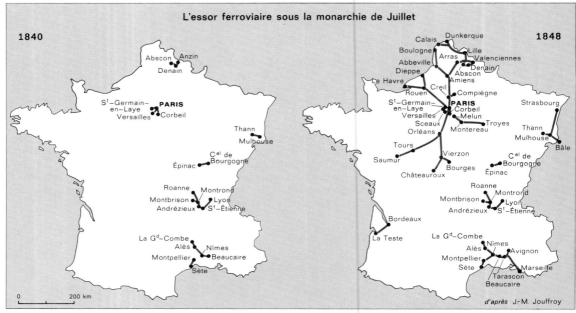

L'essor ferroviaire sous la monarchie de Juillet

L'essor ferroviaire sous la monarchie de Juillet

A l'origine, les chemins de fer ont une fonction exclusivement industrielle : les transports charbonniers (d'où la précocité des lignes dans les bassins houillers). Mais l'action d'entrepreneurs inspirés par le saint-simonisme ainsi que l'adoption de la charte de 1842 (premier signe de l'intervention officielle de l'État) permettent la création d'un réseau qui esquisse déjà l'organisation radiale à partir de Paris. Malgré un important programme de constructions, stimulé par un boom boursier, la France ne compte encore que 1 930 km de voies ferrées en 1848.

La croissance de Paris de 1801 à 1848

Après la Révolution, la population de Paris croît fortement : de 550 000 habitants en 1801 à 1 000 000 en 1848. Le centre, déjà surpeuplé, se gonfle de miséreux (début de l'exode rural), surtout dans les quartiers est (faubourg Saint-An-

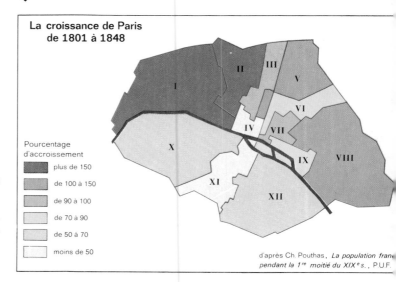

La croissance de Paris de 1801 à 1848

Pourcentage d'accroissement

- plus de 150
- de 100 à 150
- de 90 à 100
- de 70 à 90
- de 50 à 70
- moins de 50

d'après Ch. Pouthas, *La population française pendant la 1re moitié du XIXe s.*, P.U.F.

toine), qui se prolétarisent de plus en plus. Mais ce sont les quartiers ouest de la rive droite qui connaissent la plus forte croissance, la moindre densité et les aménagements napoléoniens y attirant la bourgeoisie parisienne et les notables venus de province.

Face à l'extraordinaire croissance de la population (121 000 personnes entre 1851 et 1856), Napoléon III décide une modernisation complète de Paris, réalisée par le préfet Haussmann. Assainissement de la ville par la destruction des îlots insalubres du centre, par l'achèvement du réseau d'égouts, par l'organisation des espaces verts ; meilleur ravitaillement en eau et en nourriture (reconstruction des Halles) ; moyens de communication plus aisés (chemin de fer de ceinture, service d'omnibus, dégagement des six grandes gares) : les préoccupations sociales et économiques sont évidentes ; la recherche du prestige aussi. Mais la réorganisation de la voirie (percement des grands axes du centre, création de rocades unissant les divers arrondissements) répond autant au désir d'empêcher les barricades et d'expulser les éléments populaires vers la périphérie qu'à la volonté de faciliter les communications.

Paris, plan Haussmann ▼

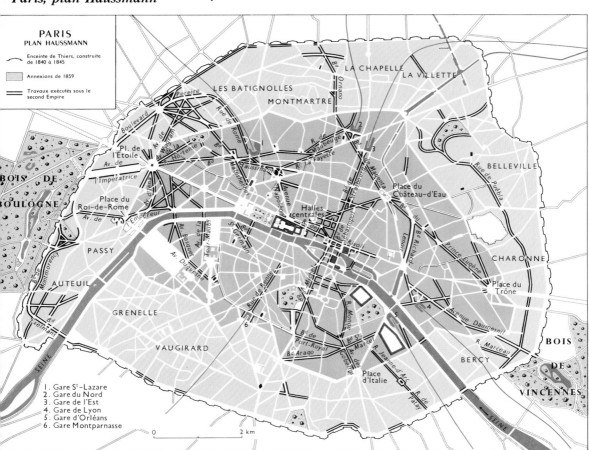

PARIS
PLAN HAUSSMANN

Enceinte de Thiers, construite de 1840 à 1845

Annexions de 1859

Travaux exécutés sous le second Empire

1. Gare St-Lazare
2. Gare du Nord
3. Gare de l'Est
4. Gare de Lyon
5. Gare d'Orléans
6. Gare Montparnasse

0   2 km

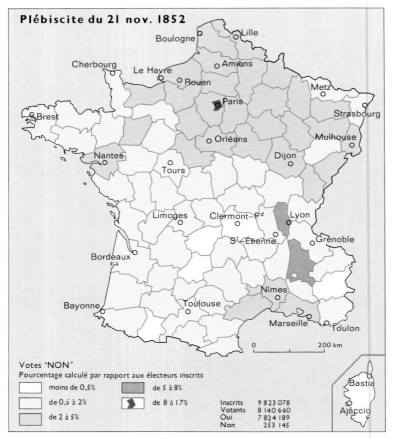

Plébiscite du 21 nov. 1852

Votes "NON"
Pourcentage calculé par rapport aux électeurs inscrits

- moins de 0,5%
- de 0,5 à 2%
- de 2 à 5%
- de 5 à 8%
- de 8 à 17%

Inscrits	9 823 078
Votants	8 140 660
Oui	7 824 189
Non	253 145

Plébiscite du 21 novembre 1852

U n an après son coup d'État, Louis Napoléon Bonaparte obtient un triomphe au plébiscite proposant le rétablissement de l'empire : 17 p. 100 seulement d'abstentions (2 millions) et 3 p. 100 d'opposants, recrutés surtout dans les milieux républicains des grandes villes (Paris, Lyon) ou de quelques zones rurales du Midi, qui avaient manifesté la résistance la plus vive au coup d'État. Mais cette adhésion collective laisse apparaître un clivage entre la France du Sud, plus rurale, où le mythe napoléonien joue à plein, et la France du Nord, plus urbanisée et instruite, moins enthousiaste.

PLÉBISCITE DU 8 MAI 1870

D ix-huit ans plus tard, un autre plébiscite, malgré son ambiguïté, semble consolider le régime impérial chancelant (7 358 000 « oui », 1 572 000 « non », 113 000 bulletins nuls et près de 2 000 000 d'abstentions). Pourtant, si les paysans votent encore massivement pour l'Empire (surtout dans le Nord, le Centre, le Sud-Ouest), deux types d'opposition apparaissent nettement : celle de la droite conservatrice (Gironde), catholique et royaliste (zones rurales de l'Ouest breton ou de l'Est) ; celle des républicains, présents surtout dans les grandes villes et les régions ouvrières, mais aussi dans des zones rurales « rouges » comme le Midi méditerranéen ou le Limousin.

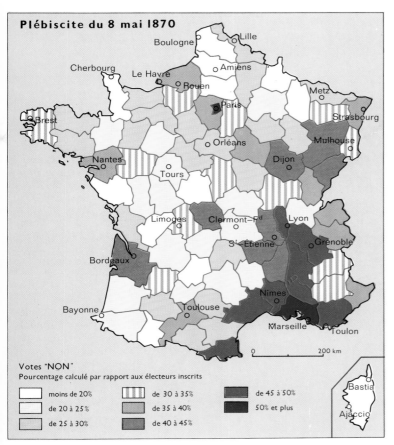

Plébiscite du 8 mai 1870

Plébiscite du 8 mai 1870

Lille
Boulogne
Cherbourg
Le Havre
Amiens
Rouen
Metz
Paris
Strasbourg
Brest
Orléans
Mulhouse
Nantes
Dijon
Tours
Limoges
Clermont-F^d
Lyon
St-Étienne
Grenoble
Bordeaux
Nîmes
Bayonne
Toulouse
Marseille
Toulon

0   200 km

Votes "NON"
Pourcentage calculé par rapport aux électeurs inscrits

moins de 20%	de 30 à 35%	de 45 à 50%
de 20 à 25%	de 35 à 40%	50% et plus
de 25 à 30%	de 40 à 45%	

Bastia
Ajaccio

LA GUERRE FRANCO-ALLEMANDE
(1870-1871)

Née de la volonté prussienne d'achever l'unité allemande et du désir de Napoléon III de restaurer le prestige de l'Empire, la guerre franco-allemande s'engage le 19 juillet 1870 dans les plus mauvaises conditions possibles pour la France : isolement diplomatique, impréparation militaire, infériorité du matériel, du commandement et de la stratégie, face à une armée allemande moderne, entraînée, plus rapide dans ses mouvements. Le résultat en est l'écrasement rapide des armées impériales du 13 août au 3 septembre 1870 : l'Alsace est abandonnée en dix jours ; l'armée de Lorraine doit s'enfermer dans Metz par suite de l'indécision et des arrière-pensées politiques de Bazaine ; et la lenteur du mouvement tournant opéré par Mac-Mahon, à partir de Châlons-sur-Marne, pour débloquer Metz assiégé, aboutit au désastre. Piégée à Sedan, la dernière armée française est capturée le 2 septembre, Napoléon III à sa tête. Libres de leurs mouvements, les armées allemandes peuvent alors occuper tout l'Est, mettre le siège devant Belfort, puis Orléans et surtout Paris (18-19 septembre), tandis que Bazaine capitule honteusement le 27 octobre.

Dans ces conditions, l'effort entrepris par le Gouvernement (provisoire) de la Défense nationale, proclamé le 4 septembre à l'annonce du désastre de Sedan, tourne bientôt court : malgré l'activité de Gambetta, malgré un sursaut national inattendu, les armées nouvelles mises sur pied dans le Nord (Faidherbe), sur la Loire (d'Aurelles de Paladines, puis Chanzy), enfin dans l'Est (Bourbaki) ne peuvent remporter que des succès partiels vite interrompus. Dès janvier 1871, la résistance semble désespérée.

Tous les efforts déployés n'ont pu débloquer Paris. Irritée par les échecs des tentatives de sortie, affamée, soumise à un bombardement intensif, la population s'agite de plus en plus ; c'est finalement la crainte d'un soulèvement populaire (qui éclatera, en effet, le 18 mars 1871 avec la Commune) qui décide le gouvernement provisoire à signer l'armistice le 28 janvier 1871 et à sacrifier l'armée de l'Est. Libérée de la guerre, jouant d'un sentiment national exacerbé par la perte de l'Alsace-Lorraine, détenant la majorité à l'Assemblée nationale élue le 8 février 1871, la France rurale et conservatrice décide de briser le Paris populaire et révolutionnaire de la Commune.

carte p. 136 ⟶

← *notice p. 135*

La guerre franco-allemande (1870-1871)

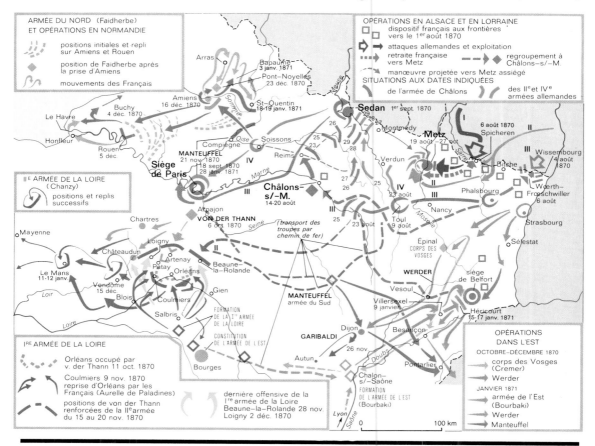

ARMÉE DU NORD (Faidherbe)
ET OPÉRATIONS EN NORMANDIE

positions initiales et repli
sur Amiens et Rouen

position de Faidherbe après
la prise d'Amiens

mouvements des Français

OPÉRATIONS EN ALSACE ET EN LORRAINE
dispositif français aux frontières
vers le 1er août 1870
attaques allemandes et exploitation
retraite française   regroupement à
vers Metz   Châlons-s/-M.
manœuvre projetée vers Metz assiégé
SITUATIONS AUX DATES INDIQUÉES
de l'armée de Châlons   des IIe et IVe
                            armées allemandes

IIE ARMÉE DE LA LOIRE
(Chanzy)
positions et replis
successifs

IRE ARMÉE DE LA LOIRE
Orléans occupé par
v. der Thann 11 oct. 1870
Coulmiers 9 nov. 1870
reprise d'Orléans par les
Français (Aurelle de Paladines)
positions de von der Thann
renforcées de la IIearmée
du 15 au 20 nov. 1870

dernière offensive de la
Ire armée de la Loire
Beaune-la-Rolande 28 nov.
Loigny 2 déc. 1870

OPÉRATIONS
DANS L'EST
OCTOBRE–DÉCEMBRE 1870
corps des Vosges
(Cremer)
Werder
JANVIER 1871
armée de l'Est
(Bourbaki)
Werder
Manteuffel

Victorieux en 1924, le Cartel des gauches (radicaux et socialistes), ne survit pas à ses contradictions internes et aux difficultés financières, qui provoquent le retour au pouvoir de Poincaré, le 23 juillet 1926.

FRONT POPULAIRE (1936)

Dans un climat international tendu par les premiers succès des dictatures, les élections de 1936 voient s'opposer deux France. La gauche radicale, socialiste et communiste du Front populaire (régions ouvrières, rurales de petite propriété et laïques) l'emporte avec 386 sièges.

ÉLECTION PRÉSIDENTIELLE (1965)

Aux élections de 1965, le général de Gaulle, dont le « charisme » tend à s'estomper (fin du problème algérien, plan de stabilisation de 1963), est mis en ballottage par F. Mitterrand. La carte du gaullisme s'identifie plus nettement à celle de la droite.

ÉLECTION PRÉSIDENTIELLE (1981)

François Mitterrand remporte les élections du 10 mai 1981 avec 51,75 p. 100 des suffrages exprimés, contre 48,24 p. 100 pour le président sortant, V. Giscard d'Estaing. La dissidence des électeurs chiraquiens, qui, au second tour, se sont abstenus ou ont reporté leurs voix sur F. Mitterrand, explique en partie la relative ampleur de ce succès.

cartes →

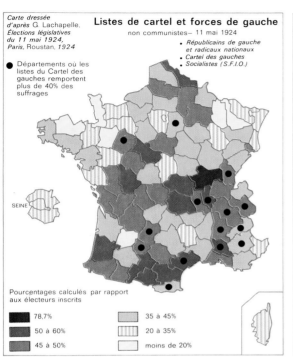

Carte dressée
d'après G. Lachapelle,
Élections législatives
du 11 mai 1924,
Paris, Roustan, 1924

● Départements où les
listes du Cartel des
gauches remportent
plus de 40% des
suffrages

Listes de cartel et forces de gauche
non communistes— 11 mai 1924
● Républicains de gauche
et radicaux nationaux
● Cartel des gauches
● Socialistes (S.F.I.O.)

SEINE

Pourcentages calculés par rapport
aux électeurs inscrits

- 78,7%
- 50 à 60%
- 45 à 50%
- 35 à 45%
- 20 à 35%
- moins de 20%

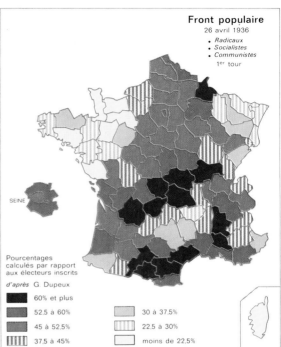

Front populaire
26 avril 1936
● Radicaux
● Socialistes
● Communistes
1ᵉʳ tour

SEINE

Pourcentages
calculés par rapport
aux électeurs inscrits

d'après G. Dupeux

- 60% et plus
- 52.5 à 60%
- 45 à 52.5%
- 37.5 à 45%
- 30 à 37.5%
- 22.5 à 30%
- moins de 22.5%

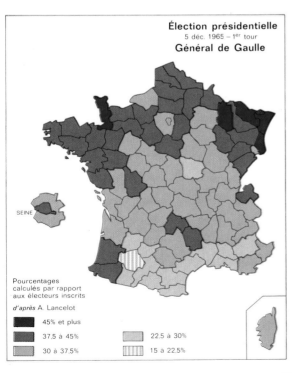

Élection présidentielle
5 déc. 1965 – 1ᵉʳ tour
Général de Gaulle

SEINE

Pourcentages
calculés par rapport
aux électeurs inscrits

d'après A. Lancelot

- 45% et plus
- 37.5 à 45%
- 30 à 37.5%
- 22.5 à 30%
- 15 à 22.5%

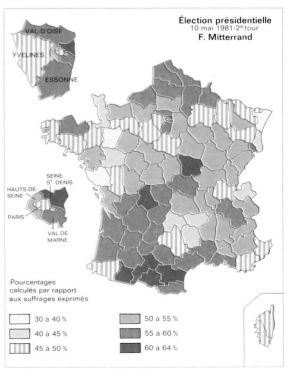

Élection présidentielle
10 mai 1981-2ᵉ tour
F. Mitterrand

VAL-D'OISE
YVELINES
ESSONNE

SEINE-
Sᵀ-DENIS
HAUTS-DE-
SEINE
PARIS
VAL-DE-
MARNE

Pourcentages
calculés par rapport
aux suffrages exprimés

- 30 à 40 %
- 40 à 45 %
- 45 à 50 %
- 50 à 55 %
- 55 à 60 %
- 60 à 64 %

Les invasions germaniques en Angleterre

Légende de la carte :

→ Invasions germaniques

Zones occupées par les Anglo-Saxons

v. 500
v. 600
v. 650

d'après K. Jackson

ESSEX Nom de royaume

Bretons au VIIᵉ s.

→ Migrations bretonnes vers le sud (milieu Vᵉ–VIᵉ s.)

Évangélisation
† Archevêchés ◆ Monastères

0   200 km

L'ANGLETERRE ANGLO-SAXONNE
ET LES INVASIONS SCANDINAVES ▶

Les Norvégiens arrivent dans les îles sur les côtes du nord et du nord-est de la Bretagne et sur celles de l'Irlande orientale dès l'extrême fin du VIIIᵉ siècle. Les Danois s'établissent à leur tour au IXᵉ siècle en Angleterre du Nord-Est (pays du *Danelaw*) et du Sud. De 1016 à 1035, Knud le Grand incorpore ces derniers territoires à l'empire maritime qu'il constitue autour de la mer du Nord. Restaurée en 1042, la royauté anglo-saxonne brise à Stamford Bridge une ultime tentative de reconquête norvégienne (1066), mais ne survit pas à la défaite de Hastings que Guillaume le Conquérant inflige la même année à Harold.

Introduit outre-Manche, le régime féodal assure le renforcement de la puissance royale anglaise dont la supériorité s'affirme à l'égard du pouvoir capétien, un moment miné par la féodalisation.

Les invasions germaniques en Angleterre

Au peuplement primitif préceltique (Pictes) ou celtique (Scots et Bretons) s'ajoute une occupation romaine qui marque fortement la culture du sud du pays. Mais, dès le début du Vᵉ siècle, les dernières troupes de l'Empire quittent l'île. Les envahisseurs d'origine germanique arrivent peu après dans le Sud-Est. Les Saxons, originaires du nord de la Germanie, se distinguent à partir du IIIᵉ siècle par leurs actes de piraterie en mer du Nord. Ils s'installent à partir du milieu du Vᵉ siècle dans l'Essex, le Sussex et le Wessex. Les Angles, probablement originaires du pays d'Angeln, dans le Schleswig, colonisent surtout le centre de l'île. Les Jutes participent également à la colonisation. Ces trois peuples, de culture voisine, constituent l'ensemble appelé anglo-saxon. Tandis que leur occupation progresse d'est en ouest, une partie de la population ancienne se réfugie en Armorique.

Légende

Invasions scandinaves, fin VIIIe début XIe s.

795 Date d'apparition

Zone d'action des Norvégiens

Zone d'action des Danois

Villes ayant un peuplement nordique appréciable *d'après* L. Musset

Danelaw vers 900

Les "Cinq Bourgs", colonies danoises, 877-942

Watling Street

Flotte normande de Guillaume le Conquérant, 1066

ESSEX Royaumes anglo-saxons au VIIIe s.

Royaume anglo-saxon d'Alfred le Grand, 871-899

917 Reconquête anglo-saxonne au Xe s.

Marche de Harold, 1066

★ Batailles   ● Archevêchés

Limites de l'Écosse au XIe s.

Régions de peuplement celte

Toponymes

OCÉAN

Shetland v. 700

Orcades *Orkney*

ATLANTIQUE

Iles du Sud *Hébrides*

CAITHNESS
SUTHERLAND
MORAY
Inverness
R. D'ALBA
Scone
Édimbourg
LOTHIAN
Tweed
STRATHCLYDE
GALLOWAY
ARGYLL

Iona 795
Rathlin 798

Lindisfarne 793

★ Carham v. 1016

MER DU NORD

Jarrow

NORTHUMBRIE

ULSTER
Armagh ○
Newry ○
MEATH
Carlingford ○
Kells ○
CONNACHT
Clontarf 1014
IRLANDE
★ *Tára 980*
Dublin ○
Wicklow ○
Kilfenora ○
Shannon
LEINSTER
Arklow ○
Limerick ●
MUNSTER
Cork ●
Waterford ●
Wexford ○

Man

Môn
Bangor ○
Offa's Dyke
Chester ○

York ● 954
★ *Stamford Bridge 25 sept. 1066*

DANELAW
Nottingham
Derby ▲
Lincoln
Stamford ▲
Leicester ▲
Tetterhall 910 ★
MERCIE
Worcester ○
Oxford ○
917
EAST ANGLIA
Norwich ●
Cambridge ○
ESSEX
★ *Ashingdon 1016*
Thanet ●

GALLES
St David's ○
Pembroke ○

★ *Edington 878*
Reading ○
Tamise
WESSEX
Winchester ○
Southampton ○
Exeter ○
CORNOUAILLES
Dorchester 795

Londres ○
KENT
✝ Canterbury
SUSSEX
Pevensey ○
★ *Hastings, 14 oct. 1066*

Wight

MANCHE

Guernesey
Jersey

NORMANDIE
Bayeux
Coutances ○
Falaise ○
Rouen ●
Seine
St-Valery-s/-S.
Somme
St-Clair-s/-Epte
Paris ○

BRETAGNE

ROYAUME DE FRANCE

814
Nantes ○
Loire
Noirmoutier

0   200 km

L'Angleterre anglo-saxonne et les invasions scandinaves

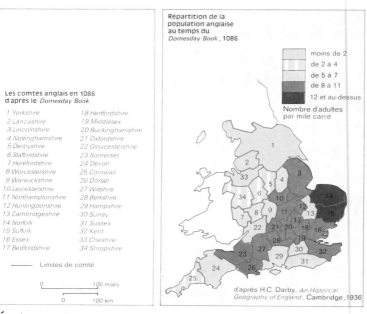

Les comtes anglais en 1086
d'après le *Domesday Book*

1 Yorkshire	18 Hertfordshire
2 Lancashire	19 Middlesex
3 Lincolnshire	20 Buckinghamshire
4 Nottinghamshire	21 Oxfordshire
5 Derbyshire	22 Gloucestershire
6 Staffordshire	23 Somerset
7 Herefordshire	24 Devon
8 Worcestershire	25 Cornwall
9 Warwickshire	26 Dorset
10 Leicestershire	27 Wiltshire
11 Northamptonshire	28 Berkshire
12 Huntingdonshire	29 Hampshire
13 Cambridgeshire	30 Surrey
14 Norfolk	31 Sussex
15 Suffolk	32 Kent
16 Essex	33 Cheshire
17 Bedfordshire	34 Shropshire

——— Limites de comté

Répartition de la
population anglaise
au temps du
Domesday Book, 1086

moins de 2
de 2 à 4
de 5 à 7
de 8 à 11
12 et au-dessus

Nombre d'adultes
par mile carré

d'après H.C. Darby, *An Historical Geography of England*, Cambridge, 1936

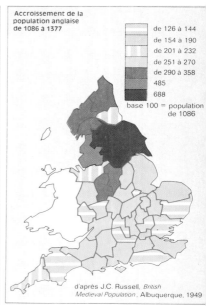

Accroissement de la
population anglaise
de 1086 à 1377

de 126 à 144
de 154 à 190
de 201 à 232
de 251 à 270
de 290 à 358
485
688

base 100 = population
de 1086

d'après J.C. Russell, *British Medieval Population*, Albuquerque, 1949

Évolution de la population en Angleterre (XIᵉ-XIVᵉ s.)

L e *Domesday Book* est le livre du « Jugement dernier », ou « Sans appel », selon l'expression familière de l'époque. Ce livre, que l'on appelle également la *Description de l'Angleterre*, est un recueil cadastral contenant un résumé des situations fiscales de toutes les terres du royaume, avec les valeurs des propriétés, le nom des propriétaires successifs, les droits et charges, les surfaces, le nombre de tenanciers et d'ouvriers, les moulins, les étangs et toute chose pouvant fournir un profit. Il a été exécuté sur ordre de Guillaume le Conquérant, de 1086 à 1090 environ, et il ne donne qu'un résumé d'une immense enquête, qui, d'ailleurs,

provoqua l'irritation des populations. Ce fut le plus célèbre ouvrage administratif de son temps. C'est aujourd'hui un instrument précieux pour les historiens. Son analyse permet d'évaluer à 1 500 000 le nombre des habitants de l'Angleterre à cette époque ; la plupart vivant dans l'East Anglia et le bassin de Londres ; la Cornouailles, les confins anglais du pays de Galles et de l'Écosse sont de deux à six fois moins peuplés.

Il n'en est plus de même au début du XIVᵉ siècle ; ces régions frontalières, longtemps vides d'hommes, ont été les grandes bénéficiaires, par voie de migrations intérieures, d'un croît démographique biséculaire. Dû

sans doute à une nuptialité précoce et à un taux de natalité supérieur à 50 p. 1 000, celui-ci a porté la population anglaise à 3 500 000 habitants et déterminé les progrès de l'urbanisation, dont ont profité surtout les villes-marchés et les ports, notamment Londres qui aurait compté 34 900 habitants en 1377. Le déclin démographique provoqué par la famine des années 1315 et 1316 et surtout par la peste noire de 1348-49 et ses séquelles ne réduit pas entièrement les effets de cette croissance : on estime à 2 200 000 habitants la population de l'Angleterre d'après le recensement des personnes assujetties à la *poll tax* en 1377.

L'Anjou tire profit au XIIe siècle du mariage de Geoffroi V le Bel (1131-1151) avec Mathilde, fille et unique héritière du roi d'Angleterre et duc de Normandie Henri Ier Beauclerc.

Premier de sa dynastie à porter le nom de Plantagenêt, Geoffroi V installe, dès 1144, son fils Henri à la tête du duché de Normandie. Comte d'Anjou en 1151 à la mort de son frère, duc d'Aquitaine en 1152 par son mariage avec Aliénor, roi d'Angleterre en 1154 après la disparition d'Étienne de Blois, dominant enfin le comté de Bretagne grâce au mariage de son fils Geoffroi en 1166, Henri II d'Angleterre étend sa puissance des frontières de l'Écosse à celles de l'Espagne.

Sa situation de vassal du roi de France, sur le continent, est à l'origine des deux guerres dites « de Cent Ans » (1154-1258/59 et 1337-1475) qui opposent les Plantagenêts aux Capétiens. Philippe II Auguste réussit à réduire le domaine continental des Plantagenêts au sud-ouest.

Marquées de victoires, défaites et trêves, les guerres aboutissent au début du XVe siècle à un éphémère retour en force des rois anglais sur le continent. À la fin du XVe siècle, ceux-ci ne possèdent plus en France que Calais. (V. cartes pp. 116 à 119.)

L'Angleterre et ses dépendances continentales au XIIe et au XIIIe s.

GRANDE-BRETAGNE – ANGLETERRE

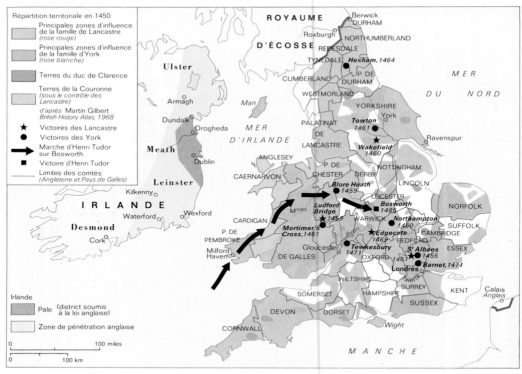

Répartition territoriale en 1450

- Principales zones d'influence de la famille de Lancastre *(rose rouge)*
- Principales zones d'influence de la famille d'York *(rose blanche)*
- Terres du duc de Clarence
- Terres de la Couronne *(sous le contrôle des Lancastre)*
  d'après Martin Gilbert British History Atlas, 1968
- ★ Victoires des Lancastre
- ● Victoires des York
- ➡ Marche d'Henri Tudor sur Bosworth
- ■ Victoire d'Henri Tudor
- Limites des comtés *(Angleterre et Pays de Galles)*

Irlande
- Pale *(district soumis à la loi anglaise)*
- Zone de pénétration anglaise

ROYAUME D'ÉCOSSE

Berwick
DURHAM
Roxburgh
NORTHUMBERLAND
REDESDALE
TYNEDALE *Hexham, 1464*
CUMBERLAND
P. DE DURHAM
WESTMORLAND
MER DU NORD
YORKSHIRE
York
Towton 1461
Ravenspur
PALATINAT DE LANCASTRE
Wakefield 1460
Humber
Ulster
Armagh
Man
Dundalk
Drogheda
MER D'IRLANDE
ANGLESEY
Meath
Dublin
P. DE CHESTER
DERBY
NOTTINGHAM
LINCOLN
Leinster
CAERNARVON
Blore Heath 1459
LEICESTER
Bosworth 1485
NORFOLK
Kilkenny
IRLANDE
M CHES
Ludford Bridge 1459
WARWICK
Northampton 1460
SUFFOLK
Waterford
Wexford
CARDIGAN
Mortimer's Cross, 1461
Avon
Edgecote 1469
CAMBRIDGE
BEDFORD
Desmond
P. DE PEMBROKE
Tewkesbury 1471
ESSEX
Cork
Milford Haven
DE GALLES
Gloucester
OXFORD
St Albans 1455
Barnet, 1471
Londres
WILTSHIRE
SURREY
KENT
Calais Anglais
SOMERSET
HAMPSHIRE
SUSSEX
DEVON
DORSET
Wight
CORNWALL
MANCHE

| 0 | 100 miles |
| 0 | 100 km |

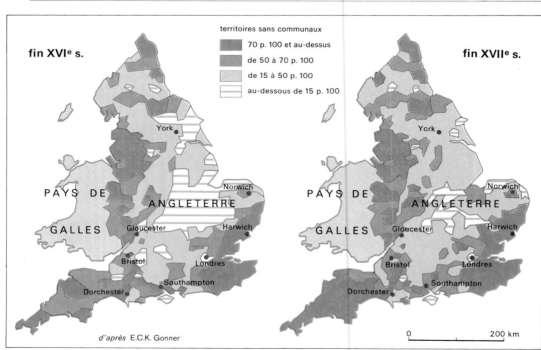

fin XVIe s.

territoires sans communaux
- 70 p. 100 et au-dessus
- de 50 à 70 p. 100
- de 15 à 50 p. 100
- au-dessous de 15 p. 100

PAYS DE GALLES
ANGLETERRE
York
Norwich
Gloucester
Harwich
Bristol
Londres
Southampton
Dorchester

fin XVIIe s.

PAYS DE GALLES
ANGLETERRE
York
Norwich
Gloucester
Harwich
Bristol
Londres
Southampton
Dorchester

| 0 | 200 km |

d'après E.C.K. Gonner

La guerre des Deux-Roses (1450-1485)

Affrontement entre les maisons de Lancastre (rose rouge) et d'York (rose blanche) qui, descendant toutes les deux d'Édouard III, se disputent la couronne, la guerre des Deux-Roses est la dernière des guerres féodales en Angleterre. Les York l'emportent d'abord. Richard d'York devient « protecteur du royaume » après la victoire de Saint Albans (1455), mais la guerre reprend, ponctuée de défaites et de succès. Les York paraissent devoir l'emporter (Édouard IV est reconnu en 1471 par presque toute l'Angleterre), malgré la restauration temporaire d'Henri VI de Lancastre.

Henri VII Tudor, l'héritier des deux maisons, met un terme (1485) à une guerre civile qui laisse l'Angleterre affaiblie économiquement et démographiquement ; mais la monarchie en sort renforcée.

Né dès la fin du XIVᵉ siècle, le mouvement des enclosures permet de remembrer les terres et de séparer les cultures des pâtures. Ruinant les petits paysans, mais améliorant les rendements, le mouvement est ralenti par le Parlement qui le condamne en 1515 mais lève son opposition en 1656. Dès la fin du XVIIᵉ siècle, l'openfield recule largement.

L'essor des enclosures (fin du XVIᵉ s.-fin du XVIIᵉ s.)

En 1603, l'avènement du roi d'Écosse Jacques Iᵉʳ Stuart au trône d'Angleterre assure l'union des deux royaumes antérieurement ennemis. Mais la politique absolutiste des Stuart en matière financière et religieuse mécontente les Britanniques. En 1642, le Parlement anglais prend la tête de la guerre civile. Vaincu, Charles Iᵉʳ est exécuté (1649). Olivier Cromwell instaure alors le Commonwealth, reconquiert l'Irlande, re-pousse le prétendant Charles II et assure la primauté maritime et commerciale de l'Angleterre sur les Provinces-Unies. Fragile, le nouveau régime s'effondre après la mort de son fondateur. Charles II est restauré (1680-1685). Les imprudences de Jacques II (1685-1688) provoquent une seconde révolution au bénéfice de son gendre, Guillaume III d'Orange, qui, reconnu roi d'Angleterre en 1689, doit accepter un régime constitutionnel.

Les îles Britanniques au XVIIᵉ s.

OCÉAN

ATLANTIQUE

Orkney

Hébrides

Inverness

MER

Aberdeen

DU NORD

ROY. D'ÉCOSSE

Tippermuir 1645

Dundee

Dunbar, 1650

Glasgow Edimbourg Berwick

Londonderry (Derry)

Wigtown

Newcastle

ULSTER

Sligo

Belfast

Carlisle

Man

Marston Moor 1644

York

Hull

CONNACHT

Drogheda 1649

la Boyne 1690

Dublin

Chester

Nottingham

1689 Jacques II

Limerick Kilkenny

IRLANDE

Bantry

Wexford

Cork

PAYS DE

GALLES

ROYAUME D'ANGLETERRE

Lichfield

Naseby, 1645

Cambridge

de Ruyter 1667

Pembroke

Worcester 1651

Oxford

Bristol

Newbury 1643

Hampton Court

Londres

1658-62 anglais

Taunton

Portsmouth

Canterbury

Dunkerque

Plymouth

Tor Bay

Blake 1653

Tromp 1652

Calais

1652 de Ruyter

Cherbourg

Blake, 1653

la Hougue 1692

Guernesey

Jersey

ROY. DE

FRANCE

Paris

200 km

Légende :

Irlande

- Pale
- "Plantations"
- Immigrants écossais
- ★ Révolte de 1641
- ➡ Cromwell 1649

La guerre civile, 1642-1646
- Districts tenus par le roi à la fin de 1643
- Districts tenus par le Parlement à la fin de 1643
- Association orientale

- ⇄ Union personnelle du royaume d'Écosse et du royaume d'Angleterre, 1603
- Limites entre Highlands et Lowlands
- ▬ Acte de Navigation, 1651
- ➡ Guillaume d'Orange, 1688
- ★ Batailles ★ Combats navals

La révolution industrielle (1750-1850)

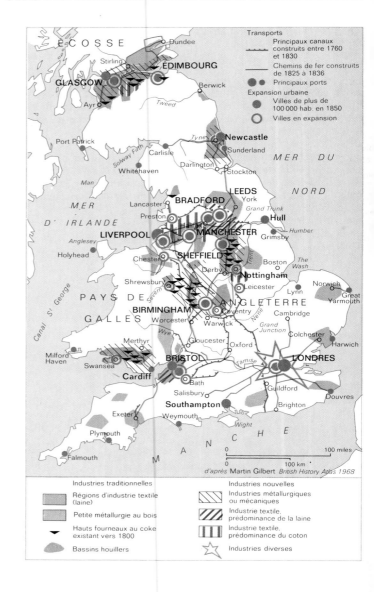

d'après Martin Gilbert *British History Atlas 1968*

Transports
- Principaux canaux construits entre 1760 et 1830
- Chemins de fer construits de 1825 à 1836
- Principaux ports

Expansion urbaine
- Villes de plus de 100 000 hab. en 1850
- Villes en expansion

Industries traditionnelles
- Régions d'industrie textile (laine)
- Petite métallurgie au bois
- Hauts fourneaux au coke existant vers 1800
- Bassins houillers

Industries nouvelles
- Industries métallurgiques ou mécaniques
- Industrie textile, prédominance de la laine
- Industrie textile, prédominance du coton
- Industries diverses

Au XVIIIᵉ siècle, l'Angleterre bénéficie de circonstances exceptionnellement favorables à l'essor du machinisme, caractéristique essentielle de la « révolution industrielle » : une forte augmentation de la population (de 6 millions à 28 millions entre 1750 et 1850), un accroissement de la production et de la productivité agricole, la maîtrise du commerce mondial qui assure l'afflux des matières premières (coton) et l'accumulation d'un capital qui s'investit habilement dans l'industrie, enfin une maturité intellectuelle favorable à l'éclosion de nombreuses inventions.

Les régions riches en houille ou proches des grands ports deviennent des centres industriels florissants, reliés entre eux par des canaux dès 1760, puis par des voies ferrées à partir de 1825.

Les industries textiles bénéficient les premières des inventions (navette de John Kay, 1733 ; machine à filer d'Ark-

wright, 1768...) et connaissent une croissance rapide (production lainière et cotonnière accrue de 150 p. 100 au XVIIIᵉ siècle). La mise au point du procédé de fonte au coke par Abraham Darby (1709-1713) et celle de la machine à vapeur par James Watt (1769) font la fortune des industries charbonnières et sidérur-

giques. Avec près d'un siècle d'avance sur les autres pays, l'Angleterre passe de l'âge artisanal à l'ère industrielle. Capable de produire des articles de bonne qualité à bien meilleur marché, elle s'enrichit et devient « l'atelier du monde », sa prépondérance restant incontestée jusqu'en 1914.

La population britannique passe dans cette période de 32 à 48,7 millions d'habitants. En 1931, avec 150 habitants au kilomètre carré, la Grande-Bretagne est en tête de tous les grands pays européens pour la densité de sa population. Stimulée par l'expansion économique, la croissance démographique reste forte jusque vers 1914 (plus de 1 p. 100 d'accroissement annuel), avant de décliner à partir de 1921 ; cette croissance rapide résulte de l'excédent des naissances sur les décès (34 p. 100 en 1875, 25 p. 100 en 1930).

La vie industrielle entraîne d'importants déplacements de population. L'exode rural vide les campagnes pauvres (Highlands d'Écosse, massif gallois, Irlande surtout) pour gonfler les grandes agglomérations et surtout les régions industrielles, où s'opère une distinction entre zones de vieille industrie textile (Lancashire, Cotswolds), à faible croissance, et zones d'industries métallurgiques et minières, plus dynamiques (Lowlands, Cumberland, sud du pays de Galles, Midlands et région de Birmingham). La croissance de Londres est exceptionnelle depuis 1850 : la City perd ses habitants (129 000 en 1801, 13 000 en 1901) au profit de la banlieue, le « Greater London » passant de 6 581 000 habitants en 1851 à 7 476 000 en 1921. Enfin il faut noter la forte émigration britannique : de 1815 à 1920, la Grande-Bretagne a ainsi perdu 10 millions d'habitants environ.

Évolution de la population britannique de 1871 à 1931

diminution (par comté)
de 0 à 28%
supérieure à 28%

augmentation (par comté)
supérieure à 100%
de 55 à 100%
de 0 à 55%

Limites de comté
comté de Londres
créé en 1888

100 miles
100 km

*Évolution
de la population
britannique
et irlandaise
de 1871 à 1931*

L'ITALIE BYZANTINE ET LOMBARDE

É rigée en préfecture en 554 et débarrassée des derniers Ostrogoths par les Byzantins en 555, la péninsule est envahie dès 568 par les Lombards qui constituent un royaume ainsi que les duchés de Spolète et de Bénévent. Mais les Byzantins s'accrochent à l'exarchat de Ravenne dont l'autorité s'exerce en théorie sur le reste de l'Italie byzantine. A Rome,

l'indépendance de fait de la papauté, réelle sous Grégoire le Grand (590-604), est consolidée en 756, Pépin le Bref donnant alors à « saint Pierre » ses conquêtes.

FORMATION DE L'ÉTAT PONTIFICAL

L es États de l'Église sont fondés en 756 lorsque Pépin Iᵉʳ le Bref fait don à « saint Pierre » des territoires conquis sur les Lombards : l'exarchat de Ravenne et une partie de la Pentapole. Un étroit couloir (Pérouse) les relie au Patrimoine de Saint-Pierre. Au VIIIᵉ siècle, les États s'accroissent de nouvelles donations carolingiennes.

Formation de l'État pontifical

L'Italie byzantine et lombarde

LES ÉTATS DE L'ÉGLISE DU XIᵉ AU XIIIᵉ SIÈCLE

Pour consolider les États de l'Église, les papes tentent de leur ajouter les terres de Toscane léguées par la comtesse Mathilde en 1077. Mais les empereurs disputent à l'Église sa souveraineté temporelle, afin de mieux contrôler l'Italie. L'indépendance temporelle des États reste un enjeu de la longue lutte qui oppose le Sacerdoce à l'Empire (1154-1250).

L'ITALIE AU XIIᵉ ET AU XIIIᵉ SIÈCLE

Si le nord de la Péninsule est soumis à l'autorité de l'empereur, qui est à la fois roi de Germanie et roi d'Italie, les États de l'Église échappent, en fait, à l'autorité de ce souverain grâce à l'appui des Normands de Sicile et à celui des communes lombardes. Frédéric Iᵉʳ Barberousse (Roncaglia, 1158), puis, plus tard, Frédéric II (Cortenuova, 1237) imposent leur volonté à la Ligue lombarde constituée en 1167. Le double avènement de Henri VI à l'Empire (1190) et en Sicile (1194) rend les Hohenstaufen, un bref moment, maîtres de la Péninsule, mais Charles d'Anjou, investi de la Sicile par Urbain II, vainc les derniers des Hohenstaufen à Bénévent (1266) et à Tagliacozzo (1268). Leur disparition assure la survie des États de l'Église. La lutte entre L'Eglise et l'Empire prend fin.
(V. carte p. 99.)

Les États de l'Église du XIᵉ au XIIIᵉ s.

L'Italie au XIIᵉ et au XIIIᵉ s.

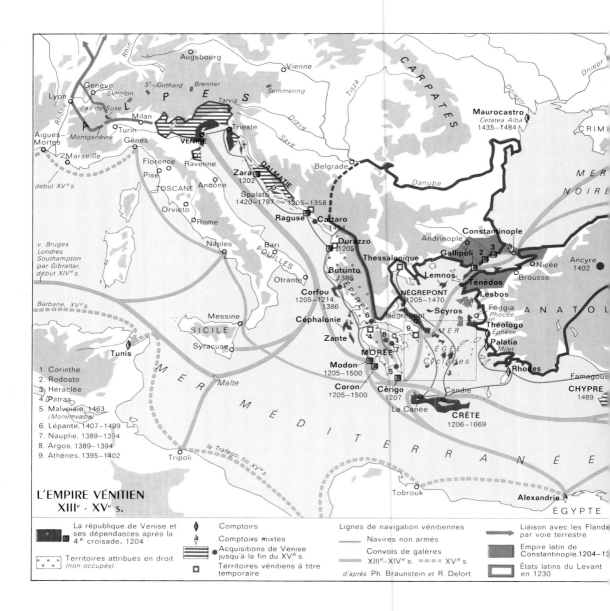

Maurocastro
Cetatea Alba
1435–†1484

Augsbourg
Vienne
Lyon
Genève Simplon
St-Gothard Brenner
Pas de Suse
Milan
Turin
Montgenèvre
Gênes
Aigues-Mortes
Marseille
début XVᵉ s.
Florence
Pise
Ravenne
Ancône
TOSCANE
Orvieto
Rome
Naples
Bari
POUILLES
Otrante
*v. Bruges
Londres
Southampton
par Gibraltar,
début XIVᵉ s.*
Barbarie, XVᵉ s.
Messine
SICILE
Syracuse
Tunis
Trieste
VENISE
Semmering
Tarvis
Drave
Save
Belgrade
Danube
Zara
1202
DALMATIE
Spalato
1420–1797 1205–1358
Raguse **Cattaro**
1494
Durazzo
1205
Thessalonique
Butrinto
1386
Corfou
1205–1214,
1386
Céphalonie
Zante
Modon
1205–1500
Coron
1205–1500
Cèrigo
1207
MORÉE
Andrinople
Constantinople
Gallipoli 2 3
Lemnos
Nicée
Ancyre
1402
Brousse
Ténédos
Lesbos
NÉGREPONT
1205–1470
Foggia Phocée
Théologo
Éphèse
Palatia
Milet
Scyros
Negrepont 6
Théologo
ANATOL
9
MER
ÉGÉE
Cyclades
8 1
5 7
4
La Canée
CRÈTE
1206–1669
Candie
Rhodes
Famagous
CHYPRE
1489
le Trafego, fin XVᵉ s.
Tripoli
MER MÉDITERRANÉE
Malte
Tobrouk
Alexandrie
ÉGYPTE

CARPATES
Rhin
Tisza
Drave
Dniepr
MER
NOIRE
CRIM

ALPES
Rhône

1. Corinthe
2. Rodosto
3. Héraclée
4. Patras
5. Malvoisie, 1463 (Monemvasia)
6. Lépante, 1407–1499
7. Nauplie, 1389–1394
8. Argos, 1389–1394
9. Athènes, 1395–1402

L'EMPIRE VÉNITIEN
XIIIᵉ - XVᵉ s.

La république de Venise et ses dépendances après la 4ᵉ croisade. 1204	Comptoirs
	Comptoirs mixtes
	Acquisitions de Venise jusqu'à la fin du XVᵉ s.
Territoires attribués en droit *(non occupés)*	Territoires vénitiens à titre temporaire

Lignes de navigation vénitiennes
— Navires non armés
Convois de galères
XIIIᵉ–XIVᵉ s. — — XVᵉ s.
d'après Ph. Braunstein et R. Delort

Liaison avec les Flandres par voie terrestre
Empire latin de Constantinople, 1204–12
États latins du Levant en 1230

L'Empire ottoman à la fin
du XIVe s.

Bataille d'Ancyre. 1402

Régions au−dessus
de 500 m   // Cols

É vincée de l'Empire byzantin en 1171, Venise s'y réintroduit au XIIIe siècle en participant à la quatrième croisade et à la prise de Constantinople (1204). Son doge, Enrico Dandolo, promoteur de l'expédition, obtient ainsi pour Venise la plupart des îles grecques, une partie de la Thrace et le Péloponnèse. Renonçant à coloniser ses possessions, à l'exception de la Crète, la « Sérénissime » les cède soit à des étrangers (Morée, 1209), soit à des seigneurs vénitiens (Naxos...). Mais elle occupe les bases navales et les regroupe en trois secteurs administratifs : Haute Romanie (Constantinople), Basse Romanie et Archipel (Candie), Morée et îles Ioniennes (Corfou). Depuis 1211, des convois annuels les unissent à leur métropole, qui dispose d'escales et d'entrepôts sur ·la route de l'Orient. Perdant le monopole du commerce de la mer Noire en 1261, menacée, en outre, par les Ottomans dès la fin du XIVe siècle, Venise acquiert Chypre en 1489 et recherche des marchés de substitution en Afrique du Nord. Parallèlement, elle entretient des relations régulières avec l'Occident par les passes alpestres et, depuis le XIVe siècle, par voie de mer.

La puissance de Venise, édifiée au prix d'incessantes luttes avec ses rivales Pise et Gênes, se matérialise en 1284 par la frappe d'une pièce d'or, le ducat, qui est, pendant trois siècles, avec le florin de Florence, l'étalon monétaire du monde méditerranéen occidental.

Au début du XVe siècle, le développement des grandes puissances territoriales en Italie risquant d'entraver le ravitaillement de la ville, dont la population dépasse 100 000 habitants, Venise entreprend, sous l'impulsion du doge Francesco Foscari, la conquête d'un État de Terre Ferme, riche et agricole, grâce à une armée de mercenaires. La paix de Lodi (1454), conclue entre Milan, Florence et Venise, rend les Vénitiens maîtres du Frioul, de Trévise, Padoue et Vérone.

A l'heure où s'affirme la montée des puissances ottomane à l'est, et atlantiques à l'ouest, Venise se trouve ainsi entraînée au cœur des conflits européens. (V. cartes pp. 59, 60, 150 et 151.)

L'Empire vénitien (XIIIe-XVe s.)

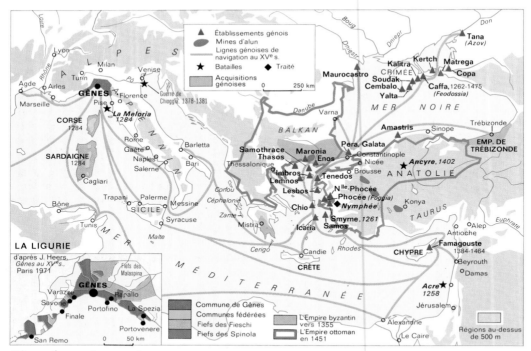

Gênes du XIIIe au XVe s.

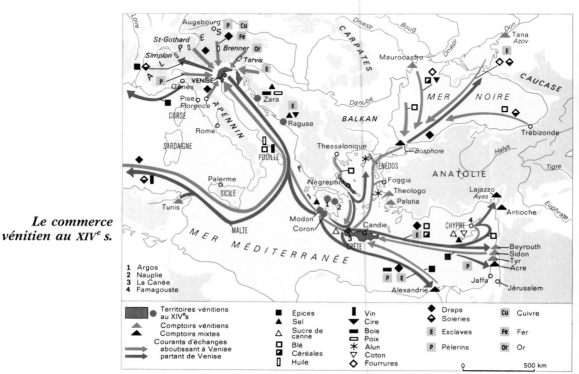

*Le commerce
vénitien au XIVes.*

◀ GÊNES DU XIIIe SIÈCLE
AU XVe SIÈCLE

Puissance maritime fondée dès la fin du xe siècle (premiers comptoirs en Terre sainte), Gênes hérite, en 1284, des droits de Pise sur la Sardaigne et la Corse (victoire de La Meloria). Battus à Acre par les Vénitiens, leurs rivaux pour le monopole du commerce méditerranéen (1258), les Génois obtiennent (1261) Smyrne, Pera et Galata de leur allié Michel VIII, qui a détruit l'Empire latin. Le contrôle de l'empire de Trébizonde leur donne accès aux marchés d'Extrême-Orient, dont ils distribuent les produits précieux en Europe, tout en créant les premières assurances maritimes et en fournissant des flottes à tous les souverains.

◀ LE COMMERCE VÉNITIEN
AU XIVe SIÈCLE

Dès le début du XIVe siècle, Venise est au cœur des grands courants d'échanges maritimes. Des marchands allemands acheminent vers le sud, par le col du Brenner, le fer et le cuivre d'Europe centrale, stockés et négociés au *fondaco dei Tedeschi*. Des convois annuels relient Venise à Londres, Southampton, Bruges (draps), d'autres à ses comptoirs de Méditerranée et de mer Noire. Elle revend ainsi au monde entier les produits d'Orient (soie, épices...) et du monde slave (bois, fourrures...), exporte ceux des îles et de la Terre Ferme (blés, vins, fruits...), des Pouilles et de Dalmatie. Elle assure aussi le transport des esclaves et des pèlerins.

L'ITALIE APRÈS LA PAIX DE LODI (1454)

En Italie, délivrée de fait de la tutelle impériale depuis 1250, le regroupement des nombreux petits États de la Péninsule est achevé pour l'essentiel vers 1450. Au nord, la maison de Savoie obtient en 1416 le titre ducal ; au sud, celle d'Aragon recrée en 1443 l'unité des Deux-Siciles au détriment des Angevins. Dans la plaine du Pô et en Toscane, les communes ont dû céder la seigneurie aux

▼

seules puissances capables de s'assurer les coûteux services des *condottieri* (chefs mercenaires). C'est le cas de Venise, de Milan (dont le condottiere Francesco Sforza est duc en 1450), et de Florence (dont Cosme de Médicis étend le territoire à toute la Toscane, sauf Sienne). Signée entre ces trois États, la paix de Lodi (1454) prélude à la conclusion, pour vingt-cinq ans, de la Très Sainte Ligue unissant les États italiens sous l'égide du pape (1455).

L'Italie après la paix de Lodi (1454)

1. Marquisat de Montferrat
2. Comté d'Asti
3. Marquisat de Mantoue
4. République de Lucques
5. Duché de Modène (Este)
6. Ferrare, duché en 1471 (Este)
7. Duché de Piombino
8. Marquisat de Saluces
9. Vintimille

Les guerres d'Italie

Charles VIII
→ Expédition de 1494
● Batailles

Louis XII
○ Batailles

François Ier
→ Expédition de 1515
● Batailles

Royaume de Naples, occupé par Charles VIII et Louis XII

Milanais occupé par Louis XII (1499–1512) et François Ier (1515–1525)

— Frontières de 1494

0   300 km

L e morcellement politique de la Péninsule, des conflits intérieurs qui traditionnellement suscitent l'appel des Italiens à l'étranger, facilitent les interventions françaises en Italie. Celles-ci sont justifiées par les droits que Charles VIII fait valoir sur Naples et Louis XII sur Milan, en tant qu'héritiers respectifs des maisons d'Anjou et d'Orléans-Visconti.

Parcourant triomphalement l'Italie (1494-1495), Charles VIII doit céder devant la Sainte Ligue des princes italiens, brusquement effrayés par ses succès trop rapides. Il rapatrie son armée victorieuse à Fornoue, mais il ne peut sauver de la capitulation la garnison française de Naples encerclée à Atella par Gonzalve de Cordoue (1496).

Plus prudent, allié de nombreux princes italiens et des Suisses, Louis XII occupe Milan à deux reprises (1499 et 1500), ainsi que Naples ; mais, pressées par Gonzalve de Cordoue sur les bords du Garigliano, ses forces sont chassées du royaume dès 1504. Victorieuses de celles de Venise à Agnadel et de celles du pape et de l'Espagne à Ravenne, elles doivent pourtant évacuer le Milanais après la défaite de Novare, victimes des incessants re-

tournements d'alliance de Jules II.

Plus modeste, François Ier limite ses ambitions au Milanais : Marignan et les Suisses le lui donnent en 1515 ; La Bicoque en 1522 et, plus encore, Pavie en 1525 le lui retirent. Charles Quint le contraint à renoncer définitivement à ses ambitions italiennes, au profit de l'Espagne, par les traités de Madrid (1526) et de Cambrai (1529). [Voir carte p. 67.]

L'Italie de 1714 à 1748

Légende de la carte :

CANTONS SUISSES — TYROL — CARINTHIE — ROY. DE HONGRIE
Inn — Trente — Drave — Save — EMPIRE OTTOMAN
D^{CHÉ} DE SAVOIE (1738) — D^{CHÉ} DE MILAN — RÉP. DE VENISE — CARNIOLE — Trieste — CROATIE — ISTRIE — BOSNIE
Turin — Milan — Mantoue — Venise — Danube
PIÉMONT — 3 — Parme — Modène — Ferrare — DALMATIE
Gênes — 2 — ZETA
Oneglia — RÉP. DE GÊNES — 1 — Lucques — St-MARIN — Ancône — Zara Zadar — Mostar
Monaco — Massa — Florence — Spalato Split
Nice — Livourne — Pise — G.D. D^{CHÉ} DE TOSCANE — Dubrovnik Raguse — ZETA
Bastia — ÉTATS — Tibre — Cattaro Kotor
CORSE à Gênes — 5 (1735) — DE L'ÉGLISE — Spolète
Ajaccio — Rome — Pontecorvo — A D R I A T I Q U E
MER — Bénévent
ROY. DE SARDAIGNE (1720) — Naples — ROYAUME
Cagliari — DE NAPLES (1734)
T Y R R H É N I E N N E
Palerme — Messine — Reggio
ROY. DE SICILE (1734)
Tunis

1. Rép. de Lucques
2. D^{ché} de Modène
3. D^{ché} de Parme
4. D^{ché} de Mantoue

0 _____ 150 km

Légende :

— Frontières de 1714
Possessions des Habsbourg d'Autriche en 1714
(1720) Année de perte
Le royaume de Sardaigne en 1720
Sicile : 1714, à la Savoie / 1720-1734, à l'Autriche

L'Italie en 1748
Possessions des Bourbons d'Espagne
5 Présides de Toscane
Possession des Bourbons - Parme
Possessions des Habsbourg

L a paix de Lodi (1454) n'a pas mis fin aux luttes entre princes et cités oligarchiques. L'habitude de faire appel à l'étranger a livré l'Italie aux ambitions de l'Espagne, de l'Autriche et de la France. Après le traité du Cateau-Cambrésis (1559), elle ne parvient plus à contester la domination espagnole, qui dure plus d'un siècle, jusqu'à la guerre de la Succession d'Espagne (1701-1713). Les traités d'Utrecht et de Rastatt at-

tribuent alors à l'empereur Charles VI de Habsbourg le Milanais, Naples, la Sardaigne et Mantoue. Le duc de Savoie reçoit la Sicile, qui sera échangée en 1720 contre la Sardaigne.

Jusqu'en 1748, l'Italie est intéressée par les derniers épisodes de la lutte entre les Bourbons et les Habsbourg. Après le mariage de Philippe V d'Espagne avec la Parmesane Élisabeth Farnèse, l'Espagne tente de réviser le traité d'Utrecht. Le fils aîné

d'Élisabeth, le futur Charles III d'Espagne, obtient la succession de Parme, Plaisance et Naples. Mais l'Espagne est trop faible pour pouvoir intervenir dans ses possessions. Si la Savoie parvient à accroître ses territoires aux dépens du Milanais, les Autrichiens renforcent leur domination. À l'extinction des Médicis, la Toscane est ainsi attribuée à l'époux de Marie-Thérèse, François III de Lorraine, qui la fait passer sous l'influence de l'Autriche.

L'Italie de 1815 à 1848

Fondés en 756, les États de l'Église, qui prennent ensuite la Péninsule en écharpe de l'Adriatique à la Tyrrhénienne, acquièrent leurs pleines fonctions sous le pontificat de Jules II. Après de nombreuses vicissitudes entre 1797 et 1849, ils sont amputés en 1860 (Romagne, Marche, Ombrie) au profit du royaume d'Italie. Celui-ci les annexe enfin, à la seule exception de la Cité du Vatican, dont la loi des Garanties (13 mai 1871) reconnaît au pape la possession en toute souveraineté. (V. cartes pp. 146-147.)

Les États de l'Église du XVIᵉ au XIXᵉ s.

Dominée par l'Autriche après 1815, l'Italie voit naître une opposition libérale d'inspiration romantique (Risorgimento), dont le Piémont devient le foyer. Les insurrections de 1820 (Naples), 1821 (Piémont), 1831 (Romagne, Marches...), 1834 (Savoie) sont réprimées une à une. Charles-Albert, roi du Piémont, qui lance en mars 1848 la guerre de libération nationale par les Italiens (« Italia fara da se »), est battu à Custoza (23-25 juillet 1848) et à Novare (23 mars 1849). L'ordre ancien triomphe en Italie, où le Piémont apparaît seul capable de cristalliser le mouvement nationaliste.

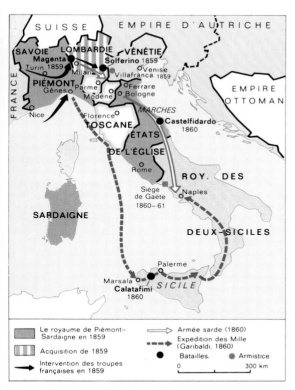

Les débuts de l'unité italienne

L'Italie de 1860 à 1870

Après la guerre victorieuse menée contre l'Autriche avec l'appui de la France (1859), Cavour, président du Conseil du royaume sarde, organise en 1860 des plébiscites qui unissent l'Italie centrale au Piémont, et consacrent la cession à la France de la Savoie et de Nice. Durant l'été, après avoir aidé l'expédition des Mille de Garibaldi, qui occupe la Sicile, il organise celle qui s'empare des Marches et de l'Ombrie, et confisque à Naples la victoire des républicains. Le nouveau royaume d'Italie est proclamé en 1861.

Pour régler le problème vénitien, l'Italie s'allie à la Prusse, le 8 avril 1866, par l'entremise de Napoléon III, et selon une stratégie éprouvée en 1858-59. A l'issue de la guerre austro-prussienne de 1866, elle peut donc récupérer la Vénétie, malgré les défaites de Custoza et de Lissa. Mais, après l'échec de Garibaldi à Mentana en 1867, échec dû à l'intervention armée de Napoléon III, soucieux de conserver intact l'appui des catholiques, les Italiens doivent attendre 1870 pour recouvrer Rome. L'Unité italienne est alors achevée.

V. LUXEMBOURG pp. 157-160
NORVÈGE   pp. 178-179

**Les Pays-Bas
du IXᵉ au XIIIᵉ s.**

Plus profondément pénétrés par la mer que de nos jours au sud, moins au nord, où le lac Flevo ne s'est élargi qu'à la fin du XIIIᵉ siècle dans le vaste Zuiderzee, les Pays-Bas ont été le premier terrain de l'expansion franque. Originaires de l'Austrasie, les Carolingiens établissent sur ses lisières la capitale impériale, Aix-la-Chapelle ; l'aristocratie laïque et religieuse y poursuivant la colonisation agricole, une intense activité batelière s'y développe, assurant les échanges entre le continent, l'Angleterre et la Scandinavie. Les Vikings y multiplient leurs incursions au IXᵉ siècle ; Arnulf de Carinthie les repousse à Louvain en 891.

Partagés en 870 en vertu du traité de Meersen entre la *Francia occidentalis* et la *Francia orientalis*, les Pays-Bas se décomposent en plusieurs principautés : à l'ouest, les comtés de Flandre, d'Artois et de Boulogne relèvent de la mouvance capétienne ; à l'est, le duché de Basse-Lotharingie, divisé en 959 en duchés de Haute-et de Basse-Lorraine, appartient au Saint Empire.

Continue du XIᵉ au XIIIᵉ siècle, l'expansion démographique favorise alors le renforcement des États, la disparition du servage, la création de *polders*, le défrichement des terres pauvres des *kampen*, le développement des villes et des ports à la confluence des fleuves (Gand), à la tête des estuaires (Anvers), à l'abri des digues. Bien situées au point d'aboutissement des itinéraires qui, venant d'Italie, traversent les foires de Champagne, les villes d'Artois et de Flandre bénéficient d'un grand essor commercial (foires de Messines) et artisanal (draperie d'Ypres, de Gand) ; Bruges est un grand carrefour de l'Europe du Nord-Ouest, à la fin du XIIIᵉ siècle. (V. cartes pp. 41, 52 et 54.)

De Charles Quint les Pays-Bas étaient la patrie : il était né à Gand et abdiqua à Bruxelles. Avec une opiniâtreté invincible, malgré son éloignement et son immense empire, il a réalisé les ambitions de ses ancêtres bourguignons : unification et centralisation. De 1521 à 1549, il a : 1° acquis Tournai et le Tournaisis, la seigneurie de Frise, la principauté d'Utrecht et l'Overijssel, la seigneurie de Groningue et la Drenthe, le duché de Gueldre et le comté de Zutphen ; 2° rompu, par le traité de Madrid (1526) et par la paix de Cambrai (1529), les liens parfois très anciens de ces pays avec la couronne de France ; 3° satellisé les princi-

pautés épiscopales de Liège et de Cambrai ; 4° organisé les « dix-sept provinces » en cercle de Bourgogne, État centralisé dont la puissance résultait autant de sa situation géographique que de son économie : draps, mines, agriculture, pêche, marché international d'Anvers. Gouvernés par sa tante Marguerite d'Autriche (1518-1530) puis par sa sœur Marie de Hongrie (1531-1555), bien administrés par des magistrats issus essentiellement de la

bourgeoisie belge, les Pays-Bas sont, par contre, déchirés par les querelles religieuses. L'humanisme, l'imprimerie avaient, en effet, favorisé la pénétration des idées réformées dans ces populations laborieuses, sensibles à la doctrine nouvelle de la glorification du travail et du succès dans l'entreprise. En déclenchant des persécutions contre leurs adeptes, Charles Quint affaiblit un régime auquel la durée semblait pourtant assurée.

Les Pays-Bas au temps de Charles Quint

Les Pays-Bas de 1555 à 1648

Villes où a débuté le soulèvement de 1572
Campagnes des armées espagnoles de 1572 à 1574
Union protestante d'Utrecht en 1579
Union catholique d'Arras en 1579
Universités catholiques
Universités protestantes
1585 (académies)
★ Batailles
◆ Traités

Pays de la Généralité rattaché aux Provinces-Unies en 1648
République des Provinces-Unies en 1648
Pays-Bas espagnols en 1648

0   100 km

P rince espagnol ignorant des réalités néerlandaises au contraire de Charles Quint, Philippe II (1555-1598) pratique à l'égard des Pays-Bas une politique de centralisation et de répression religieuse (Inquisition). Brisée en 1566 par Marguerite de Parme (1559-1567), la révolte des ouvriers du textile d'Armentières justifie l'instauration en 1567 par le duc d'Albe (1567-1573) d'un Conseil des troubles. Des têtes tombent en 1568 : celles des comtes d'Egmont et de Hornes. Les calvi-

nistes répondent par un nouveau soulèvement : la guerre de Quatre-Vingts Ans commence. Rapidement maîtresse du Nord, s'imposant même dans le Sud après le premier sac d'Anvers par les Espagnols en 1576, l'insurrection semble obtenir satisfaction par la pacification de Gand, le 8 novembre. Les maladresses de Guillaume d'Orange, l'intolérance des réformés provoquent une rupture définitive. Dans les provinces catholiques de l'Union d'Arras (6 janvier 1579), l'université de Douai et les Jésuites assu-

rent désormais le triomphe de la Contre-Réforme ; dans les sept provinces de l'Union d'Utrecht (23 janvier 1579), par contre, les universités de Leyde, puis d'Utrecht renforcent la cohésion doctrinale des calvinistes. Ainsi naissent les Provinces-Unies. Au terme d'une longue lutte, l'Espagne reconnaît leur indépendance *de facto* en 1609, puis *de jure* en 1648 par le traité de La Haye, qui les accroît officiellement des bouches de l'Escaut et des pays de la Généralité, devenus biens communs de l'État.

Au traité de La Haye (1648), l'Espagne reconnaît la souveraineté des Provinces-Unies et leur abandonne les bouches de l'Escaut et les pays de la Généralité. Les Provinces-Unies se voient, en outre, confirmer la possession des colonies enlevées au Portugal et à l'Espagne. Désormais séparées, les deux parties des Pays-Bas vont vivre leur destin propre jusqu'à la réunification de 1815. Théâtre des guerres de Louis XIV, les Pays-Bas espagnols sont amputés, au profit de la France, de l'Artois,

perdu dès 1640 (traité des Pyrénées, 1659), de la Flandre gallicante (traité d'Aix-la-Chapelle, 1668), de la Flandre maritime et de Valenciennes (paix de Nimègue, 1678). A la mort de Charles II d'Espagne, les Pays-Bas reviennent au duc d'Anjou, petit-fils de Louis XIV. Les Hollandais et les Anglais s'opposent à leur occupation par les Français. A l'issue de la guerre de la Succession d'Espagne, les Pays-Bas sont remis à l'Autriche, qui doit cependant, pour préserver la liberté des Provinces-Unies, entre-

tenir des garnisons hollandaises dans les places de la Barrière.

La solidarité des Provinces-Unies ne joue que face aux menaces extérieures, l'Union d'Utrecht (1579) ayant préservé les libertés municipales et provinciales. Elles doivent affronter les ambitions de Louis XIV et les projets de Colbert, qu'inquiète leur puissance commerciale et maritime (guerre de Hollande, 1672-1676 ; guerre de la ligue d'Augsbourg, 1688-1697 ; guerre de la Succession d'Espagne, 1701-1714).

'occupation française en Belgique, conquise une première fois en 1792-93, y est perçue comme une libération vis-à-vis de la tutelle autrichienne. Incorporée à la France, la Belgique est dotée d'une législation libérale, qui permet l'essor des manufactures. Par contre, la transformation des Provinces-Unies en une « république sœur », puis en royaume de Hollande, mécontente les populations : le Blocus continental lèse les intérêts commerciaux néerlandais.

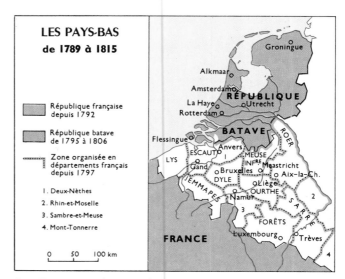

Les Pays-Bas de 1789 à 1815

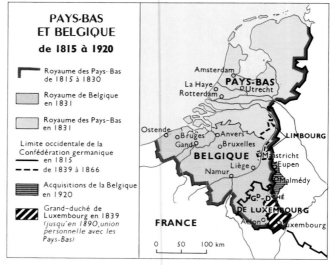

Pays-Bas et Belgique de 1815 à 1920

réé en 1815 comme « État tampon » contre la France, le royaume des Pays-Bas unit deux peuples séparés par leurs convictions religieuses, leur rivalité économique, leur tempérament national propre, forgé par deux siècles et demi d'histoire. Malgré les efforts du roi Guillaume Iᵉʳ pour souder politiquement et économiquement les deux parties du royaume, une coalition se forme en 1828 entre catholiques flamands et libéraux wallons francophiles. L'émeute du 25 août 1830 à Bruxelles débouche sur la proclamation de l'indépendance de la Belgique, qui sera reconnue en 1839 par les Pays-Bas. Le grand-duché de Luxembourg voit sa partie occidentale incorporée au royaume

de Belgique, sa partie orientale restant propriété personnelle du souverain. A la mort de Guillaume III d'Orange-Nassau en 1890, le grand-duché devient pleinement indépendant sous le règne d'Adolphe de Nassau. De

1914 à 1918, les Allemands respectent la neutralité des Pays-Bas, mais non celle du Luxembourg et de la Belgique. Cette dernière est occupée presque entièrement. A l'issue du conflit, elle obtient Eupen et Malmédy

Née d'une volonté nationale commune, la Belgique a longtemps ignoré le problème linguistique malgré la coexistence de quatre régions linguistiques différentes (de langue française, néerlandaise, allemande, Bruxelles étant bilingue). La question n'est posée qu'après 1870, le parti catholique, marqué par le nationalisme flamand, obtenant l'emploi du néerlandais dans l'administration de l'État (1878), des provinces et des communes flamandes (1921). Enfin, les lois de 1932-1935 imposent (sauf à Bruxelles) l'unilinguisme administratif, judiciaire et scolaire, de part et d'autre d'une limite qui fixe le néerlandais au nord, le français au sud. La montée des générations unilingues flamandes issues de ces lois fait renaître, dans les années 1960, la tension linguistique. Une Flandre sociale-chrétienne, prospère économiquement et démographiquement, s'oppose à une Wallonie socialiste touchée de plein fouet par la crise de la sidérurgie. Dès 1960, les Flamands exigent une coupure définitive entre les deux pays. Depuis 1972 la Belgique est divisée en 3 régions, Flandre, Wallonie et Bruxelles. Les nouvelles lois linguistiques ont provoqué de nombreux affrontements, dont les plus violents ont été la conséquence du rattachement au Limbourg néerlandophone de la commune francophone des Fourons.

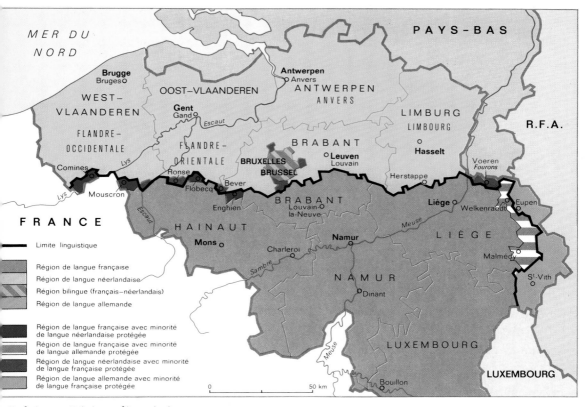

Belgique. Régions linguistiques

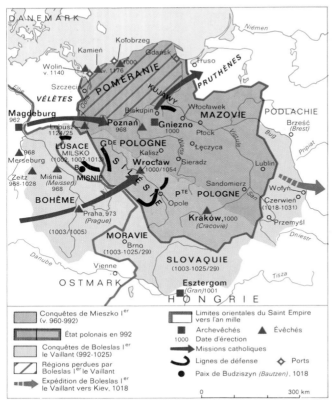

La Pologne des Piast au Xᵉ et au début du XIᵉ s.

Le duc Mieszko (v. 960-992), premier ancêtre connu des princes polanes de Gniezno, donne au premier État polonais une extension territoriale correspondant approximativement à celle de la République populaire (v. carte p. 168). Les Allemands, les Slaves de Bohême et de Kiev menacent de toutes parts ce pays de plaines, aux frontières mal fixées. Un sentiment national très vif, le baptême de Mieszko en 996, ainsi que l'appui de l'Église et de l'empereur Otton III assurent le destin de la Pologne, constituée en l'an 1000 en province ecclésiastique autonome. L'unité du pays autour des rois de Pologne Boleslas Iᵉʳ et Boleslas II lui permet de survivre à des échecs nombreux au XIᵉ siècle : perte du glacis de l'Elbe au Bug, querelles dynastiques, troubles intérieurs, déposition en 1079 de Boleslas II. Mais le partage du royaume en quatre duchés héréditaires au profit des fils de Boleslas III Bouche-Torse (1102-1138) entraîne le morcellement et l'affaiblissement de la Pologne.

Grands-ducs héréditaires de Lituanie (1377-1392 et 1440-1572), les Jagellons conservent la couronne élective de Pologne de 1386 à 1572. Ladislas II Jagellon, fondateur de la dynastie, reçoit très rapidement l'hommage des princes de Moldavie (1387), de Valachie (1389) et de Bessarabie (1396). Il devient donc maître d'un immense empire catholique, constitué aux dépens de l'Église orthodoxe, celle-ci n'espérant plus convertir les Lituaniens désormais catholiques, mais aussi au détriment des chevaliers Teutoniques : la défaite de Grunwald (1410) ôte à ceux-ci la Samogitie ; la paix de Torún, un demi-siècle plus tard, leur enlève la Poméranie et Gdańsk. L'ordre se reconnaît alors vassal de la Pologne pour ses autres possessions (1466). Accédant à la Baltique, les Jagellons s'assurent aussi les couronnes de Bohême (1471-1526) et de Hongrie (1490-1526). Dès 1503, le tsar Ivan III reconquiert le tiers des terres russes du grand-duché. Privés de tout accès à la mer Noire par les Ottomans (1475-1485), les Jagellons vont perdre les couronnes de Bohême et de Hongrie (défaite de Mohács, 1526). Le déclin s'amorce, consacré, en 1569, par l'Union de Lublin, qui fond Lituanie et Pologne en une « république commune », dont Varsovie est capitale. Désormais élective, la fonction grand-ducale devient l'enjeu des enchères diplomatiques européennes. Celles-ci sont ouvertes dès 1572, par la mort de Sigismond II Auguste, dernier des Jagellons. (V. cartes pp. 46, 60, 62, 98 et 170.)

ROY. DE SUÈDE
Kalmar

LIVONIE 1561 polonaise
Chevaliers Porte-Glaive

TERRE DE NOVGOROD

MER BALTIQUE

Piltyń Riga

COURLANDE 1561 polonaise

SAMOGITIE

Miedniki

Tver △

MOSCOVIE

Moscou 1326

Polock

Wiaźma

Witebsk

Russes

Królewiec (Königsberg)
Fischhausen

Kowno (Kaounas)

Dniepr

Smolensk 1470 arch.

Oka

Toula

1514

Gdańsk (Dantzig)
Malbork (Marienburg)
Chełmno 1243 (Kulm)
Toruń (Thorn),1466

PRUSSE
Lidzbark
Warmiński (Heilsberg)
Grunwald 1410 (Tannenberg)
Włocławek

1387
Wilno (Vilnious)

Krewo, 1385

Mińsk

Brańsk △ (Briansk)

Poznań
GDE POLOGNE
Gniezno
ROY. DE
Płock

MAZOVIE

Nowogródek (Novogroudok)

GRAND-DUCHÉ

DE LITUANIE

Desna

SILÉSIE
Wrocław (Breslau)

Sieradz
Varsovie

PODLACHIE

BUG

Brześć (Brest)

Pińsk

Turów

Nowogród Siewierski (Novgorod-Severski)

1569

Kursk

ROY. DE BOHÊME
1471–1526
Brno (Brünn)

Lublin 1569
PTE
POLOGNE
Sandomierz
Wiślica

Włodzimierz (Vladimir)
Chełm
Horodło 1413

Pripet

VOLHYNIE
Łuck

Turów

Czernihów (Tchernigov)

Kijów (Kiev)

Dniepr

UKRAINE

Donets

Cracovie
POLOGNE 1353, 1377
Przemyśl

Lwów (Lemberg) 1364

RUTHÉNIE ROUGE

Koszyce (Kassa)
Halicz

PODOLIE 1375

Kamieniec Podolski (Khmelnitski)

PODOLIE LITUANIENNE
Bracław (Brastlav)

CHAMPS SAUVAGES

Cosaques du Don

Esztergom (Gran)
Buda Pest

ROYAUME DE HONGRIE
1440–1444
1490–1526
Kalocsa

Danube

BUCOVINE
Siret 1370
Suczawa (Suceava) 1401
Fălticeni 1418

PRTÉ DE
Iaşi

Boug

Cosaques Zaporogues

Turcs Mohács 1526

Cluj (Kolozsvár)

TRANSYLVANIE

MOLDAVIE

Prut

Cetatea Alba (Bielgorod Dniestrowski)
Kilia

Dniestr

KHANAT

Perekop

DE CRIMÉE
1475 Turcs

Caffa

VALACHIE

Union polono-lituanienne

Le royaume de Pologne en 1370, à la mort de Casimir III le Grand

Grand-duché de Lituanie (XIVe–XVe s.)

Expansion de l'ordre Teutonique jusqu'à la bataille de Grunwald (1410)

Territoires reconquis sur l'ordre Teutonique

par la Lituanie en 1410

par la Pologne en 1466 (paix de Toruń)

Territoire polono-lituanien en 1466

Duchés vassaux de Mazovie rattachés à la Couronne en 1526

Vassaux de la Couronne

Union de Lublin (1569)

Nouvelle frontière entre le royaume et le grand-duché unis en une seule république

N Nieszawa (Nessau)

Autres États de la maison des Jagellons (XVe–XVIe s.)

État russe au début du XVIe s.

● Batailles   ■ Traité de paix

Raids tatars

0   250 km

Église catholique
■ Archevêchés
▲ Principaux évêchés
1386 Date d'érection
Église orthodoxe
◆ Métropoles
▲ Archevêchés
△ Évêchés
1401 Date d'érection

Les États de la maison des Jagellons (XIVe–XVIe s.)

près l'« âge d'or », la Pologne connaît un « âge de fer ». Ce déclin est dû à l'absence de frontières naturelles, à la constitution de l'État (à la fois république, monarchie élective et oligarchie), qui est surtout une anarchie organisée, et à l'esprit national de croisés des Polonais. Sous la dynastie suédoise des Vasa (1587-1668), ceux-ci occupent Moscou (1610-1612), combattent la Suède, restent neutres pendant la guerre de Trente Ans, refoulent les Turcs. Mais, sous Jean II Casimir, Russes, Suédois et Ottomans ravagent le pays. Jean III Sobieski (élu roi en 1674) écrase les Turcs sous les murs de Vienne en 1683, mais les pertes territoriales sont lourdes : l'Électeur de Brandebourg devient indépendant en Prusse, les Suédois occupent la Livonie (paix d'Oliwa, 1660), les Russes enfin acquièrent Smolensk et Kiev. Seule la Podolie est reprise aux Turcs (1699). (V. cartes pp. 70 et 179.)

La Pologne au XVIIᵉ s.

Les partages de la Pologne au XVIIIe s.

L a Suède en déclin, la France retenue par la guerre de Sept Ans, puis par la Révolution, ne peuvent empêcher la Russie, la Prusse et l'Autriche de se livrer à trois partages successifs de la Pologne. En 1772, Catherine II obtient la Russie Blanche à l'est de la Dvina et du Dniepr ; Frédéric II, la Prusse polonaise ; Marie-Thérèse, la Galicie. L'adoption de la Constitution révolutionnaire (1791) provoque un second partage, entre Russie et Prusse. Après l'insurrection nationale de 1794 enfin, la Russie annexe la Courlande et la Lituanie, la Prusse, la Mazovie avec Varsovie, l'Autriche, Cracovie et la Mazovie méridionale (1795).

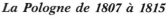

La Pologne de 1807 à 1815

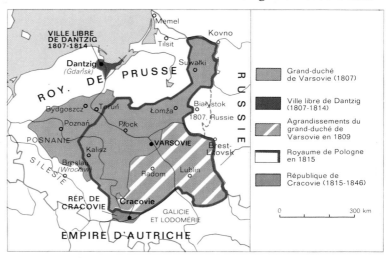

E n 1807, Napoléon se contente de reprendre à la Prusse l'essentiel de sa part de Pologne, et y ajoute, en 1809, une partie de la Galicie autrichienne. Au congrès de Vienne (1815), la Prusse reçoit Poznań et Gdańsk ; l'Autriche re-trouve sa part du premier partage ; la Russie, celle des deux premiers partages. Les négociateurs créent un « royaume du Congrès », lié à jamais à la Russie et dont le tsar est roi. Cracovie devient république indépendante.

La Pologne après la Première Guerre mondiale

La création d'une « Pologne indépendante avec accès à la mer » : ce principe, proclamé le 8 janvier 1918 par le président Wilson dans son « treizième point », est accepté par tous, même par l'Autriche et l'Allemagne qui, pendant la guerre, avaient promis aux Polonais l'indépendance pour obtenir leur appui. Outre le problème de la cohésion du nouvel État, qui regroupe des régions séparées depuis plus d'un siècle, la question essentielle est celle des frontières. A l'ouest, le traité de Versailles donne satisfaction aux Polonais, en restaurant à peu près

le tracé immédiatement antérieur au partage de 1772 (voir carte p. 165). La Pologne recouvre la Posnanie ; un « corridor », qui coupe l'Allemagne en deux, lui donne accès à la Baltique par Dantzig (Gdańsk), qui est déclarée ville libre. Mais les Polonais sont déçus par les plébiscites en Mazurie (1920) et en Haute-Silésie (1921), qui leur sont défavorables. A l'est, la décision échappe aux Alliés : au nom des frontières de 1772, les Polonais disputent avec succès le grand-duché de Lituanie à l'armée rouge, dès le début de 1919. Refusant la ligne Curzon, ils lancent l'offensive jusqu'à Kiev (mai 1920). Après un recul jusqu'aux abords de Varsovie et une contre-attaque soutenue par les Alliés (« miracle de la Vistule », août 1920), le traité de Riga (mars 1921) trace à quelque 200 kilomètres à l'est du Bug la frontière orientale de la Pologne. Cette frontière sera reconnue en 1923 par les Alliés. Mais cet expansionnisme est dangereux, à la fois par ses implications internationales et par ses conséquences intérieures, le pouvoir revenant très vite aux militaires (Pilsudski, puis Rydz-Śmigly et Beck).

LA POLOGNE
de 1939 à 1945

	La Pologne en 1938		Gouvernement général (1939–1944)
La Pologne en 1938		Gouvernement général (1939–1944)	
	Frontière germano–soviétique du 28–IX–1939 au 26–VI–1941		Zone rattachée au Gouvernement général en 1941
	Territoires incorporés au Reich en 1939 en 1941	■	Principaux camps de concentration

0   300 km

La Pologne de 1939 à 1945

Ayant signé, le 23 août 1939, avec l'U.R.S.S. un pacte de non-agression assorti d'un protocole secret de partage de la Pologne en zones d'influence, l'Allemagne nazie attaque cette dernière le 1er septembre, sans déclaration de guerre. Privés de tout appui, les Polonais, dont l'armée a été surprise en cours de mobilisation, sont rapidement battus par les troupes allemandes. Le 28 septembre, le partage est accompli, la frontière entre l'U.R.S.S. et le Reich est établie sur le Bug et correspond en gros à la ligne Curzon. Après une consultation populaire, l'U.R.S.S. intègre les zones annexées aux républiques soviétiques d'Ukraine et de Biélorussie. Le 8 octobre, les territoires ayant appartenu à l'Allemagne avant 1918 et la région industrielle de Łódź sont incorporés au Grand Reich. Mais, dès 1940, la résistance polonaise est animée de Londres par le général Władysław Sikorski jusqu'en 1943, puis par Stanisław Mikołajczyk, qui forme en février 1942 une armée nationale de l'intérieur. Elle s'amplifie lorsque, après l'agression hitlérienne contre l'U.R.S.S. (qui entraîne l'occupation de toute la Pologne par les Allemands), celle-ci encourage la formation de la « Garde populaire », transformée, en 1944, en *Armia Ludowa* (A.L.) et soutient la création d'un Conseil national populaire, qui organise en 1944 le Comité de Lublin, présidé par le socialiste Osóbka-Morawski. Mais cette résistance suscite une très violente répression : déportations massives en camps de concentration, extermination des juifs, écrasement (été 1944) du soulèvement de Varsovie. A la fin de la guerre, on compte environ 6 millions de morts.

*La Pologne
de 1945 à 1990*

Légende de la carte :

- République démocratique populaire de Pologne
- Territoires sous administration polonaise, de 1945 jusqu'au traité germano-polonais (14 nov. 1990)
- Territoires incorporés à l'U.R.S.S.
- Ligne Curzon
- Rappel des frontières de la Pologne en 1938

0   300 km

Refusant d'admettre en 1945 la reconstitution de la Pologne dans les frontières de 1921, Staline obtient à Yalta l'accord de principe des Anglo-Américains sur la translation vers l'ouest du territoire polonais, au profit de l'U.R.S.S. et au détriment de l'Allemagne. Retrouvant à l'est le tracé de la ligne Curzon, se fixant à l'ouest le long de la ligne Oder-Neisse, incorporant au nord la moitié de la Prusse-Orientale, les nouvelles frontières de la Pologne réduisent sa superficie de 380 000 à 300 000 km², mais la dotent d'une façade maritime de 400 km. Le problème du corridor de Dantzig disparaît, ainsi que celui des minorités, avec le rapatriement des deux millions de Polonais originaires de Galicie, de Polésie et de Volhynie, qui s'établissent dans les provinces occidentales dont sont chassés deux ou trois millions d'Allemands. Compte tenu des victimes de la guerre (6 millions dont 3 millions de juifs) et des déplacements de population, la Pologne ne compte donc plus en 1945 que 24 millions d'habitants contre 35 en 1938.

Mais elle a deux gouvernements rivaux : celui de Londres, soutenu par les Anglo-Américains ; celui de Lublin, par les Soviétiques. Leur fusion, au nom de l'union nationale, ne résiste pas à la guerre froide. Maîtres du pouvoir (1947), les communistes instaurent la démocratie populaire en 1949. Ébranlée par l'Église et par *Solidarnosc*, celle-ci s'efface en 1989-1990. Restaurée, la démocratie parlementaire obtient de l'Allemagne la reconnaissance de la frontière Oder-Neisse (traité de Varsovie, 14 novembre 1990).

V. PORTUGAL pp. 109-110
ROUMANIE pp. 190-191

L'État de Kiev

Les tribus des Slaves orientaux qui ont donné naissance au peuple russe s'individualisent, au VIIIe et au IXe siècle, dans la région du Volkhov et du Dniepr, fleuves parcourus, au IXe et au Xe siècle, par les Varègues, marchands d'origine scandinave. Partant de la Suède, leur commerce converge vers Novgorod et Kiev. Les Varègues créent autour de ces villes les premières principautés russes sous l'autorité de Riourik et de son fils Oleg. Ce dernier fait de Kiev, vers 882, la capitale du premier État russe unifié. Combattant les Khazars, les Bulgares et les Polonais, Oleg (882-912) et ses héritiers étendent leur souveraineté sur l'ensemble des Slaves orientaux. Ils adoptent la foi chrétienne vers 988. La principauté de Kiev connaît son apogée en 1054, puis se désagrège aux XIe et XIIe siècles sous l'effet des luttes de succession et des assauts incessants des Coumans ou Polovtses. (V. cartes pp. 41 et 46.)

La Moscovie de 1300 à 1598

La principauté de Moscou en 1300

Victoire russe de Koulikovo sur les Mongols, 1380

État polono-lituanien en 1410

La grande-principauté de Moscou à l'avènement d'Ivan III, 1462

Territoire de l'État russe au début du règne d'Ivan IV, 1533

Acquisitions d'Ivan IV et de Fédor Ier, 1533-1598

Raids tatars

Expéditions d'Ivan IV contre les khânats de Kazan (1552) et d'Astrakhan (1556)

Campagne des Cosaques contre Azov, 1559

Forteresses russes avec date de fondation

Expédition de Iermak en Sibérie, 1581-82

Territoire ottoman et régions vassales en 1503

notice p. 172 →

La Russie en 1689
au début du règne de Pierre le Grand

Acquisitions de Pierre le Grand
entre 1689 et 1721 (paix de Nystadt)

Acquisitions d'Anna Ivanovna et
d'Elisabeth Petrovna de 1730 à 1762

Territoires réunis à l'Empire russe :

en 1774, paix de Kutchuk-Kainardji

en 1783

en 1792, paix de Iași

en 1784

Territoires provenant des partages
de la Pologne

1772   1793   1795

Limites des gouvernements après
la réforme de 1775

Limites de l'Empire russe à la
fin du règne de Catherine II, 1796

Révolte de Boulavine,
1707-1708

Domaine insurrectionnel de
Pougatchev, 1773-1774

→ Campagnes de Pougatchev

◆ Principales usines métallurgiques

● Principaux centres d'industrie textile

◇ Foires importantes

★ Batailles   ■ Traités

0   400 km

La Russie de Pierre le Grand et de Catherine II (1682-1796)

notice p. 172 →

← cartes pp. 170-171

LA MOSCOVIE
DE 1300 À 1598

Née en 1263 du legs consenti par le prince de Vladimir-Souzdal, Alexandre Nevski, à son fils cadet Daniel, la petite principauté de Moscou lie habilement son sort à celui de la Horde d'Or, qui confère en 1328 à son souverain le titre de grand-prince. Aussi s'étend-elle rapidement autour du noyau originel. Après la conversion au catholicisme de la Lituanie, qui s'unit à la Pologne en 1386 et abandonne de ce fait à la Moscovie le rôle de seul rassembleur des terres russes et orthodoxes, la progression s'oriente vers le nord et vers l'est. Une victoire fugitive mais prestigieuse sur les Mongols à Koulikovo en 1380, la chute de Constantinople en 1453, le mariage en 1472 de Zoé Paléologue avec Ivan III (1462-1505) font d'ailleurs de Moscou la « troisième Rome », et de ses princes les héritiers des Césars byzantins, dont Ivan IV (1533-1584) prend pour la première fois le titre (tsar) en 1547. Ivan III, qui s'était proclamé souverain de toute la Russie dès 1494, puis Basile III (1505-1533) ont achevé déjà le rassemblement des terres russes en exploitant le déclin de la Horde d'Or. Annexant Kazan en 1552, puis Astrakan en 1556, Ivan IV laisse Iermak s'engager en 1581 sur la voie sibérienne (v. carte p. 174). Au nord, le port d'Arkhangelsk est construit sur les bords de la mer Blanche en 1584. C'est à l'ouest et au sud que se jouera, au XVIIᵉ siècle, la survie de l'État.

LA RUSSIE DE PIERRE LE GRAND
ET DE CATHERINE II

À la veille du règne de Pierre le Grand (1682-1725), la Russie s'affirme déjà comme une puissance continentale. Réformant les institutions, Pierre le Grand se proclame empereur en 1721. La flotte et l'armée régulière qu'il organise lui permettent d'acquérir une fenêtre sur la Baltique, où il fait construire Saint-Pétersbourg, la nouvelle capitale. Les excès du « règne des Allemands » ne remettent pas en cause son œuvre, dont Catherine II (1762-1796), adepte de la « philosophie des Lumières », est la véritable héritière. Elle charge Potemkine d'une certaine décentralisation administrative, libère la noblesse du service de l'État et de l'impôt, pour lui permettre de se consacrer à la création de richesses nouvelles (textile, métallurgie), favorise l'essor des communautés urbaines (marchands), et donc du commerce. Mais elle abandonne aux nobles 800 000 paysans libres, réduits au servage. Catherine II a les moyens de faire de la Russie une grande puissance européenne. Ses troupes, victorieuses des Ottomans, occupent la Crimée (1771). Elle obtient (traité de Kutchuk-Kaïnardji, 1774) un accès à la mer Noire ; elle annexe la Biélorussie, l'Ukraine occidentale, la Lituanie, à l'issue des trois partages de la Pologne (1772, 1793, 1795). Elle attire enfin les Ottomans dans la coalition de l'Europe contre la France (1792). Le réalisme l'emporte sur le rêve.

L'ASIE CENTRALE
AU XVIIIᵉ SIÈCLE

Région de bassins séparés par de hautes chaînes de montagnes, l'Asie centrale s'ouvre à l'ouest sur l'immensité des steppes de l'Eurasie, à l'est sur le désert de Gobi. Tout au long de son histoire se sont constitués, autour des vallées de l'Amou-Daria, du Syr-Daria et du Tarim, des États sédentaires, exposés aux attaques des nomades. Ils étaient traversés par la route de la soie

Empire dzoungar vers 1720 (domination des Kalmouks)
→ Campagnes de Nadir Châh, 1738-1740
Principales routes terrestres
Empire chinois des Qing (Ts'ing) vers 1760
● Villes fondées par les Chinois
Empire russe, début XVIIIᵉ s.
Acquisitions russes au XVIIIᵉ s.
◆ Forts russes

qu'empruntaient les pèlerins bouddhistes, nestoriens ou musulmans, ainsi que les caravanes marchandes. Deux pistes venant de Chine et contournant le désert central les conduisaient d'oasis en oasis : l'une atteignait le Fergana à travers Tourfan et Kachgar, l'autre Balkh et l'Iran à travers Khotan, Yarkand et le Pamir. Les routes terrestres du XVIIIe siècle empruntent les mêmes itinéraires.

À cette époque, le Khārezm et l'ancienne Transoxiane sont dominés par les Ouzbeks, maîtres des khānats de Khiva, de Boukhara et de Kokand, tandis que la Dzoungarie et la Kachgarie appartiennent à l'empire dzoungar, dernier empire mongol, fondé au XVIIe siècle par les Kalmouks ou Oïrats. Cet empire est anéanti par le souverain chinois Qianlong, qui en extermine la population. Ainsi, l'empire chinois des Qing, qui a déjà assujetti les Mongols Khalkas, conquiert la Dzoungarie, la région de l'Ili et la Kachgarie (1759).

Au XIXe siècle, les Russes enlèvent la région de l'Ili aux Chinois et soumettent Tachkent et Samarkand dans les années 1860. L'actuelle frontière sino-soviétique, séparant la Région autonome ouïgoure du Xinjiang (Sin-Kiang) des républiques soviétiques du Tadjikistan, du Kirghizistan et du Kazakhstan, entérine l'expansion russe vers l'est. Habitée par des peuples composés en majorité de Turcs et de musulmans, l'Asie centrale connaît actuellement un remarquable essor démographique. (V. cartes pp. 176-177 et 232.)

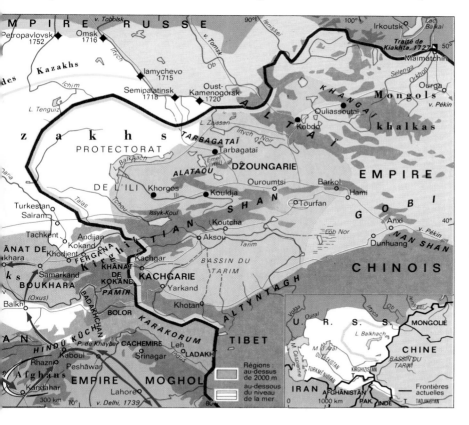

L'Asie centrale au XVIIIe s.

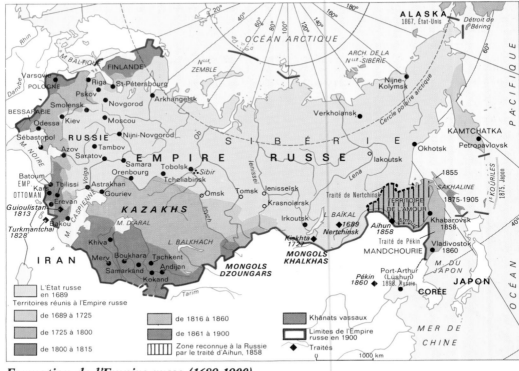

Formation de l'Empire russe (1689-1900)

Légende de la carte :

L'État russe en 1689
Territoires réunis à l'Empire russe
- de 1689 à 1725
- de 1725 à 1800
- de 1800 à 1815
- de 1816 à 1860
- de 1861 à 1900
- Zone reconnue à la Russie par le traité d'Aihun, 1858
- Khânats vassaux
- Limites de l'Empire russe en 1900
- Traités

---

ontinental à l'origine, l'État russe cherche depuis la fin du XVIᵉ siècle à s'assurer des fenêtres maritimes, et à jouer ainsi un rôle international de premier plan. L'expansion est menée au nord, où Arkhangelsk est fondée sur la mer Blanche (1584) ; à l'ouest, où Saint-Pétersbourg est édifiée sur la Baltique en 1703 ; au sud, où Catherine II étend à la mer Noire l'accès entrouvert au XVIIIᵉ siècle sur la mer d'Azov ; à l'est, où les Russes atteignent le détroit de Béring dès 1648, puis, en 1860, la mer du Japon, après

avoir été écartés durant deux siècles, par la Chine, des bassins de l'Amour et de l'Ossouri. Au XIXᵉ siècle, un glacis destiné à protéger les terres russes est mis en place à l'ouest (Finlande, 1809 ; Bessarabie, 1812 ; Pologne, 1815) ; au sud du Caucase (Géorgie, 1801 ; Azerbaïdjan, Arménie, 1828), puis au sud de la Sibérie (Kazakhstan, 1846). En Asie centrale, un gouvernement général du Turkestan est créé en 1867, et un protectorat imposé aux khânats de Boukhara et de Khiva (1868 et 1873). (V. cartes pp. 170 et 171.)

LA GUERRE CIVILE (1917-1921)

ée de la révolution d'octobre de 1917, la Russie bolchevique se trouve confrontée à deux dangers immédiats : l'intervention maritime directe des Alliés qui relaie celle des Empires centraux après la signature du traité de Brest-Litovsk (3 mars 1918) et isole le régime du monde extérieur ; la rébellion intérieure des allogènes et des contre-révolutionnaires. Les premiers proclament leur indépendance (Finlande, États baltes, Pologne, Ukraine, Bessarabie, Transcaucasie), les seconds opposent des armées blanches (500 000 hommes) à l'armée rouge constituée par Trotski (5 millions d'hommes) à partir du 28 janvier 1918. Bénéficiant d'une position centrale, l'armée rouge l'emporte finalement sur des adversaires mal coordonnés, et qui font l'erreur de restaurer,

dans les territoires reconquis, les grands propriétaires dans leurs droits, ou de réincorporer à la Russie les allogènes qui s'en sont détachés. Génératrices de jacqueries, de soulèvements nationaux, ces mesures contribuent aux échecs successifs de 1919 (ceux de Koltchak à l'est, Denikine au sud, Ioudenitch au

nord-ouest, Miller au nord). Malgré la victoire des Polonais devant Varsovie (15 août 1920), l'ultime effort de Wrangel pour menacer Moscou (juin-sept. 1920) échoue. La guerre civile est quasiment terminée. Mais le pays exsangue et l'économie ruinée nécessitent un très vigoureux effort de reconstruction.

La guerre civile (1917-1921)

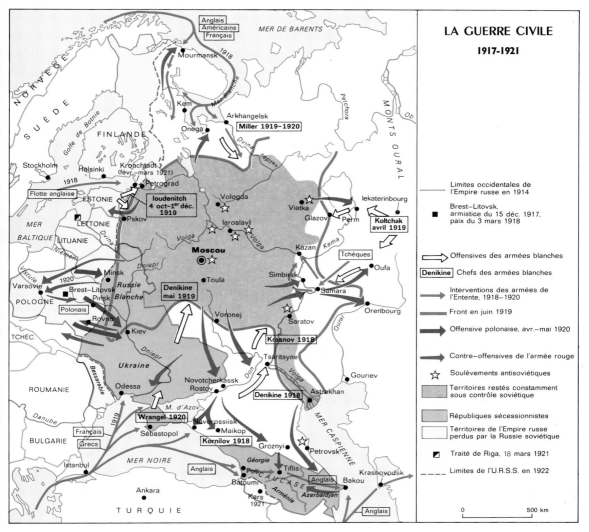

175

En affirmant le droit à la sécession, le décret sur les nationalités ou Déclaration des droits des peuples de Russie du 15 novembre 1917 témoignait à la fois du désir d'en finir avec le « chauvinisme grand-russe » et d'une reconnaissance réaliste d'un état de fait. Mais les succès bolcheviques dans la guerre civile permettent de récupérer les provinces perdues (Ukraine, Biélorussie, pays du Caucase, Asie centrale, Extrême-Orient), puis d'y installer des républiques soviétiques liées à la R.S.F.S.R. Le 30 décembre 1922, la création de l'U.R.S.S. soude ces républiques en une fédération hiérarchisée selon l'importance des groupes ethniques. Elle comprend des républiques fédératives (R.S.F.S.R. [Russie], Transcaucasie), des républiques socialistes (Ukraine, Biélorussie...), des républiques autonomes (Turkestan...), des ré-

U.R.S.S. Évolution de la situation administrative de 1921 à 1924

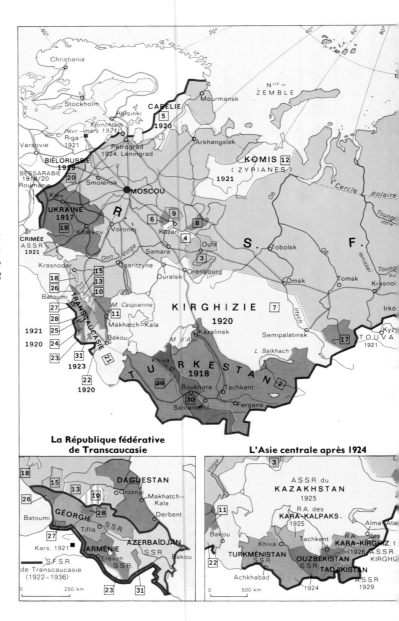

La République fédérative de Transcaucasie

L'Asie centrale après 1924

gions autonomes (des Komis, d'Ossétie du Sud...) ; elle est « ouverte », ce qui laisse la possibilité de remodelages (Asie centrale entre 1924 et 1929), de scissions et de réunions. (V. aussi pp. 97 et 296.)

R.S.F.S.R., 1918 , Rép. socialiste fédérative soviétique de Russie
A.S.S.R. du Turkestan
A.S.S.R. bachkire, 1919
A.S.S.R. tatare. 1920
Commune prolétaire de Carélie (transformée en juillet 1923 en A.S.S.R. de Carélie)
R.A. tchouvache
A.S.S.R. de Kirghizie
R.A. des Votes (Oudmourtes)
R.A. des Maris
A.S.S.R. de la montagne, 1921 à 1924
1922, autonomie des régions
 • kabardine—balkare
 • tchetchène
 • karatchaï—tcherkesse
1924, régions autonomes
 • d'Ossétie du Nord
 • Ingouche
A.S.S.R. du Daguestan, 1921
R.A. des Komis (Zyrianes)
R.A. des Kabardines
R.A. des Bouriates—Mongols
R.A. des Tcherkesses
A.S.S.R. de Iakoutie
R.A. des Oirotes

18   R.A. des Adyguéens (Tcherkesses)
19   S.S.R. d'Ukraine
20   S.S.R. de Biélorussie
21   S.S.R. fédérative de Transcaucasie
22   S.S.R. d'Azerbaïdjan
23   R.A. du Nakhitchevan
24   S.S.R. d'Arménie
25   S.S.R. de Géorgie
26   A.S.S.R. d'Abkhazie, 1921
27   A.S.S.R. d'Adjarie, 1921
28   R.A. d'Ossétie du Sud
29   République démocratique soviétique du Kharezm (anc. Khiva), 1920
30   République démocratique soviétique de Boukhara, 1920
31   Haut-Karabakh, 1923

A.S.S.R. République autonome
   S.S.R. socialiste soviétique
   S.S.R. République socialiste soviétique
   R.A. Région autonome
1918   Date de formation des républiques des républiques autonomes, des régions
   République d'Extrême—Orient de 1920 à 1922
   Chemin de fer   ■ Traités

LA SCANDINAVIE AU MOYEN ÂGE

Parallèlement à l'ébauche politique de trois royaumes (Suède VIIᵉ siècle, Danemark VIIIᵉ siècle, Norvège IXᵉ siècle), la Scandinavie se convertit au christianisme sous l'influence des missionnaires venus de Brême et de Hambourg. Les rois s'appuient sur l'Église et combattent en son nom, renforçant leur autonomie par la création des archevêchés de Lund en 1103, de Nidaros (act. *Trondheim*) en 1152 et d'Uppsala en 1164. Plus largement ouvert aux influences occidentales, le Danemark construit, le premier, d'éphémères empires autour de la mer de Norvège (XIᵉ siècle), puis sur les rives de la Baltique (XIIIᵉ siècle) : Lübeck

carte p. 178 ⟶

←

et Tallin (Reval) deviennent ainsi villes danoises. La Norvège, plus tardivement unifiée, crée un empire nord-atlantique comprenant, au XIIIe siècle, l'Islande et le Groenland. La Suède érige à la même époque un empire baltique grâce à la conquête de la Finlande (1250-1266). À la suite de mariages et d'héritages heureux, et après sa victoire sur le roi de Suède (1369), la reine Marguerite de Danemark devient souveraine de fait des trois États et consacre par l'Acte de Kalmar (1397) l'union personnelle et perpétuelle de ces États, qui restent pourtant des entités distinctes. L'Union de Kalmar ne survivra pas à l'avènement de Gustave Vasa au trône de Suède (1523). [V. cartes pp. 41, 46, 47, 62-63.]

[V. cartes pp. 41, 46, 47, 62-63.]

LA SCANDINAVIE ET LES RÉGIONS BALTIQUES (XVIe-XVIIIe S.)

En rompant l'Union de Kalmar en 1523, Gustave Ier Vasa restaure l'indépendance de la Suède, désormais opposée au royaume dano-norvégien pour la maîtrise de la Baltique. Après avoir affranchi le commerce suédois du contrôle hanséatique, il réorganise l'État puis engage une guerre de sept ans (1563-1570) contre le Danemark et la Pologne afin de contrôler les détroits danois. La Réforme luthérienne ayant triomphé, les Scandinaves vont donner une dimension religieuse à leurs conflits avec les Polonais, les Impériaux catholiques et les Russes orthodoxes. Gustave II Adolphe (1611-1632) veut faire de la Baltique un lac suédois. Sa victoire sur les Danois exempte ses navires des droits de péage dans les détroits et sa victoire sur les Russes lui assure l'Ingrie et la Carélie orientale. La Suède s'engage ensuite aux côtés de la France dans la guerre de Trente Ans (1618-1648). Ses victoires lui permettent d'obtenir du Danemark les îles et provinces d'Ösel, de Gotland, de Halland, de Jämtland et de Härdjedalen. Elle annexe également la Poméranie occidentale et la Scanie. Sous Charles XII (1697-1718), la Suède poursuit son essor (victoire sur le Danemark, la Pologne et la Russie). Mais, au traité de Nystad (1721), elle doit accepter que prenne fin sa prépondérance en Baltique.
(V. cartes pp. 102, 164, 171.)

(V. cartes pp. 102, 164, 171.)

La Scandinavie au Moyen Âge

La Scandinavie et les régions baltiques (XVIe-XVIIIe s.)

MER DE BARENTS

Anglais, Hollandais

Kola

FINMARK

LAPONS

LAPONIE

MER BLANCHE

Kandalakcha

Cercle polaire

Luleå (1621)
Torneå (1621)
Piteå (1621)
Uleåborg

Arkhângelsk (1584)

MER DE NORVÈGE

TRONDHEIM
Nidaros
Trondheim
1658-1660 à la Suède
JAMTLAND 1645

G. DE BOTNIE

Vasa

FINLANDE

CARÉLIE

L. ONEGA

ROY. DE NORVÈGE
Bergen
Hamar
Oslo
Christiania, 1624
Kongsberg
Stavanger
Kristiansand

Røros
Sundsvall 1621
HARJEDALEN
DALÉCARLIE

ROYAUME DE SUÈDE

Uppsala
Västerås
Örebro
Strängnäs
Stockholm
Linköping
Sö
Skara
Göteborg

Fredrikshald 1718
L. Vänern

Nystad, 1721 (1616)
Åbo Turku 1743
ÅLAND

Vipuri (Vyborg)
St-Pétersbourg (1703)

LADOGA

Stolbova, 1617

INGRIE

Novgorod
L. Ilmen

RUSSIE

Tver

Volga

MER DU NORD
v. l'Angleterre

Børglum
Viborg ▲ Aarhus
R. DE
Copenhague 1658
Ribé
Odense

Visby
GOTLAND

SMÅLAND
HALLAND
1710
Växjö
Br
ÖLAND

B A L T I Q U E

BÅGO
ESTONIE
Dorpat
Pernau
LIVONIE
Riga
Mitau

Tallin (Reval)
ÖSEL
Pskov

Narva 1700
Lac des Tchoudes

DANEMARK
Slesvig
HOLSTEIN
Kiel

Hälsingborg
SCANIE
Lund
Malmö
Karlskrona

F.
RL.
S.
B

Memel

Dvina
Polock
Witebsk
Smolensk
Androussovo 1667

Oldenburg
Brême
Amsterdam

Hambourg
Lübeck
Stralsund
POMÉRANIE
BRANDEBOURG
Magdeburg

Oliva 1660
Gdansk
Danzig
Königsberg
D. DE PRUSSE

Stettin 1570

Niémen
Kowno
Wilno
Grodno

Minsk
Moguilev

Gᴰ-DUCHÉ

Münster 1648
Osnabrück 1648
Erfurt

Fehrbellin 1675
Breitenfeld 1631

SAXE

ROY. DE

Vistule

Brześć
Varsovie

Pińsk
Pripet

DE LITUANIE

Kiev
UKRAINE

Desna

Mayence

Altranstädt, 1706
Lützen, 1632
Nuremberg
Prague

SAINT EMPIRE

Kliszów 1702

POLOGNE
Cracovie
Lwów

Oder

Poltava 1709

Dniepr

Munich 1632

ROMAIN GERMANIQUE

Vienne

Danube

Buda Pest
HONGRIE

EMPIRE OTTOMAN

PODOLIE

Bender Bendery 1709-1714

Boug

Dniestr

Rhin

La Confédération des huit cantons vers 1385

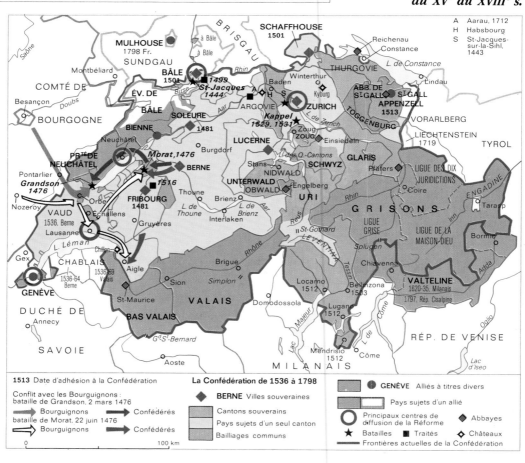

B Brunnen
N NIDWALD
O OBWALD

Bâle — Constance — Lac de Constance — Winterthur — Château de Habsbourg — Baden — Zurich — **ZURICH 1351** — St-Gall — Soleure — *Sempach 1386* — **ZOUG 1352** — Einsiedeln — Bienne — Aarberg — Lucerne — *Nâfels, 1388* — Glaris — Pfäfers — **BERNE 1353** — **LUCERNE 1332** — *Morgarten 1315* — **SCHWYZ** — **GLARIS 1352** — Berne — *Laupen, 1339* — **UNTERWALD** — N — Altdorf — L. de Neuchâtel — Fribourg — Thoune — Engelberg — O — **URI** — Rhin — Sarine — St-Gothard 1230 — Splügen — Rhône — Tessin

0 — 50 km

Menacés dans leurs libertés traditionnelles par les Habsbourg, les cantons montagnards *(Waldstätte)* de Schwyz, Uri et Unterwald s'unissent par un pacte perpétuel de défense, le 1er août 1291. Ainsi naît la Confédération suisse, du nom du principal canton associé. En conflit en 1313 avec la riche abbaye d'Einsiedeln qui est protégée par Frédéric de

	Les cantons primitifs en 1291	✛	Évêchés
	Cantons et bailliages vers 1385	◆	Principales abbayes
	Zone d'influence des Confédérés	★	Batailles
		∥	Cols
			Possessions des Habsbourg

La Confédération du XVe au XVIIIe s.

A Aarau, 1712
H Habsbourg
S St-Jacques-sur-la-Sihl, 1443

Saône — **BRISGAU** — **SCHAFFHOUSE 1501** — Reichenau — Constance — Lindau — **MULHOUSE 1798 Fr.** — à Bâle — à Bâle — **SUNDGAU** — **THURGOVIE** — L. de Constance — Montbéliard — **BÂLE 1501** — Rhin — Winterthur — Kyburg — **COMTÉ DE** — **ÉV. DE** — Birse — Baden — A H S — **ABB. DE St-GALL** — St-GALL — Besançon — Doubs — **BÂLE** — *St-Jacques 1444* — **ARGOVIE** — **ZURICH** — **APPENZELL 1513** — **BOURGOGNE** — **SOLEURE** — Aar — *Kappel 1529, 1531* — L. de Zürich — **TOGGENBURG** — VORARLBERG — **BIENNE** — ■1481 — Zoug — Einsiedeln — **LIECHTENSTEIN 1719** — TYROL — Neuchâtel — Burgdorf — **LUCERNE** — **GLARIS** — **Pᵗᵉ DE NEUCHÂTEL** — *Morat, 1476* — **BERNE** — Stans — L. des Q-Cantons — **SCHWYZ** — Pfäfers — **LIGUE DES DIX JURIDICTIONS** — Pontarlier — **NIDWALD** — Coire — *Grandson 1476* — Orbe — **FRIBOURG 1481** — ■1516 — **UNTERWALD** — Engelberg — Rhin — **ENGADINE** — Nozeroy — Thoune — Brienz — **OBWALD** — **URI** — **G R I S O N S** — Tarasp — **VAUD** — Échallens — L. de Thoune — L. de Brienz — Reuss — Inn — 1536, Berne — Lausanne — Gruyères — Interlaken — **LIGUE GRISE** — **LIGUE DE LA MAISON-DIEU** — Bormio — L. Léman — Chillon — St-Gothard — Splügen — Coire — Aigle — Brigue — Rhône — LEVENTINA — Chiavenna — Adda — **CHABLAIS** — 1536-64 Valais — Sion — Simplon — Tessin — **GENÈVE** — St-Maurice — **VALAIS** — Locarno 1512 — Bellinzona 1503 — **VALTELINE** 1620-35, Milanais — 1797, Rép. Cisalpine — **DUCHÉ DE** — Annecy — **BAS VALAIS** — Domodossola — Lugano 1512 — **RÉP. DE VENISE** — Oglio — **SAVOIE** — Gᵈ-St-Bernard — Lac Majeur — Mendrisio 1512 — Côme — L. de Côme — Lac d'Iseo — Aoste — **M I L A N A I S**

1513 Date d'adhésion à la Confédération

Conflit avec les Bourguignons : bataille de Grandson, 2 mars 1476
→ Bourguignons → Confédérés
bataille de Morat, 22 juin 1476
⇒ Bourguignons ⇒ Confédérés

0 — 100 km

La Confédération de 1536 à 1798

◆ **BERNE** Villes souveraines
Cantons souverains
Pays sujets d'un seul canton
Bailliages communs

⊙ **GENÈVE** Alliés à titres divers
Pays sujets d'un allié
○ Principaux centres de diffusion de la Réforme
★ Batailles ■ Traités ◆ Châteaux
Frontières actuelles de la Confédération
◆ Abbayes

Habsbourg, les confédérés brisent, à Morgarten, le 15 novembre 1315, une tentative du frère de celui-ci, Léopold Ier, pour rétablir l'autorité de sa maison. Les adversaires des Habsbourg s'associent alors, selon des formes diverses, à la Confédération : Lucerne en 1332, Zurich en 1351, Glaris et Zoug en 1352, enfin Berne en 1353. S'étant déjà exercée aux dépens des seigneurs féodaux à Laupen en 1339, la puissance militaire bernoise aide les confédérés à vaincre les Autrichiens à Sempach en 1386 et à Näfels en 1388. Par l'armistice de 1389, les Habsbourg reconnaissent l'existence de la Confédération des huit cantons, dont la cohésion militaire est assurée en 1393 par le convenant de Sempach. (V. cartes pp. 60 et 66-67.)

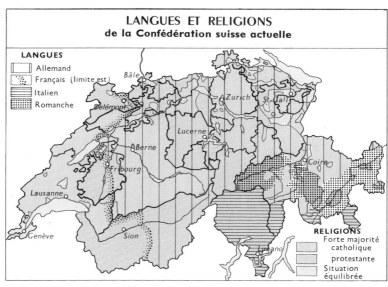

LANGUES ET RELIGIONS
de la Confédération suisse actuelle

LANGUES
Allemand
Français (limite est)
Italien
Romanche

RELIGIONS
Forte majorité catholique
protestante
Situation équilibrée

Langues et religions de la Confédération suisse actuelle

LA CONFÉDÉRATION DU XVe AU XVIIIe SIÈCLE

Au XVe siècle, les Habsbourg perdent leurs possessions en Suisse, la Confédération restant membre de l'Empire jusqu'en 1499, date à laquelle les cantons, vainqueurs de Maximilien dans la guerre de Souabe, obtiennent la reconnaissance de leur indépendance (traité de Bâle). La Confédération, qui compte 13 cantons en 1513, devient une puissance internationale, avec une excellente armée, pourvue d'une artillerie dès le XVe siècle. Manquant de terres, les Suisses s'engagent dans les armées étrangères, où leur valeur militaire est appréciée (alliance offensive et défensive avec le roi de France en 1521 : la Suisse mettra ses mercenaires au service de la France jusqu'en 1830). L'élite urbaine,

passionnée de controverses théologiques, se jette dans la Réforme, prêchée par Zwingli (Zurich), puis Calvin (Genève), mais les cantons montagnards restent catholiques. La guerre civile qui en résulte rompt l'unité religieuse de la Confédération, dès lors divisée en deux groupes de cantons opposés : sept catholiques et quatre protestants, seuls Glaris et Appenzell admettant la liberté religieuse. Malgré la prospérité industrielle (textile, horlogerie) et bancaire, les classes populaires urbaines restent misérables, dominées par un riche patriciat très fermé, qui maintient immuables les institutions : aussi l'agitation grandit-elle au XVIIIe siècle, sous l'influence des Lumières et des idées du Genevois Jean-Jacques Rousseau, et la Révolution française dans ses débuts rencontre en Suisse un large écho.

En raison de sa situation au cœur de l'Europe alpestre, la Suisse est le point de rencontre de quatre ethnies (alémanique, romande, italienne, rhéto-romane), auxquelles s'ajoute un gros afflux d'étrangers (16,1 p. 100 de la population en 1989). L'allemand (parlé par 65 p. 100 de la population) domine dans seize cantons, le français (18,4 p. 100), dans six cantons, l'italien (9,8 p. 100), dans le Tessin, le romanche (0,8 p. 100), dans les Grisons. L'allemand et l'italien progressent en valeur relative. Les protestants (44,3 p. 100 de la population totale) voient leur importance diminuer au profit des catholiques (47,6 p. 100), qui progressent rapidement par l'effet d'une plus forte natalité et de l'immigration de travailleurs étrangers, des Italiens pour la plupart. (V. cartes pp. 69 et 100.)

V. TCHÉCOSLOVAQUIE pp. 184-185
U.R.S.S.   pp. 176-177

EUROPE CENTRALE ET BALKANS

Mosaïque de nationalités souvent ennemies, l'Empire d'Autriche survit aux soulèvements italien, tchèque, hongrois de 1848 ; les Allemands de la région alpestre rétablissent par la force leur autorité sur les Hongrois (eux-mêmes oppresseurs des Croates et des Roumains). La défaite de 1859, qui lui enlève la Lombardie, celle de 1866, qui lui coûte la Vénétie et la suprématie en Allemagne, contraignent François-Joseph Ier à admettre les « abus héréditaires » et à conclure avec la Hongrie le « compromis » de 1867, fondé sur le « partage des hordes » de part et d'autre de la Leitha : Budapest, capitale de la Transleithanie, tient sous son autorité les Croates, les Slovaques, les Transylvains de la couronne de Saint-Étienne ; Vienne, capitale de la Cisleithanie, gouverne « l'autre moitié impériale », Tchèques, Polonais, Ruthènes, Italiens. Les Allemands empêchent le dualisme de devenir un « trialisme » au profit des Tchèques. En 1878, le congrès de Berlin autorise l'Autriche-Hongrie à occuper « provisoirement » la Bosnie-Herzégovine, peuplée de Slaves ; son annexion, en 1908, provoque les protestations des Serbes soutenus par la Russie. La guerre pourtant n'éclate qu'en 1914, après l'attentat de Sarajevo. (V. cartes pp. 82, 83, 84, 85, 104, 105 et 183.)

La monarchie austro-hongroise

En novembre 1918, l'empire des Habsbourg se disloque. Le Trentin, le Haut-Adige et l'Istrie sont rattachés à l'Italie ; le Banat de Timişoara et la Transylvanie à la Roumanie ; la Galicie à la Pologne. Slovénie, Croatie, Bosnie-Herzégovine, Dalmatie et Serbie forment le royaume des Serbes, des Croates et des Slovènes. La Tchécoslovaquie est créée au nord. Les traités de Saint-Germain-en-Laye (19 sept. 1919) et de Trianon (4 juin 1920) démembrent l'Empire austro-hongrois. Des plébiscites (1920) donnent la Silésie de Teschen à la Pologne, Klagenfurt puis le Burgenland à l'Autriche, Sopron à la Hongrie. Celui du 20 mars 1921, en Haute-Silésie, est favorable à l'Allemagne, mais celle-ci doit céder le tiers de ce pays à la Pologne. Peu peuplés, les nouveaux États, dotés de frontières démesurées et contestées, sont stratégiquement indéfendables. L'équilibre économique de l'Europe centrale est rompu, la Bohême, la Haute- et la Basse-Autriche industrielles étant coupées de la Hongrie et de la Transylvanie agricoles. Vienne échappe difficilement à l'attraction de l'Allemagne. Interdit par les traités, mais fruit fatal de leur application, l'*Anschluss* est réalisé par Hitler le 13 mars 1938. Cette décision porte en germe le second conflit mondial. (V. cartes pp. 91, 92, 93, 182, 184-188 et 190.)

Nouvelles frontières en Europe centrale (1919-1921)

Formation
de la Tchécoslovaquie

L'idée de réunir en un seul État les peuples tchèque et slovaque, séparés depuis le Xᵉ siècle, apparaît lors de la révolution de 1848. À la fin du XIXᵉ siècle, T. Masaryk la reprend à son compte. Mais il faut attendre le bouleversement de la Première Guerre mondiale pour que les deux nationalités sœurs envisagent de s'unir en dehors du cadre de la monarchie des Habsbourg. Masaryk, qui émigre en 1914, organise à Londres, puis à Paris un Comité national tchèque (1915), futur Conseil national des pays tchèques (1916), que les Alliés vont reconnaître comme gouvernement de fait (1918). Son action est soutenue en Bohême par le Comité national de Prague, qui prend le pouvoir le 28 octobre 1918, lors de l'effondrement du gouvernement

impérial de Vienne. En novembre, une assemblée de 201 Tchèques et 69 Slovaques proclame à Prague la déchéance des Habsbourg et élit T. Masaryk président de la République.

Les traités de Versailles et de Saint-Germain-en-Laye (1919), puis de Trianon (1920), qui établissent les frontières de la Tchécoslovaquie avec l'Allemagne, l'Autriche, la Pologne et la Hongrie, avantagent le nouvel État. Mais celui-ci est très composite : la partie tchèque (Bohême, Moravie), issue de l'Autriche industrialisée, s'oppose à la partie précédemment hongroise, agricole et attardée. De plus, le pays englobe de très fortes minorités ethniques (35 p. 100 de la population, dont 3,2 millions d'Allemands des Sudètes). Aussi le nouvel État est-il déjà menacé.

La Tchécoslovaquie
de 1920 à 1945

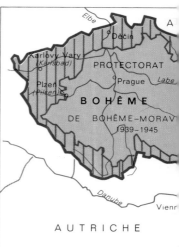

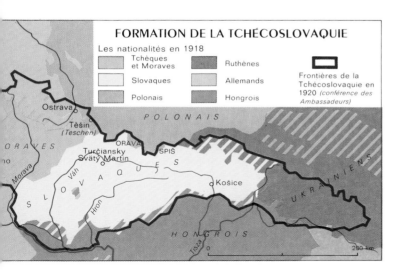

FORMATION DE LA TCHÉCOSLOVAQUIE

Les nationalités en 1918

- Tchèques et Moraves
- Slovaques
- Polonais
- Ruthènes
- Allemands
- Hongrois
- Frontières de la Tchécoslovaquie en 1920 *(conférence des Ambassadeurs)*

POLONAIS

Ostrava
Tèšin (Teschen)
ORAVA   SPIŠ
Turčiansky
Svätý Martin
SLOVAQUES
Váh
Hron
Košice
UKRAINIENS
HONGROIS
Tisza
0   200 km

Le gouvernement, où domine la bourgeoisie tchèque (représentée par Tomáš Masaryk et Edvard Beneš) mène une politique de centralisation. Cette politique suscite des oppositions chez les Slovaques et surtout chez les Allemands, victimes de la « nostrification » économique (naturalisation des sociétés ayant leurs entreprises en Tchécoslovaquie) : l'Allemagne nazie profite de l'agitation entretenue par le *Sudetendeutsche Partei* (parti allemand des Sudètes) de Konrad Henlein pour intervenir et annexer, après la conférence de Munich des 29 et 30 septembre 1938, tout le pourtour de la Bohême, d'une grande importance stratégique. Le démembrement de la Tchécoslovaquie, désormais impuissante, est achevé, le 15 mars 1939, par la création du « protectorat (allemand) de Bohême-Moravie » et d'une Slovaquie théoriquement indépendante, en fait asservie à l'Allemagne. Libéré en 1945, le pays retrouve alors ses frontières de 1920 (sauf à l'est, où la Ruthénie – ou Ukraine subcarpatique – est annexée par l'U.R.S.S. en juin 1945), le problème des minorités étant réglé par l'expulsion des Allemands des Sudètes.
(V. pp. 92-93, 182 et 183.)

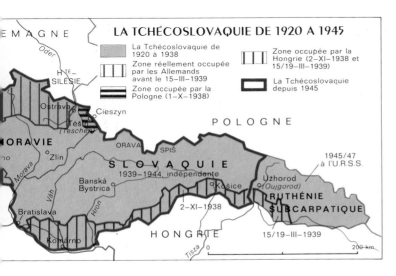

LA TCHÉCOSLOVAQUIE DE 1920 A 1945

- La Tchécoslovaquie de 1920 à 1938
- Zone réellement occupée par les Allemands avant le 15–III–1939
- Zone occupée par la Pologne (1–X–1938)
- Zone occupée par la Hongrie (2–XI–1938 et 15/19–III–1939)
- La Tchécoslovaquie depuis 1945

ALLEMAGNE
Oder
H^TE-SILÉSIE
POLOGNE
Ostrava
Cieszyn
Tèšin (Teschen)
MORAVIE
Zlín
ORAVA   SPIŠ
Váh
SLOVAQUIE
1939–1944, indépendante
1945/47 à l'U.R.S.S.
Banská Bystrica
Hron
Košice
Uzhorod (Oujgorod)
RUTHÉNIE SUBCARPATIQUE
Bratislava
2–XI–1938
Komárno
HONGRIE
Tisza
15/19–III–1939
0   200 km

Diversité des origines, des confessions religieuses, ambitions des princes et compartimentation du relief opposent les Slaves du Sud, les livrant à des influences centrifuges : Slovènes catholiques, dont le pays est peu à peu annexé par les Habsbourg après 1282 ; Croates et Dalmates, également catholiques, dont le roi de Hongrie est souverain dès 1102 ; Serbes orthodoxes, dont l'indépendance succombe en 1389 sous les coups des Ottomans ; Bosniaques enfin, au carrefour de l'Orient et de l'Occident. Un moment unifiés par les Turcs, les Yougoslaves sont, au XVIIIe siècle, dominés par les Vénitiens, les Allemands, les Hongrois et les Turcs. Seuls Dubrovnik (Raguse) et le Monténégro restent indépendants.

Les régions « yougoslaves » du XVIe au XVIIIe s.

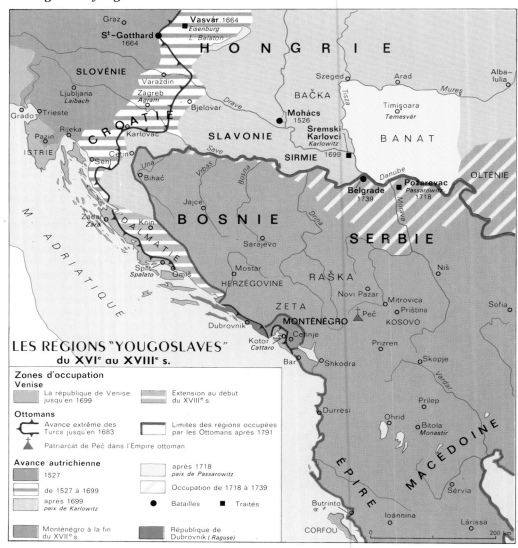

LES RÉGIONS "YOUGOSLAVES" du XVIe au XVIIIe s.

Zones d'occupation

Venise
- La république de Venise jusqu'en 1699
- Extension au début du XVIIIe s.

Ottomans
- Avance extrême des Turcs jusqu'en 1683
- Limites des régions occupées par les Ottomans après 1791
- Patriarcat de Peć dans l'Empire ottoman

Avance autrichienne
- 1527
- de 1527 à 1699
- après 1699 paix de Karlowitz
- après 1718 paix de Passarowitz
- Occupation de 1718 à 1739
- Batailles
- Traités
- Monténégro à la fin du XVIIe s.
- République de Dubrovnik (Raguse)

AUTRICHE

à l'Autriche-Hongrie
du XIXᵉ s. à 1919
Bled
SLOVÉNIE
Ljubljana
Varaždin
Zone A Trieste
Zone B
ISTRIE
Rijeka
Fiume
1924–45
Italie
Zagreb

L. Balaton
H O N G R I E
Szeged
Arad
Alba-
Iulia
Timişoara
Mureş

BARANJA
BAČKA
VOJVODINE
Novi Sad
BANAT

R O U M A N I E

SLAVONIE
SIRMIE

C R O A T I E
Una
Save
Vrbas
Bosna
Bihać
B O S N I E
Jajce
Drina
Belgrade
Morava
Turnu
Severin

Zadar
Zara
D A L M A T I E
Sarajevo
Užice
S E R B I E
Vidin

Split
HERZÉGOVINE
Mostar
Novi Pazar
Niš
Pirot

Vis
Sofia

Lastovo
Lagosta
Dubrovnik
MONTÉNÉGRO
Peć
Priština
KOSOVO
Acquisitions
de 1919

Kotor
Podgorica
Cetinje
Bar
Shkodra
Scutari
Skopje

FORMATION DE LA YOUGOSLAVIE

Vardar
Strumica

Tirana
Durrësi
A L B A N I E
Ohrid
Bitola
M A C É D O I N E

Lac
d'Ohrid
Lac
Prespa
Salonique
Thessalonique

Sérvia

G R È C E
Ioánnina
Lárissa

CORFOU

M
A
D
R
I
A
T
I
Q
U
E

Territoires libérés de l'occupation turque
du début du XIXᵉ s.
à 1876
1878
1913
Ancien sandjak
de Novi Pazar
Frontière entre le
Monténégro et la Serbie
en 1912/13
Territoires libérés en 1919
de l'occupation autrichienne
de l'occupation hongroise
de l'occupation austro-hongroise
Frontières du royaume des Serbes, Croates et Slovènes
en 1920, devenu royaume de Yougoslavie en 1929
Territoires libérés de l'occupation italienne
après la Seconde Guerre mondiale (1945/54)

0   200 km

Formation de la Yougoslavie

En 1878, à l'issue du conflit russo-turc, les Serbes deviennent indépendants. Le royaume serbe, qui double son territoire lors des guerres balkaniques de 1912-13, attire à lui les populations « yougoslaves » de l'Empire austro-hongrois. Il entre en guerre avec ce dernier après l'attentat de Sarajevo (28 juin 1914). La défaite austro-hongroise permet l'unification yougoslave : le 1ᵉʳ décembre 1918 est créé le royaume des Serbes, des Croates et des Slovènes (royaume de Yougoslavie, 1929). Démembré par l'Allemagne nazie (1941), libéré par la résistance intérieure dirigée par Tito, le pays devient une république fédérale au socialisme original, indépendante politiquement de l'U.R.S.S. dès 1948.

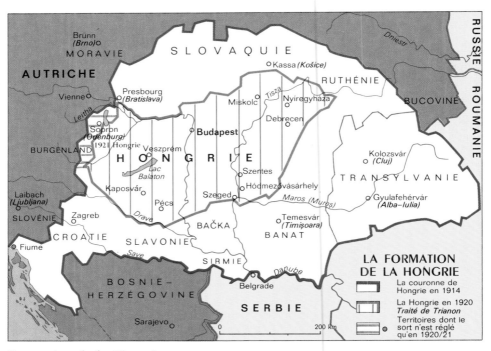

Formation de la Hongrie

L'ancienne Transleithanie, où est proclamée, le 16 novembre 1918, une république qui ne dure que 133 jours, sort démembrée de la guerre. Après la rupture officielle de ses liens avec l'Autriche (1er mars 1920), elle perd (traité de Trianon, 4 juin 1920) la Slovaquie, la Ruthénie, la Transylvanie, la Croatie, Fiume et le Banat. Les 11 millions de Slaves et de Roumains obtenant leur indépendance, la « petite Hongrie » ne compte plus que 8 millions d'habitants. Elle ne regroupe même pas tous les Magyars, dont près de 3 millions

sont dispersés. Après un plébiscite, elle est amputée, en septembre 1922, du Burgenland. Cette situation explique la politique « révisionniste » de l'amiral Horthy, le rapprochement avec l'Italie fasciste (traité d'amitié de 1927) et avec l'Allemagne nazie : un pacte italo-austro-hongrois est signé dès 1934. En 1938, lors du démembrement de la Tchécoslovaquie, la Hongrie récupère une partie de la Slovaquie. Elle adhère au pacte anti-Komintern (févr. 1939), occupe la Ruthénie (19 mars), et obtient, le 30 août 1940, la restitution du nord de la Transylvanie. Victime de son

alliance avec Hitler (1939-1945), la Hongrie doit renoncer aux territoires annexés depuis le 1er janvier 1938. Vaincu par le Parti des Petits Propriétaires le 4 novembre 1945, mais favorisé par la présence de l'Armée rouge, le P.C. obtient le 15 le ministère de l'Intérieur, instrument de l'instauration de la République populaire. Celle-ci vécut dans l'orbite soviétique du 20 août 1949 au 23 octobre 1989, date de la proclamation de la IVe République de Hongrie, prélude à la restauration d'une démocratie parlementaire en 1990.

Formation ▶
de la Turquie
contemporaine

Légende de la carte

La Grèce en 1830

Acquisitions

de 1864 à 1881

de 1913

de 1919

de 1947

● Combats
◆ Traités
◎ Congrès

0   300 km

Régions occupées par
les Grecs de 1920 à 1923

Frontières actuelles

Formation de la Grèce contemporaine

**Formation
de la Grèce contemporaine**

La frontière de Vólos à Árta, établie en 1830 lors de l'indépendance, n'est qu'une base de départ en vue de la résurrection de l'Empire byzantin (Megali Idea). En 1864, la Grande-Bretagne cède les îles Ioniennes ; en 1881, l'Empire ottoman renonce à la Thessalie et au district d'Árta. Les guerres balkaniques procurent, en 1913, Salonique, une partie de la Macédoine, l'Épire du Sud, la Crète, Samos, Khíos, Lesbos ; après la Première Guerre mondiale, la Bulgarie lui cède la Thrace occidentale ; la Turquie, la Thrace orientale et Smyrne, reprises en 1923 (v. p. 190). Le Dodécanèse n'est récupéré qu'en 1947.

notice p 190 →

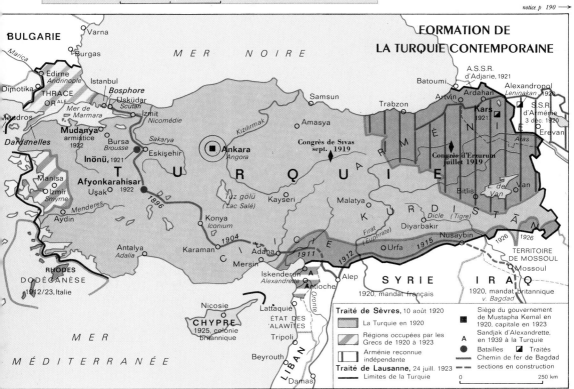

FORMATION DE LA TURQUIE CONTEMPORAINE

Traité de Sèvres, 10 août 1920

La Turquie en 1920

Régions occupées par les Grecs de 1920 à 1923

Arménie reconnue indépendante

Traité de Lausanne, 24 juill. 1923

Limites de la Turquie

Siège du gouvernement de Mustapha Kemal en 1920, capitale en 1923

Sandjak d'Alexandrette, en 1939 à la Turquie

● Batailles   ☑ Traités

Chemin de fer de Bagdad

sections en construction

0   250 km

FORMATION
DE LA TURQUIE CONTEMPORAINE

Vaincu en Iraq, en Syrie et en Thrace, l'Empire ottoman signe le traité de Sèvres, le 10 août 1920. Ne conservant en Europe qu'Istanbul, il est amputé en Asie de ses provinces arabes et arménienne. À l'ouest, la Grèce annexe la Thrace orientale et Smyrne. Au sud-est, le Liban, la Syrie, la Palestine et l'Iraq sont placés sous mandat français ou britannique ; l'Arabie devient indépendante. À l'est sont reconnues l'autonomie du Kurdistan et l'indépendance de l'Arménie. L'Anatolie méridionale et orientale est divisée en trois zones d'occupation : italienne (Antalya, Konya), française (Cappadoce, Kurdistān occidental), britannique (Kurdistān septentrional). Établissant le siège de son gouvernement à Ankara en 1920 à l'issue des deux congrès d'Erzurum (juillet) et de Sivas (septembre 1919), Mustafa Kemal reconquiert l'Asie Mineure. Il reprend Kars et Ardahan en Arménie (traité de Moscou, 16 mars 1921), la Cilicie (accord d'Ankara, 20 octobre 1921) et, plus tardivement, le sandjak d'Alexandrette (23 juin 1939). Il repousse les Grecs à Inönü (7 janvier et 31 mars 1921), puis sur la Sakarya (23 août-13 sept. 1921), enfin à Afyonkarahisar (26 août 1922) et les contraint à évacuer Smyrne (9 sept.). L'armistice de Mudanya (11 oct.), puis le traité de Lausanne (24 juill. 1923) rendent aux Turcs la Thrace orientale, l'Arménie et le Kurdistān. Rassemblée autour d'un axe économique, le chemin de fer de Bagdad, la république de Turquie entre dans le monde moderne. (V. cartes pp. 70, 91, 92-93, 208, 209 et 210-211.)

L'originalité de la Roumanie (sensible encore aujourd'hui parmi les démocraties européennes) est d'abord d'ordre culturel : la persistance, dans un monde slave, d'une langue romaine héritée de l'occupation de la Dacie par des colons romains. Pourtant, malgré le bref épisode du prince valaque Michel le Brave en 1600-1601, la Roumanie, coupée en deux par les Carpates, ne réalise son unité qu'au XXᵉ siècle : tandis que la

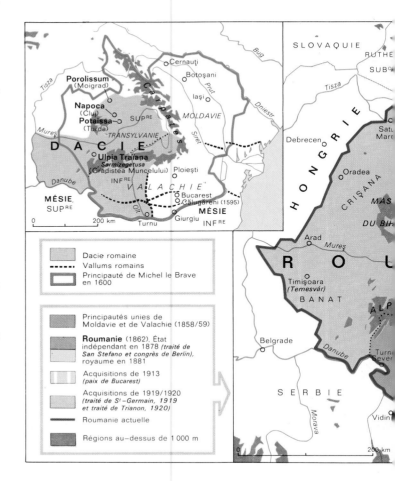

Dacie romaine
Vallums romains
Principauté de Michel le Brave en 1600

Principautés unies de Moldavie et de Valachie (1858/59)
Roumanie (1862). État indépendant en 1878 *(traité de San Stefano et congrès de Berlin)*, royaume en 1881
Acquisitions de 1913 *(paix de Bucarest)*
Acquisitions de 1919/1920 *(traité de Sᵗ-Germain, 1919 et traité de Trianon, 1920)*
Roumanie actuelle
Régions au-dessus de 1 000 m

Transylvanie est englobée dans l'empire des Habsbourg en 1699, la Moldavie et la Valachie sont la proie des ambitions contradictoires des Ottomans et des Russes. Profitant de l'affaiblissement des premiers et de la guerre de Crimée, les deux principautés obtiennent une véritable autonomie en 1858. Unifiées en 1859, elles fusionnent en 1862 en un seul État, la Roumanie. L'entrée en guerre contre les Turcs aux côtés des Russes (1877-78) a pour conséquence l'indépendance totale du pays (mai 1877); à l'issue du conflit, la Roumanie annexe la Dobroudja, à majorité bulgare. Sa participation à la Première Guerre mondiale aux côtés des Alliés à partir de 1916 lui permet d'achever son unité. Par le traité de Trianon du 4 juin 1920, la Hongrie lui cède en effet la Transylvanie et le Banat de Timişoara (Temesvár). Avec l'accord des Alliés, la Roumanie annexe aussi la Bessarabie et la Bucovine le 28 novembre 1918, mais l'U.R.S.S. en exige la rétrocession le 28 juin 1940. Celle-ci est confirmée par le traité de Paris (10 février 1947) qui la contraint à restituer la Dobroudja du sud à la Bulgarie. Démocratie populaire du 30 décembre 1947 au 28 décembre 1989, ce pays reste dirigé par des communistes, même après l'exécution de Nicolae Ceaucescu le 25 décembre (V. cartes p. 70, 182, 183 et 209).

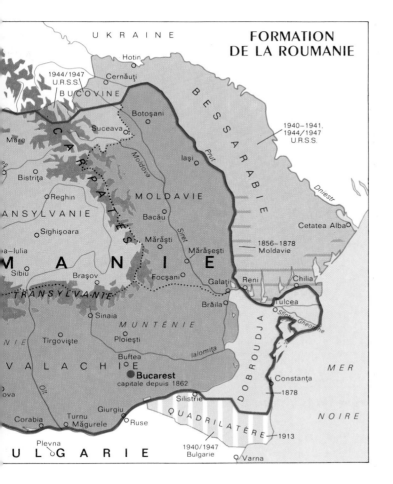

Formation de la Roumanie

J'ean III Asen II restaure la Grande Bulgarie quatre cents ans après le tsar Siméon. Son empire, ouvert sur trois mers, se referme sur Constantinople. Il conserve la Thrace, conquise avec Andrinople par Kalojan en 1205, détruit à Klokotnica le despotat d'Épire (Albanie), qu'il annexe avec la Serbie orientale. Attirant des Italiens, il stimule la vie économique et culturelle. Sa capitale Tărnovo devient le siège de l'Église bulgare, autonome en 1235. Après Jean III, l'Empire, morcelé, est absorbé par les Ottomans au XIVe siècle.

La Bulgarie sous le règne du tsar Jean III Asen II (1218-1241)

Au lieu de la Grande Bulgarie édifiée à San Stefano par les Russes, le congrès de Berlin crée une principauté de Bulgarie, vassale de la Porte, et une Roumélie orientale à demi autonome, qui s'unit à la Bulgarie en 1885. Indépendante en 1918, la Bulgarie sort victorieuse d'une première guerre contre les Ottomans (1912-13). Mais, vaincue par les Serbes, les Grecs, les Roumains et les Turcs au cours d'une seconde guerre, elle perd la Dobroudja méridionale et ne conserve qu'un fragment de Macédoine et la Thrace occidentale avec Dedeagač. (V. cartes pp. 84 et 85.)

La Bulgarie (1878-1913)

LA BULGARIE 1878-1913

Traité de San Stefano 3 mars 1878	Congrès de Berlin juin-juillet 1878		Traité de Bucarest 10 août 1913
Limites de la Grande Bulgarie	Principauté de Bulgarie vassale de l'Empire ottoman	réunies en 1885 (royaume en 1908)	Acquisitions et pertes de la Bulgarie
	Province autonome de Roumélie orientale		

Vaincue par l'Entente, la Bulgarie rétrocède en 1919 la Macédoine, enlevée à la Serbie en 1915, la Dobroudja du Sud, arrachée à la Roumanie en 1916, et enfin son débouché sur la mer Égée. Grâce à l'Allemagne, elle reprend en 1940 la Dobroudja méridionale et croit restaurer la Grande Bulgarie en occupant en 1941 la Macédoine, le port de Kavalla, Thasos et Samothrace. La paix de 1947 la refoule dans ses frontières de 1919, sauf au nord où l'appui de l'U.R.S.S. lui permet de conserver Silistrie et la Dobroudja méridionale. (V. cartes pp. 91, 92-93, 94, 96 et 97.)

La Bulgarie (1919-1947)

LA BULGARIE 1919-1947

La Bulgarie après 1919 Traité de Neuilly, 27 nov. 1919		La Bulgarie après 1947 Traité de Paris, 10 févr. 1947	
Agrandissements de 1940 à 1941			

0   100   200 km

L'Asie

L'Iran est un vaste plateau largement ouvert aux menaces extérieures : nomades au nord-est et au sud-ouest, Romains, puis Byzantins à l'ouest ; cette situation, qui détermine la création d'une armée solide (cavaliers, archers), explique la longue occupation étrangère des Parthes Arsacides, finalement chassés par une réaction nationale. Sans rejeter totalement l'héritage parthe, les Sassanides prétendent restaurer l'Empire achéménide (v. carte p. 12-13). Après la conquête de l'Iran (216-224) et celle de la Mésopotamie (230-232), marquée par la prise de Ctésiphon (226), Ardachîr Ier organise un État centralisé, soumis au mazdéisme. L'ennemi principal, aux IIIe et IVe siècles,

L'Iran à l'époque sassanide

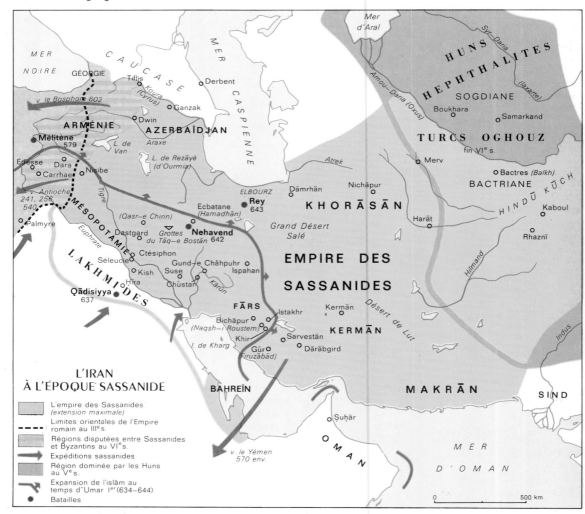

L'IRAN
À L'ÉPOQUE SASSANIDE

- L'empire des Sassanides *(extension maximale)*
- Limites orientales de l'Empire romain au IIIe s.
- Régions disputées entre Sassanides et Byzantins au VIe s.
- Expéditions sassanides
- Région dominée par les Huns au Ve s.
- Expansion de l'islam au temps d'Umar Ier (634-644)
- Batailles

est Rome, qui résiste malgré d'humiliantes défaites infligées à des empereurs qui y trouvent la mort : Valérien en 260, Julien en 363. Au vᵉ siècle, la menace vient des Huns Blancs, ou Hephtalites, et de l'Empire byzantin, qui affirme des ambitions territoriales et prend, en même temps, la défense des chrétiens établis en Iran. Khosrô Iᵉʳ traite avec Justinien en 532, après une offensive victorieuse de Bélisaire, mais il anéantit le royaume des Huns Blancs avec l'aide des Turcs Oghouz ; vers 570, appelé par les Arabes, il intervient au Yémen contre les Éthiopiens. Khosrô II met en danger Constantinople, mais il est repoussé par Héraclius (610 et 622-627). Ces longues guerres, souvent victorieuses, rendent d'autant plus brutale la conquête arabe : les cavaliers musulmans venus du désert prennent Séleucie et Ctésiphon, après la bataille de Qādisiyya (637) ; à Nehavend (642), ils remportent la victoire décisive. L'Iran perd son indépendance. Yazdgard III s'enfuit, mais son assassinat près de Merv scelle le destin de la dynastie en 651. (V. cartes pp. 34 et 38-39.)

L'Arabie préislamique

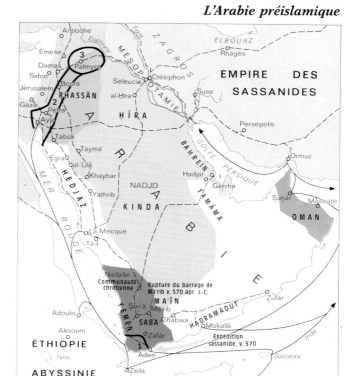

1 Himyarites
2 Nabatéens
3 Royaume de Palmyre
Byzantins
Itinéraires marchands

L'Arabie en 600

Yémen
Kinda
Oman

Rhassān (*Rhassānides vassaux des Byzantins*)
Hīra (*Lakhmides vassaux des Sassanides*)

Après la conquête par Rome des royaumes nabatéen en 106 apr. J.-C. et palmyrénien en 272, l'Arabie connaît une période de déclin, aggravé par le dépérissement de la civilisation du Yémen envahi par les Sassanides vers 570. Protégée au nord par les tribus rhassānides et lakhmides, vassalisée par les Byzantins et par les Perses, l'Arabie bénéficie, au vIᵉ siècle, de l'affrontement perso-byzantin, qui détourne vers le Hedjaz une partie du trafic entre Méditerranée et Extrême-Orient. Dans une société à structure pourtant tribale, une telle situation a une double conséquence : croissance des villes et des oligarchies marchandes, notamment à La Mecque ; pénétration du monothéisme juif ou chrétien, qui se superpose à une religion à la fois fétichiste et polythéiste et qui influence la prédication de Mahomet. (V. cartes pp. 34-35, 38-39 et 194.)

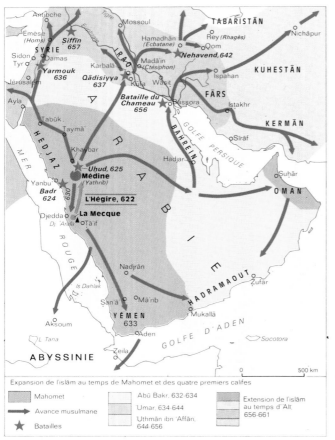

L'Arabie islamique

'élimination d''Alī par Mu'āwiyya (661-680) est à l'origine de violentes tensions religieuses : mouvement khāridjite, d'inspiration égalitaire, qui récuse l'arbitrage d'Adhruḥ et dont les adeptes assassinent finalement 'Alī ; mouvement chī'ite, de nature purement politique, qui estime que le califat doit être réservé aux membres de la famille de Mahomet, c'est-à-dire au cousin et gendre de ce dernier, 'Alī, et à ses descendants. Malgré cette rupture

Contraint à fuir La Mecque en 622 pour Yathrib, qui devient alors Médine (la ville du Prophète), Mahomet organise une communauté ouverte à tous les musulmans, l'*umma*, bientôt assez forte pour unifier l'Arabie. Après sa mort (632), l'expansion vers le nord, au nom du *djihād*, est facilitée par la faiblesse des Empires byzantin et sassanide : en douze ans, les Byzantins perdent la Palestine, la Syrie et l'Égypte.

Amputé de l'Iraq dès 637, l'Empire sassanide disparaît en 655. L'expansion est alors interrompue par l'affrontement entre le calife 'Alī (656-661), gendre de Mahomet, et le gouverneur de Syrie, Mu'āwiyya. Légitimant son avènement par la capture d'A'icha, la jeune veuve du Prophète (bataille du Chameau, 656), 'Alī doit ensuite accepter l'arbitrage d'Adhruḥ, qui permet à son rival de l'éliminer. (V. carte p. 194.)

de l'unité spirituelle de l'Islam, la dynastie omeyyade en maintient l'unité politique, tout en faisant glisser son centre de gravité d'Arabie en Syrie, où elle recueille l'héritage byzantin et où naissent une civilisation nouvelle et un nouveau mode de gouvernement, synthèse des apports arabes et impériaux. Mais cette acculturation n'empêche pas un prosélytisme agressif.

Interrompue par les troubles consécutifs à la mort de Mu'āwiyya entre 680 et 690, l'expansion vers l'ouest est marquée par l'occupation de l'Ifrīqiya en 670 ; puis par celle, plus difficile, du Maghreb, à laquelle s'opposent les Berbères ; enfin, par la conquête de l'Espagne par Ṭāriq ibn Ziyād, agissant sur les ordres du gouverneur d'Afrique du Nord, Mūsā. À l'est, les Arabes atteignent les confins indiens (Multān, 713) et chinois (victoire du Talas en 751).

Mais deux difficultés majeures freinent cette expansion : l'essoufflement de l'élan initial, sous les murs de Constantinople en 717 et aux abords de Poitiers en 732 ; l'apparition de forces centrifuges, notamment en Perse où l'opposition chī'ite traduit un nationalisme vivace, traditionnellement hostile à la Syrie. Ainsi s'explique la révolte d'Abū al-'Abbās. Partie du Khurāsān en 747-48, celle-ci écrase l'armée des Omeyyades au Grand Zāb en 749 et permet l'avènement de son chef au califat en 750 : l'ère 'abbāsside commence. (V. cartes pp. 46, 198-199 et 258.)

L'expansion de l'Islām au temps des Omeyyades (661-750)

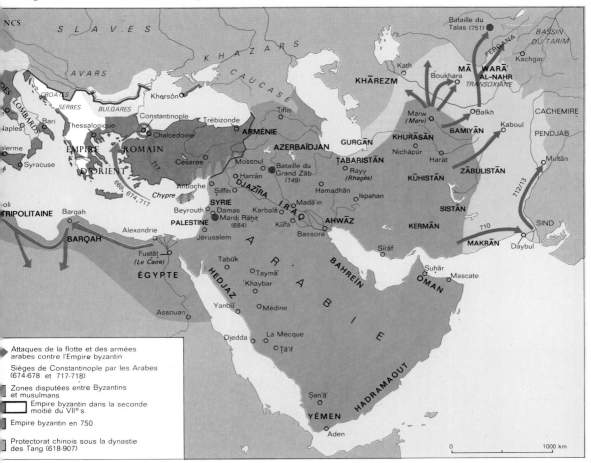

La dynastie 'abbāsside est portée au pouvoir par une véritable révolution. Un chef militaire, Abū Muslim, réunit des mécontents autour d'Ibrāhīm ibn Muḥammad, descendant d'al-'Abbās, oncle du prophète. Autour de lui se rassemblent des Arabes, des Iraniens, désireux d'un retour à un islam originel, plus ouvert. Abū Muslim est vainqueur au Grand Zāb (749). Ibrāhīm étant mort précocement, c'est Abū al-'Abbās qui devient le premier calife 'abbāsside. Son successeur, al-Manṣūr, transfère la capitale à Bagdad, fondée en 762 : c'est une revanche pour la Perse sassanide. Ainsi s'expliquent le rôle prépondérant des Persans dans

la vie publique et l'adoption progressive de leurs traditions politiques (sacralisation du calife, administration complexe et hiérarchisée, dirigée par le tout-puissant *vizir*) ; ainsi s'explique surtout l'épanouissement d'une civilisation arabo-persane très brillante.

L'essor économique est considérable ; les villes se développent, ainsi que les transports. En matière religieuse, la dynastie entend appliquer l'islam idéal et sa loi religieuse (charī'a), considérée comme seule valable. Elle doit en même temps faire face à des soulèvements, inspirés par

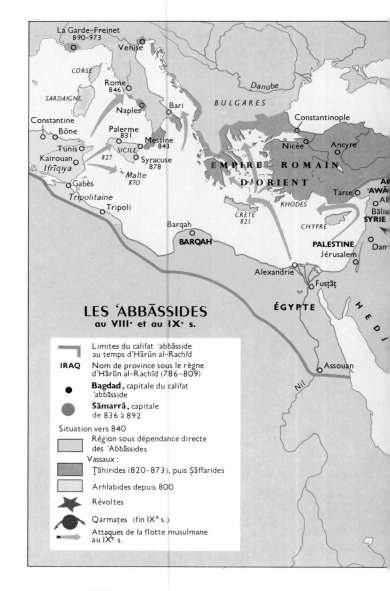

LES 'ABBĀSSIDES
au VIIIᵉ et au IXᵉ s.

Limites du califat 'abbāsside au temps d'Hārūn al-Rachīd

IRAQ Nom de province sous le règne d'Hārūn al-Rachīd (786-809)

● **Bagdad**, capitale du califat 'abbāsside

● **Sāmarrā**, capitale de 836 à 892

Situation vers 840
Région sous dépendance directe des 'Abbāssides
Vassaux :
Ṭāhirides (820-873), puis Ṣaffarides
Arhlabides depuis 800
Révoltes
Qarmaṭes (fin IXᵉ s.)
Attaques de la flotte musulmane au IXᵉ s.

des idéologies politico-religieuses, où l'égalitarisme social côtoie les affirmations théologiques. Les princes d'Occident y trouvent des appuis pour constituer des États relativement indépendants, en respectant l'autorité de Bagdad : émirat omeyyade de Cordoue (756-1031), érigé en califat en 929 ; principauté des Idrīsides au Maghreb (788-974), des Arhlabides en Ifrīqiya (800-909). Après le règne d'Hārūn al-Rachīd (786-809), qui marque l'apogée de l'Empire 'abbāsside, la décadence politique est rapide.

Hārūn se débarrasse des vizirs de la famille des Parmécides, devenus trop puissants. Cependant, les désordres financiers, les querelles doctrinales entre sunnites et chi'ites *mo'tazilites*, la place croissante des officiers turcs, qui tendent à dominer le califat, expliquent l'affaiblissement de l'État au IXe siècle. L'hostilité populaire amène les 'Abbāssides à transférer la capitale à Sāmarrā. Les gouvernements provinciaux se muent en dynasties plus ou moins indépendantes, aux confins iraniens et en Égypte, où les Tūlūnides s'imposent de 868 à 905. Le mouvement qarmaṭe, qui mêle les revendications égalitaristes d'inspiration khāridjite et le fanatisme chī'ite, accentue le déclin 'abbāsside à la fin du IXe siècle.

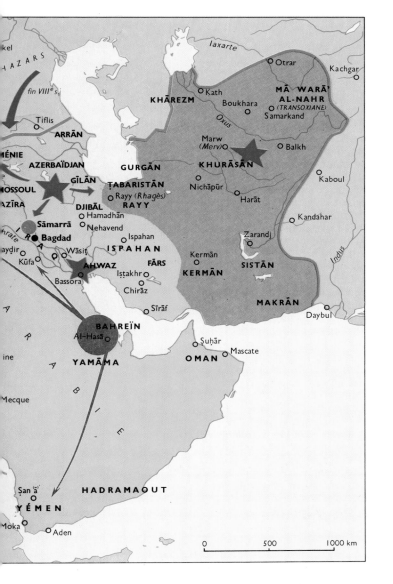

Les 'Abbāssides au VIIIe et au IXe s.

Les Seldjoukides
(XIᵉ-début XIIIᵉ s.)

D'origine oghouz, les Seld-joukides partent de Djand à la conquête du Proche-Orient. Profitant des conflits opposant les Sāmānides d'Iran aux Karakhānides d'Asie centrale, ils occupent la Transoxiane, chassent du Khorāsān les Turcs Rhaznévides vaincus à Dandān-qān (1040), s'emparent du Kharezm (1042), puis de l'Iran et de l'Iraq.

Leur chef, Toghrul Beg (1038-1063), prend Hamadhān en 1046 et fait de Rey (Ravy) sa capitale. Ispahan est prise peu après, l'Iraq est occupé. Toghrul, défenseur de l'islām sunnite face au chī'isme des *Buyides* (Buwayhides), est sollicité par le calife dans sa lutte contre ses adversaires : il entre à Bagdad en 1055. En 1058, il est proclamé roi et sultan, à côté du calife. Il bat à plusieurs reprises le général révolté al-Basārīrī. Son neveu Alp Arslan (1063-1073) lui succède : il consolide son pouvoir avec l'aide du vizir persan et sunnite Nizām al-Mulk.

Occupant Alep en 1070, écrasant en 1071 à Mantzikert l'empereur byzantin Romain IV Diogène, rejetant les Byzantins sur le littoral, Alp Arslan étend sa domination sur la majeure partie de l'Asie Mineure. Il conquiert ensuite la Syrie et la Palestine, avant de mourir en Transoxiane. Son fils Malik Chāh (1073-1092) prend la Transoxiane et soumet le Kermān révolté.

Ayant ainsi constitué à leur profit un immense empire, les Grands Seldjoukides en assurent la cohésion en défendant l'orthodoxie sunnite et en mettant en place une solide armature administrative, respectueuse des particularismes régionaux dans son recrutement (Iraniens, Arabes...) et dans sa gestion.

Mais les Seldjoukides ne peuvent stabiliser l'empire pour de nombreuses raisons : refus de la sédentarisation ; conception patrimoniale de l'État ; recours à des *atabeks* pour assurer la tutelle des princes mineurs, ce qui favorise la multiplication des dynasties, puis des usurpations, surtout après la disparition de Malik Chāh (1073-1092) et celle de son fils aîné Sandjar (1118-1157).

Établies dans le Kermān (1041-1186), en Iraq (1118-1194) et en Syrie (1078-1117), trois dynasties cadettes s'effacent rapidement, victimes la première des Oghouz, la deuxième des Khārezmiens, la troisième des atabeks mamelouks, les Zangīdes. La quatrième, celle de Rūm, survit de 1077 à 1308 en Anatolie, où naît la Turquie, dans une région retournée à la steppe, alors que la dynastie principale s'éteint en 1194. Ayant brisé la puissance des Dānichmendites de Sivas (1172-1176), ayant battu les Byzantins à Myrioképhalon en

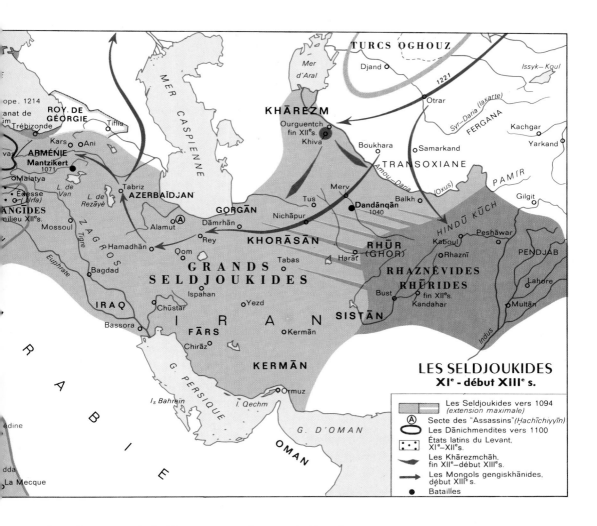

TURCS OGHOUZ

Mer d'Aral

KHĀREZM

TRANSOXIANE

Issyk—Koul

Djand

Otrar

1221

Syr-Daria (Iaxarte)

FERGANA

Kachgar

Yarkand

Ourguentch fin XIIe s.

Khiva

Boukhara

Samarkand

PAMĪR

ROY. DE GÉORGIE

ope. 1214
anat de
im Trébizonde

Tiflis

Kars

ARMÉNIE
Mantzikert
1071

Malatya

Édesse
(Urfa)

ANGIDES
milieu XIIe s.

MER CASPIENNE

Ani

L. de Van

L. de Rezāyè

Tabriz

AZERBAÏDJAN

GORGĀN

Dāmrhān

KHORĀSĀN

Tus

Merv

Nichāpur

Rey

Balkh

Dandānqān
1040

HINDŪ KŪCH

Kaboul

Rhazni

Amou-Daria (Oxus)

Gilgit

Peshāwar

PENDJAB

Alamut

RHŪR
(GHOR)

Qom

Harāt

Mossoul

ZAGROS

Hamadhān

Euphrate

Tigre

Bagdad

GRANDS
SELDJOUKIDES

Tabas

Ispahan

Chūstar

Yezd

RHAZNÉVIDES
RHŪRIDES
fin XIIe s.

Bust

Kandahar

Lahore

Multān

Indus

IRAQ

Bassora

IRAN

FĀRS

Kermān

SISTĀN

Chirāz

RABIE

G. PERSIQUE

Is Bahrein

I. Qechm

KERMĀN

Ormuz

G. D'OMAN

édine

dda

La Mecque

OMAN

LES SELDJOUKIDES
XIe - début XIIIe s.

	Les Seldjoukides vers 1094 *(extension maximale)*
Ⓐ	Secte des "Assassins"(Ḥachīchiyyīn)
◯	Les Dānichmendites vers 1100
▪▪	États latins du Levant, XIe—XIIe s.
➤	Les Khārezmchāh, fin XIIe—début XIIIe s.
→	Les Mongols gengiskhānides, début XIIIe s.
●	Batailles

1176, les sultans iranisés de Konya ouvrent leur pays au commerce international en 1207 et favorisent un large peuplement turc de l'Anatolie. Les mercenaires turcs se mettent au service des empereurs byzantins et interviennent dans les querelles autour du pouvoir. Le sultanat subit de rudes vicissitudes : passages des croisés occidentaux, intervention des Mongols qui assujettissent l'ensemble des terres seldjoukides entre 1221 et 1244. (V. cartes pp. 46, 47, 56-57, 58-59, 61, 198-199 et 225.)

urc de Transoxiane qui se proclame roi à Balkh en 1370, Timūr Lang établit sa domination sur le Khārezm (1370-1379) puis entreprend de reconstituer l'empire de Gengis Khān par une série de raids audacieux. Pénétrant profondément dans les pays de la Horde d'Or en 1391 et en 1395, s'avançant à l'est jusqu'à Delhi en 1399, atteignant la mer Égée après avoir momentanément détruit l'Empire ottoman à Ankara en 1402, Timūr s'engage enfin sur la route de la Chine, mais il meurt le 19 janvier 1405.

Son œuvre reste inachevée car en fait, son autorité ne déborde pas les limites de l'ancien empire des Grands Seldjoukides. Il a abattu toutes les puissances musulmanes du Proche-Orient sans pouvoir leur substituer un État organisé ; au sein de l'empire, il a apanagé largement ses héritiers, dont un seul, son fils Chāh Rukh Mīrzā (1405-1447) réussit à restaurer temporairement la puissance tīmūride dans le respect de la culture de l'Iran. (V. cartes pp. 70, 170, 203, 208, 224-225.)

L'empire de Tīmūr Lang

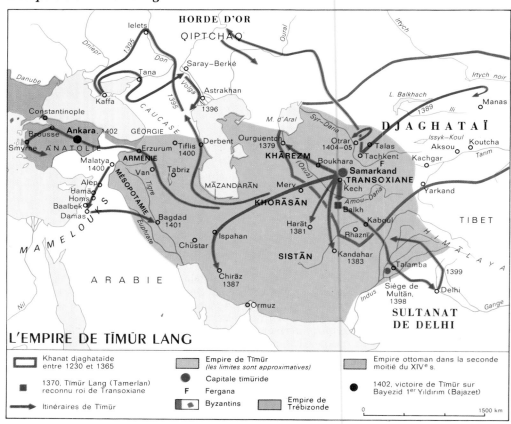

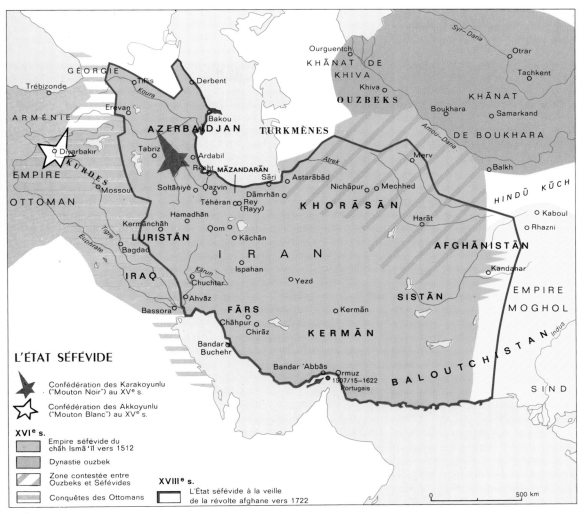

L'État séfévide

D e souche iranienne, peut-être kurde, la dynastie des Séfévides, originairement sunnite, adhère au xve siècle au chī'isme qui est érigé en religion d'État par le premier roi séfévide, Chāh Ismā'īl Ier (1502-1524). Les Séfévides unifient facilement, sous leur autorité, l'Orient, de l'Afghānistān à l'Euphrate (1503-1510), mobilisant l'énergie de leurs sujets contre leurs adversaires sunnites : Ouzbeks et Ottomans, qui progressent sur les marches de l'Iran. L'alliance avec les Habsbourg jugule la poussée ottomane. Elle permet à la civilisation persane de s'épanouir dans les résidences successives de la cour : Tabriz, puis Ispahan. Chāh 'Abbās Ier (1587-1629) reconquiert Òrmuz sur les Portugais et fonde le port de Bandar 'Abbās en 1622. Les Afghans usurpent la royauté en 1722, puis sont évincés en 1736 par Nādir Chāh. (V. carte p. 208.)

203

L e déclin de l'Iran,
commencé dès le XVIIᵉ siècle, n'est que temporairement enrayé par l'arrivée au
pouvoir, en 1796, d'une nouvelle
dynastie issue de la tribu turco-
mongole des Qādjārs. Toutes les
tentatives de réformes entreprises au XIXᵉ siècle (notamment
sous le règne de Nāṣir al-Dīn,
1848-1896) échouent devant l'agitation des seigneurs « féodaux »,

l'immobilisme de la classe sacer-
dotale, les affrontements tribaux
et religieux (chī'ites contre is-
maéliens ou babistes). Cette faiblesse interne favorise les entreprises de la Russie, qui s'empare,
en deux guerres, des régions
caucasiennes (1813 et 1828), puis
de la région de Merv, au sud du
Turkestan, en 1884-85 ; elle facilite aussi celles de l'Angleterre
qui, à partir des Indes, étend

son influence à l'est (Afghānistān) et au sud-est (Baloutchistan
et golfe Persique). Cette domination politique s'accompagne
d'une mainmise économique, par
l'obtention de concessions ferroviaires ou minières (notamment
pour le pétrole) ; seule la rivalité
anglo-russe permet de maintenir
l'indépendance politique. Celle-ci
devient purement formelle,
lorsque la réconciliation entre

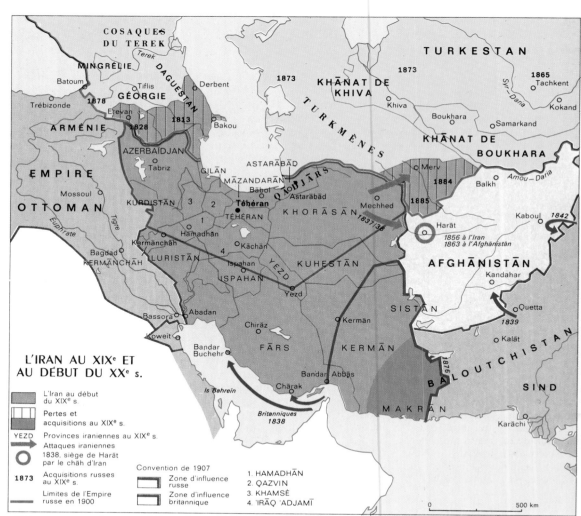

L'Iran au XIXᵉ et au début du XXᵉ s.

Russes et Anglais aboutit, le 31 août 1907, à un partage en deux zones d'influence séparées par une zone tampon. Secoué par l'agitation nationaliste (née dans les centres chī'ites) contre la mainmise étrangère et le despotisme impérial, le pays sombre alors dans l'anarchie. Il n'en sort définitivement qu'en 1925-26 avec l'avènement à l'empire de Rezā Chāh Pahlavi, dont la dynastie régnera jusqu'à la révolution islamique de 1979. (V. carte pp. 210-211.)

L'Afghānistān devient indépendant en 1747, lorsque Aḥmad Khān fonde la dynastie des Durrāni. Le pays est gouverné de 1838 à 1973 par Dust Moḥammad (1834-1863) et ses descendants. Malgré sa résistance aux Britanniques (guerres de 1839-1842 et 1878-1880), il doit accepter leur contrôle sur sa politique étrangère (traité de Gandamak, 1879) et la fixation de ses frontières par une commission anglo-russe (1888-1893). Amān Allāh Khān obtient la reconnaissance de l'indépendance du pays par les Britanniques (1919) et par les Soviétiques (1921). La république est proclamée en 1973 et le coup d'État de 1978 porte au pouvoir les communistes. Ceux-ci se heurtent à la résistance acharnée des *moudjahidin*, dont l'intervention militaire des Soviétiques (27 déc. 1979) ne peut briser la force combattante. Aussi se retirent-ils (15 mai 1988-15 février 1989), laissant le gouvernement communiste de Kaboul aux prises avec les tribus rebelles, affaiblies par leurs querelles interethniques. (V. cartes p. 203 et 245.)

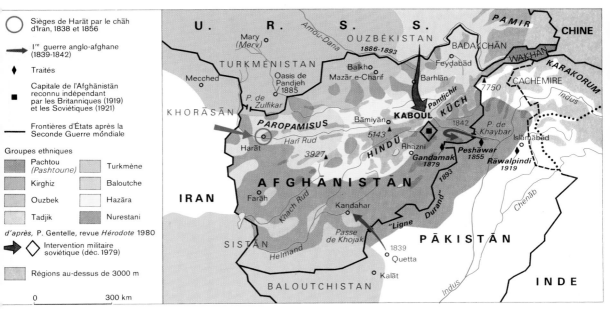

L'Afghānistān (XIXᵉ-XXᵉ s.)

Dans le vaste cadre indo-méditerranéen conquis par l'Islām entre le vıᵉ et le xvııᵉ siècle, l'unité de la foi et l'unité du climat imposent l'unité de civilisation à travers la diversité des traditions nationales.

À l'unité de la foi, le monde de l'Islām doit ses monuments les plus typiques. La mosquée, édifice cultuel, emprunte à Byzance son plan en rotonde et son décor de mosaïques (Coupole du Rocher, à Jérusalem, 688-691), puis s'adapte aux besoins de la nouvelle religion à Damas, où la Grande Mosquée est ornée, à partir de 705, d'un miḥrāb, niche indiquant la direction de La Mecque, et d'un minaret d'où est lancé l'appel à la prière. Le mausolée perpétue le souvenir des saints ou des grands hommes (Qubbat al-Ṣulaybiyya de Sāmarrā ; tombeaux de Timur Lang à Samarkand, 1404 ; de Chāh Djahān et Mumtāz Maḥall à Āgrā [Tādj Maḥall, 1630-47]). La *madrasa*, école religieuse dont le type monumental est né en Iran oriental à l'époque seldjoukide, donne naissance à des bâtiments de plan cruciforme (madrasa du Sultan Ḥasān au Caire, 1356). Dans les villes, les palais, de construction récente (Alhambra de Grenade au xıııᵉ siècle, palais moghols de Delhi et d'Āgrā, séfévides d'Ispahan aux xvııᵉ-xvıııᵉ s., ottomans d'Istanbul), traduisent dans leur parure le raffinement d'une civilisation intimiste : les demeures privées, closes sur l'extérieur, s'ouvrent sur une cour intérieure ou des jardins ceints de hauts murs. La multiplication des bassins, des canaux, des fontaines, l'importance des bains dans les villes de l'Islām soulignent l'influence dans l'art musulman du facteur climatique, qui impose au nomade la quête perpétuelle de l'eau. Manquant de bois, mais bénéficiant de la transparence et de la luminosité de l'air, architectes et décorateurs ont construit les plus nobles monuments à partir de simple terre. Sur leurs parois, la céramique, aux bleus et ors somptueux, dispose un décor calligraphique, géométrique ou floral, l'islām interdisant à l'artiste, à partir du ıxᵉ siècle, la reproduction d'êtres vivants. Mais les pays musul-

Les arts de l'Islām

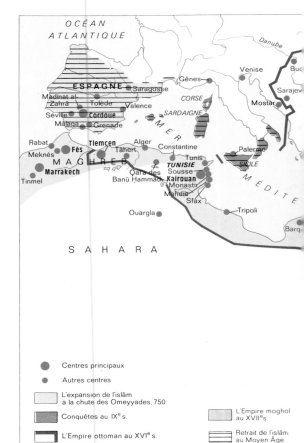

OCÉAN ATLANTIQUE

Danube

Venise · Buc

Gênes

ESPAGNE · Saragosse · Sarajev

Madīnat al- · Tolède · CORSE · Mostar
Zahra

Séville · Cordoue · Valence · SARDAIGNE

Málaga · Grenade

Rabat · Tlemcen · Alger · Constantine · Palerme

Meknès · Fès · Tahert · SICILE

MAGHREB · Tunis

Marrakech · Qal'a des · Kairouan · Sousse · MÉDITE

Tinmel · Banū Hammad · Monastir

Mahdia · Sfax

Ouargla · Tripoli

Barq

SAHARA

● Centres principaux

● Autres centres

L'expansion de l'islām à la chute des Omeyyades, 750

Conquêtes au ıxᵉ s.

L'Empire moghol au xvııᵉ s.

L'Empire ottoman au xvıᵉ s.

Retrait de l'islām au Moyen Âge

mans, généralement non sémitiques et à forte individualité nationale, ne rejettent pas toute représentation de la vie : Espagne naṣride (fontaine de la cour des Lions, Grenade, XIVe siècle) ; Espagne chrétienne de la Reconquête, où l'art mudéjar synthétise les apports de l'Islām et de la chrétienté romanogothique du XIIIe au XVe siècle (Alcázar de Séville, construit à partir de 1360) ; Perse chī'ite, où les miniaturistes des écoles de Tabrīz et de Chirāz font de l'homme le centre de leur recherche au XIVe siècle ; Empire ottoman, où les apports iraniens et locaux créent un art musulman original, dont la peinture, attentive aux scènes de la vie quotidienne, restitue à la femme la dimension sensuelle que lui a accordée la tradition indienne, comme en témoignent les miniatures des XVIIe, XVIIIe et XIXe siècles. (V. cartes pp. 46, 47, 52, 54, 56, 58, 60, 61, 70, 195, 198, 200, 202, 208, 209, 244 et 245.)

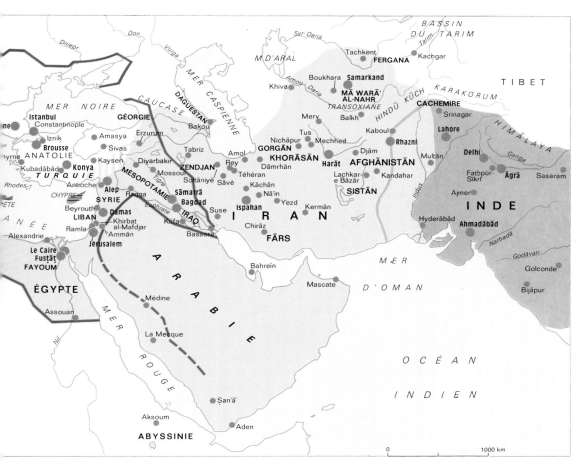

Formation de l'Empire ottoman

Chassée du Khorāsān par les Mongols, cantonnée dans la région de Brousse par le sultan de Konya, la tribu turque des Ottomans est émancipée par Osman Ier (fin du XIIIe siècle) et obtient le Karasi (1335-45). Après la victoire de Kosovo (1389) et la prise de Constantinople (1453), la conquête de l'Europe se poursuit jusqu'aux portes de Vienne (1529). En Asie, Bayezid Ier est battu à Ankara par Timūr Lang (1402). Le sultan Selim Ier prend Trébizonde (1461), mais ne bat le Chāh de Perse qu'en 1514 à Tchaldiran. Il annexe le Kurdistān, la Syrie, les villes saintes d'Arabie, l'Égypte mamelouk, le Maghreb. Mais l'Empire ottoman, qui a unifié le monde islamique et le monde arabe, est menacé par l'action conjuguée des Habsbourg, des Vénitiens et des Séfévides. Sa défaite navale à Lépante (1571) révèle sa fragilité. (V. cartes pp. 66-67, 70, 74-75, 148-149, 200-201, 202, 203 et 218.)

Incapable de se réformer, miné par les tendances centrifuges et l'agitation des chrétiens des Balkans, l'Empire ottoman devient la proie des puissances étrangères à partir du XVIIIe siècle. L'Autriche étend sa domination dans la zone autour du Danube, la Russie s'empare des régions du nord de l'Empire et cherche à mettre la main sur les Détroits, mais se heurte à la politique britannique de contrôle de la Méditerranée et de la route des Indes. Après 1830, le déclin ottoman se marque plus par l'indépendance des populations balkaniques et l'emprise économique anglo-française que par de nouvelles annexions étrangères. La réaction nationaliste du mouvement jeune-turc (révolution de 1908) va précipiter la dislocation de l'Empire en l'engageant dans la Première Guerre mondiale. (V. cartes pp. 70, 84, 85, 182-183, 186-187, 189-193 et 208.)

Démembrement de l'Empire ottoman (1863-1920)

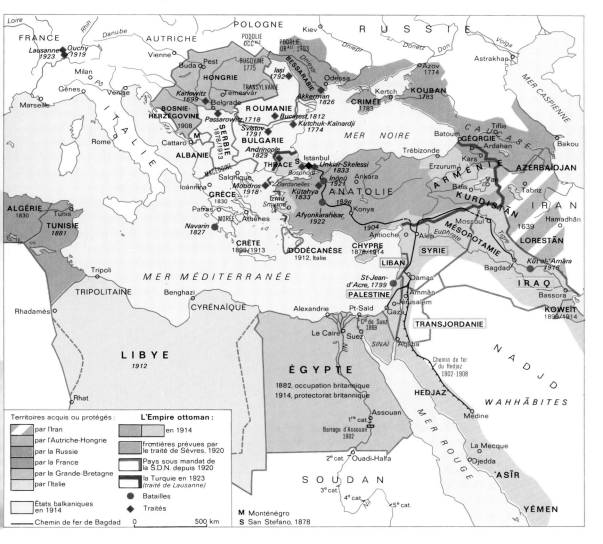

209

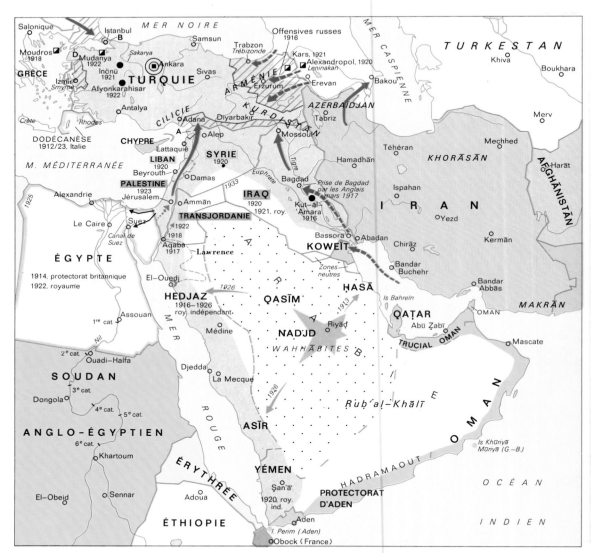

Le Moyen-Orient pendant et après la Première Guerre mondiale

LE MOYEN ORIENT PENDANT ET APRÈS LA PREMIÈRE GUERRE MONDIALE

L'Empire ottoman en 1914

Raids germano–turcs sur Suez (1915 et 1916)

Offensives alliées
1916
1917
1918 (Allenby)
B. Bosphore   D. Dardanelles

Batailles
Traités

IRAQ États après 1920

Acquisitions de la Turquie en 1923 (traité de Lausanne)

Capitale de Mustapha Kemal en 1923

A Sandjak d'Alexandrette

Conquêtes d' 'Abd al–'Aziz III ibn Sa'ūd

Pays sous mandat A depuis 1920 :
mandat britannique
mandat français

Possessions britanniques
Possessions italiennes
Possession française

0   600 km

Entre 1915 et 1918, Français et Anglais convergent vers Istanbul (Constantinople) depuis Salonique, Bassora et Suez. Animées par des états-majors allemands, les forces ottomanes s'opposent aux Britanniques en Mésopotamie et en Palestine, et aux Russes sur le front du Caucase, où le grand-duc Nicolas remporte deux brillants succès en 1916, à Erzurum (janvier) et Trébizonde (avril). Pour les Anglais, au contraire, 1916 est une année difficile : le 28 avril, ils doivent capituler à Kūt al'Amāra (Mésopotamie) devant les assauts des Turcs, qui lancent en août un deuxième raid contre Suez. C'est alors que débute en milieu arabe l'action du jeune T. E. Lawrence, qui, ayant gagné la confiance d'Abdullah et de Fayṣal, fils d'Ḥusayn ibn 'Alī, roi du Hedjaz, organise avec eux la libération de la « nation arabe » du joug ottoman. En 1917-18, Lawrence obtient de brillants succès en préparant et en appuyant l'action des troupes d'Allenby dans la conquête de la Palestine. Le 1er octobre 1918, Lawrence et Fayṣal arrivent à Damas, et la foule proclame Ḥusayn roi des Arabes.

Mais de nombreux événements vont empêcher la constitution d'un Grand Royaume arabe promis par la Grande-Bretagne à Ḥusayn : à l'insu de Lawrence, Paris et Londres ont conclu en mai 1916 un accord partageant l'Empire ottoman en deux zones d'influence politique et économique : l'une, française, incluant la Syrie et le Liban, l'autre, anglaise, comprenant la Palestine, l'Iraq et la Transjordanie (accords Sykes-Picot). Le 2 novembre 1917, la Grande-Bretagne, qui entend jouer à la fois la carte sioniste et la carte arabe, affirme sa volonté de « créer après la guerre un Foyer national juif en Palestine » (déclaration Balfour). En 1920 enfin, la S.D.N. attribue un mandat sur la Syrie et le Liban à la France, sur la Palestine et la Mésopotamie à la Grande-Bretagne. En 1924-25, le Hedjaz est occupé par l'émir whahābite du Nadjd 'Abd al 'Azīz ibn Sa'ūd : les fils d'Ḥusayn ibn 'Alī, les Hāchémites Fayṣal Ier et Abdullah, deviennent respectivement roi d'Iraq en 1921, et émir de Transjordanie en 1922.

Imposant la démilitarisation des détroits turcs (1920-1923), se maintenant sur les rives du canal de Suez malgré l'indépendance de l'Égypte (1922), étendant progressivement depuis 1899 sa protection à tous les États du golfe Persique, partie prenante de l'Iraq Petroleum Company (Mossoul) et de l'Anglo-Iranian Company (Abadan), la Grande-Bretagne maîtrise la route des Indes et le pétrole du Proche-Orient. À la France, protectrice des chrétiens du Levant, reste le rôle ingrat de briser la révolte des Druses (1925-1927). (V. cartes pp. 91, 92-93, 209, 212 et 213.)

E n avril 1920, la confé-
rence de San Remo confie
à la Grande-Bretagne le
mandat sur la Palestine. La
Transjordanie (rive orientale du
Jourdain), exemptée en 1922 par
la S.D.N. des clauses relatives au
Foyer national juif, devient, le
15 mai 1923, un émirat indépendant dirigé par Abdullah, fils du
chérif Ḥusayn ibn 'Alī.

En Palestine, l'hostilité arabe à
la déclaration Balfour (voir
p. 210-211) et au régime mandataire suscite de violentes mani-
festations antijuives (1920-21).
Londres annonce alors (Livre
blanc du 3 juin 1922) que l'immigration juive sera désormais
fonction de la capacité d'accueil
économique de la Palestine, tandis que Juifs et Arabes se dotent
d'institutions communautaires re-
présentatives : Histadrouth (syn-
dicat), Agence juive auprès de
l'administration mandataire
d'une part ; Comité exécutif
arabe et Conseil musulman de
Palestine d'autre part. Après la
« Grande Révolte » arabe, la
commission anglaise Peel sug-
gère le partage de la Palestine
entre un État arabe uni à la
Transjordanie et un État juif,
une zone restant sous mandat
britannique (juill. 1937) mais ce
projet n'aboutira pas. À la fin de
la Seconde Guerre mondiale, les
plans de règlement des Britanniques ayant tous échoué, ceux-ci
confient à l'O.N.U. le soin de régler la question palestinienne
(févr. 1947).

La Palestine sous mandat britannique

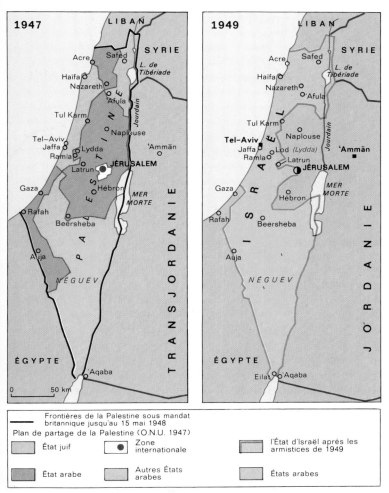

1947

LIBAN
SYRIE
Acre
Safed
L. de Tibériade
Haifa
Nazareth
'Afula
Tul Karm
Tel-Aviv
Naplouse
Jaffa
Lydda
'Amman
Ramla
Latrun
JÉRUSALEM
Gaza
Hébron
MER MORTE
Rafah
Beersheba
Auja
NÉGUEV
ÉGYPTE
'Aqaba
0   50 km
P A L E S T I N E
T R A N S J O R D A N I E
Jourdain

1949

LIBAN
SYRIE
Acre
Safed
L. de Tibériade
Haifa
Nazareth
'Afula
Tul Karm
Tel-Aviv
Naplouse
Jaffa
Lod (Lydda)
'Amman
Ramla
Latrun
JÉRUSALEM
Gaza
Hébron
MER MORTE
Rafah
Beersheba
Auja
NÉGUEV
ÉGYPTE
Eilat
'Aqaba
I S R A Ë L
J O R D A N I E
Jourdain

Frontières de la Palestine sous mandat britannique jusqu'au 15 mai 1948

Plan de partage de la Palestine (O.N.U. 1947)

État juif

Zone internationale

l'État d'Israël après les armistices de 1949

État arabe

Autres États arabes

États arabes

Formation de l'État d'Israël

Né de la recrudescence de l'antisémitisme à l'époque contemporaine, le mouvement sioniste milite en faveur de la création d'un État juif en Palestine (Theodore Herzl, 1896) ; il est renforcé par la Déclaration Balfour (1917) qui promet la constitution d'un Foyer national juif dans ce pays. Mais, devant l'hostilité arabe suscitée par l'afflux d'immigrants, les Britanniques bloquent l'immigration en mars 1940. Maintenue alors que 6 millions de Juifs sont exterminés en Europe, cette mesure provoque en 1946 une insurrection juive menée par l'armée de protection *(Haganah)* et par des mouvements de résistance *(Irgoun,* groupe *Stern).* Le 29 novembre 1947, l'O.N.U. décide le partage de la Palestine en deux États indépendants, aux territoires également éclatés en trois morceaux. Le refus des Arabes déclenche la guerre civile, qui s'internationalise le 14 mai 1948, quand David Ben Gourion proclame l'indépendance d'Israël. Vaincus malgré leur supériorité numérique, les cinq États arabes signent les armistices entre le 24 février et le 20 juillet 1949 ; l'exode des Palestiniens s'accentue. Les lignes de cessez-le-feu deviennent les frontières d'Israël, qui est alors doté d'un territoire continu, mais difficile à défendre et qui comporte une partie de la ville de Jérusalem.

Iʳᵉ GUERRE ISRAÉLO-ARABE

Guerre d'indépendance
mai 1948-juin 1949

Refusant le partage de la Palestine décidé par l'O.N.U. (nov. 1947), l'Égypte, l'Iraq, la Syrie, la Transjordanie et le Liban attaquent l'État d'Israël, fondé le 14 mai 1948. Après une trêve de quatre semaines (11 juin-8 juill.), les Israéliens refoulent les forces arabes lors de l'offensive des « dix jours ». Après une nouvelle trêve, ils repoussent les Égyptiens jusqu'à El-Arich et s'emparent du Néguev et de la Galilée (oct. 1948-janv. 1949). L'Égypte obtient un armistice (24 févr. 1949), suivie par le Liban (23 mars), la Jordanie (3 avr.), la Syrie (20 juill.). L'Iraq retire ses troupes. Les lignes de cessez-le-feu deviennent les frontières d'Israël.

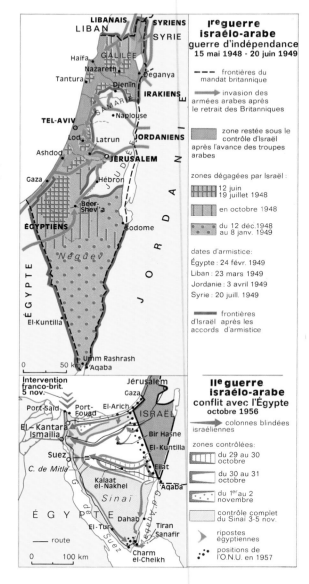

IIᵉ GUERRE ISRAÉLO-ARABE

Conflit avec l'Égypte, oct. 1956

En juillet 1956, Nasser nationalise la Compagnie du canal de Suez. La France et la Grande-Bretagne décident d'intervenir en Égypte. Israël s'y associe secrètement. Lancées vers le Sinaï (29 oct.), trois colonnes blindées israéliennes mettent en déroute l'armée égyptienne, la quatrième prend Charm el-Cheikh. Un ultimatum anglo-français a été adressé (30 oct.) aux « belligérants » pour qu'ils retirent leurs troupes de 15 km de part et d'autre du canal. Le refus du Caire entraîne l'intervention franco-anglaise (5-6 nov.), qui est stoppée devant les vives réactions internationales. Le 15 novembre, une force de police internationale de l'O.N.U. réoccupe le Sinaï et rétablit la ligne de cessez-le-feu de 1949 entre Israël et l'Égypte.

IIIᵉ GUERRE ISRAÉLO-ARABE

Guerre des six jours, juin 1967

L'alliance politico-militaire entre l'U.R.S.S. et l'Égypte s'est approfondie et, de leur côté, les Occidentaux ont fourni à Israël les armes les plus performantes. Le 19 mai 1967, Nasser obtient la relève des casques bleus de l'O.N.U. par sa propre armée et réoccupe Charm el-Cheikh. Les Israéliens, dès le 5 juin, répliquent par une campagne préventive de six jours, qui est un succès. Ils prennent la Cisjordanie, puis se tournent vers la Syrie et marchent sur Damas. Un cessez-le-feu, exigé par l'O.N.U., est accepté le 8 par l'Égypte et la Jordanie, le 9 par la Syrie, puis par Israël, qui occupe la poche de Gaza, le Sinaï (sauf Port-Fouad), la Cisjordanie et le Golan. Votée le 22 novembre 1967, la résolution 242 de l'O.N.U. détermine les conditions politiques d'un retour à la paix : retrait israélien des territoires occupés mais reconnaissance d'Israël par les États arabes, et solution raisonnable du problème des réfugiés palestiniens.

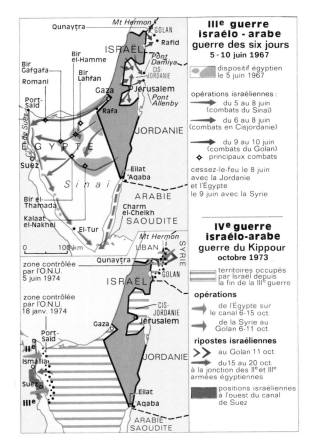

IIIᵉ guerre israélo - arabe
guerre des six jours
5 - 10 juin 1967

dispositif égyptien le 5 juin 1967

opérations israéliennes :
du 5 au 8 juin (combats du Sinaï)
du 6 au 8 juin (combats en Cisjordanie)
du 9 au 10 juin (combats du Golan)
◆ principaux combats

cessez-le-feu le 8 juin avec la Jordanie et l'Égypte
le 9 juin avec la Syrie

IVᵉ guerre israélo-arabe
guerre du Kippour
octobre 1973

territoires occupés par Israël depuis la fin de la IIIᵉ guerre

opérations
de l'Égypte sur le canal 6-15 oct.
de la Syrie au Golan 6-11 oct.

ripostes israéliennes
au Golan 11 oct.
du 15 au 20 oct. à la jonction des IIᵉ et IIIᵉ armées égyptiennes

positions israéliennes à l'ouest du canal de Suez

IVᵉ GUERRE ISRAÉLO-ARABE

Guerre du Kippour, oct. 1973

Le 6 octobre 1973, une attaque surprise est déclenchée par la Syrie sur le front du Golan et en Égypte, sur le canal de Suez. L'Iraq, la Jordanie, le Maroc et l'Algérie participent à ce conflit, que le président égyptien Sadate paraît avoir provoqué pour déclencher une intervention internationale et faire appliquer la résolution 242. Surpris, les Israéliens contre-attaquent (11-15 oct.) dans le Golan et au nord des lacs Amers, où la IIIᵉ armée égyptienne est isolée. Le 17 octobre, l'O.P.E.P. décide de réduire ses envois vers les pays occidentaux et hausse brutalement ses tarifs. Le 23 octobre, Israël et l'Égypte acceptent le cessez-le-feu exigé par les États-Unis, l'U.R.S.S. et l'O.N.U. Le 25, une force de l'O.N.U. est interposée entre les belligérants.

Les migrations de peuples en Eurasie du IVe au VIe s.

Au IVe siècle, l'Eurasie est dominée par les quatre grands Empires chinois, indien (gupta), perse (sassanide) et romain, bien défendus par des obstacles naturels (montagnes de l'Asie centrale et du Caucase) ou artificiels (Grande Muraille de Chine, *limes* romain). Mais à leurs frontières se pressent alors de nombreux peuples barbares, qui parfois s'introduisent même sur leurs territoires à titre de fédérés : nomades éleveurs des steppes asiatiques (Xianbei [Sienpei] de Mandchourie, Xiongnu [Hiong-Nou] au nord-ouest du Huanghe) ; peuples pasteurs du Proche-Orient (Lakhmides, Rhassānides), et d'Afrique du Nord (Blemmyes, Berbères) ; chasseurs, éleveurs ou agriculteurs des forêts et clairières d'Europe (Germains) ; pêcheurs pirates des rives des mers du Nord et d'Irlande (Scots, Pictes, Germains).

Au IVe siècle, une possible dégradation du climat, plus sûrement une croissance démographique entraînant une surcharge pastorale des pâturages au rendement immuable lancent ces peuples à l'assaut des empires céréaliers. À l'est, les Xiongnu (Hiong-Nou) s'emparent de Loyang (Luoyang) en 311, avant d'être éliminés par le clan sienpei des Murong (Mou-jong), puis par celui des Tabghatchs (Toba [T'opa]), fondateurs du royaume de Wei qui domine la Chine du Nord jusqu'en 534/581 (v. carte p. 221).

Au cœur de l'Eurasie, la poussée des Xiongnu fait glisser les Huns Hephthalites de l'Altaï vers l'Asie centrale, puis les jette à l'assaut des Empires sassanide et gupta, à la jonction desquels ils se maintiennent jusque vers

(Légende de la carte)

Xiongnu méridionaux établis en Chine comme fédérés depuis 195

Migration des Xiongnu vers l'ouest

Zone de départ des Tabghatch *(rameau des Xianbei)* qui fondent le royaume Toba ou Wei

Royaume Toba (T'o–pa) en 390

Royaume Toba (T'o–pa) en 470

Incursions des Toba (T'o–pa) en Chine

Grande Muraille, commencée au IIIe s. av. J.-C.

Empire chinois unifié sous les Jin (Tsin) 280–316

Pénétration du bouddhisme et de l'art grec en Extrême-Orient

Les Huns et leurs migrations (IVe-Ve s.)

Région dominée par les Huns

Les Jouan-Jouan au Ve s.

L'Empire romain au IVe s.

(Labels de la carte)

Bretons Ve-VIe s.
Pictes
Angles
Saxons
Jutes
Saxons
Vouillé 507
FRANCS
SUÈVES
BURGONDES
Narbonne
Alamans
VANDALES
EMPIRE ROMAIN
Milan
Berbères Ve s.
455
Rome 410
Carthage
Gépides
WISIGOTHS
SLAVES
Résidence d'Attila 434-453
OSTROGOTHS v. 380
FINNO-OUGRIENS
Volga
D'OCCIDENT
Andrinople 378
Constantinople
Alains
HUNS
Mer d'Aral
Steppes du Tchou
Irt
EMPIRE ROMAIN
Tiflis
HUNS HEPHTHALITES v. 450
Samarkand
D'ORIENT
Alexandrie
EMPIRE PERSE
Ctésiphon
Merv
Yarkar
Rhassānides
Lakhmides
Tigre
Euphrate
SASSANIDE v. 224-651
Rhaznī
Indus
Nil
Blemmyes
EM
SIND IVe
MALV
Barygaza
CH

LES MIGRATIONS DE PEUPLES
en Eurasie du IVe au VIe siècle

Lena

Ienisséï

L. Baïkal

Orkhon

Kéroulen

Amour

**XIONGNU
(HIONG-NOU)
septentrionaux**

**XIANBEI
(SIEN-PEI)**

KÖ-GU-RYŎ

**XIONGNU
(HIONG-NOU)
méridionaux**

SIL-LA

PÄK-CĔ

**RUANRUAN
(JOUAN-JOUAN)**

Y
A
M
A
T
O

Tourfan

Dunhuang
(Touen-houang)

Yan
(Pékin)

ROYAUME TOBA

Yungang

BASSIN
TARIM

Huanghe
(Houang ho)

Tch'ang-ngan

Lo-yang

Jiankang
(Kien-kang, Nankin)

ĀRA

hotan

Yangzijiang
(Yang-tseu-kiang)

TIBET

Lhassa

Tch'eng-tou

Changsha
(Tch'ang-cha)

EMPIRE CHINOIS

ROY. DU
NÉPAL

Nanhai
(Nan-hai)

IPTA
VIe

Pāṭaliputra (Patna)

Mékong

KYA

KALINGA

TCHEN-LA

C
H
A
M
P
A

Les invasions barbares (IVe-V^es.) et les États barbares en Occident (début VIe s.)

→	Wisigoths		→	Francs
→	Ostrogoths		→	Anglo-Saxons
→	Vandales		····	Alains
→	Suèves		★	Batailles
→	Burgondes			

0   500   1000 km

565. À l'ouest enfin, la progression de ces mêmes Xiongnu pousse Huns et Germains en quatre vagues successives à l'intérieur de l'Empire romain, à partir de 375 (v. carte p. 36).

Les Huns représentent l'élément le plus spectaculaire parmi les peuples en quête de terres libres. À proximité de l'Empire romain, un Empire hunnique est sur le point de se fixer en Europe au temps d'Attila, qui installe sa résidence en Pannonie et intervient là où les défenses sont les plus faibles. À la fin du Ve siècle, ces Huns d'Occident se diluent dans la population euro-

péenne. L'Empire romain s'est effacé en Occident, laissant la place à des royaumes barbares. Le plus important est celui des Francs, principal État issu de l'invasion germanique. Vers le milieu du VIe siècle s'opère un nouveau mouvement d'ensemble. Des Lombards arrivent en Italie. Ils sont passés par l'Autriche et la Hongrie et sont entrés au service de Byzance contre les Ostrogoths d'Italie. Ils sont suivis par les Avars, qui s'installent à leur tour en Pannonie. Ces cavaliers, souvent turcs, viennent probablement de l'Altaï. Les Bulgares, d'origine turque, quittent à la même époque leur berceau de la plaine du Don, pour se porter vers les confins de l'Empire byzantin. Les Khazars, partis plus tard, occupent les steppes entre le Don et le Dniepr. L'Europe est donc transformée par une multitude d'apports ethniques du Nord et de l'Est. Les contacts culturels entre la romanité et les peuples immigrés fondent les bases de la civilisation médiévale. (V. cartes pp. 34, 38-39 et 194.)

Les Turcs deviennent les maîtres de l'Altaï vers 540. Leur empire s'étend rapidement, se sépare un moment en deux empires, occidental et oriental, se réunifie avant que la partie orientale ne soit confisquée au profit de l'empire ouïgour (v. 744). Expansionnistes, certains Turcs prennent le chemin de l'ouest, harcelant les Byzantins à partir du xᵉ siècle. Au sud, ils se heurtent aux Arabes en Asie centrale. De nombreux Turcs s'engagent alors comme mercenaires (mamelouks) au service des 'Abbāssides et des Sāmānides et fournissent un apport culturel non négligeable à la civilisation musulmane.

Après l'âge de la pierre, la Chine, à l'âge du bronze, passe lentement de la légende à l'histoire. La première grande dynastie, celle des Shang (xviiiᵉ-xiiᵉ siècle av. J.-C.), a le Henan (Ho Nan) pour centre de gravité. On assiste à la naissance d'une civilisation : des idéogrammes traduisent cette langue monosyllabique ; l'artisanat engendre l'art (vases polychromes) ; la religion est polythéiste. Les grands honorent leurs défunts par de vastes tombeaux, les pau-

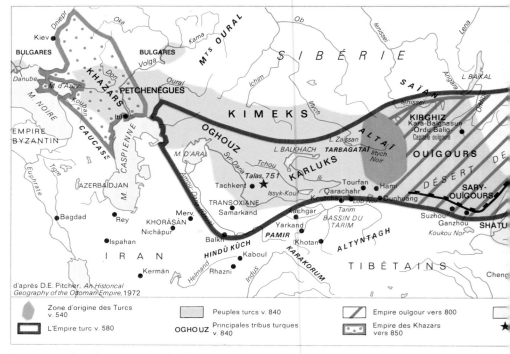

La conquête des steppes de l'Eurasie et les premiers Empires turcs (540-946)

vres implorent les génies de la nature. Avec les Zhou (à partir du XIIe siècle av. J.-C.), le centre géographique se déplace vers le Shǎnxi (Chen-si). Jusqu'en 771 av. J.-C., sous les Zhou occidentaux, le roi gouverne avec de nombreux fonctionnaires ; après cette date, sous les Zhou orientaux (722-221), le souverain est un véritable « roi fainéant » ; aux VIIe et VIe siècles, les *hégé-mons*, princes féodaux du Qi (Ts'i), du Jin (Tsin), du Chu (Tch'ou), du Wu (Wou) et du Yue, triomphent, car ils président aux rites d'alliance entre cités qui permettent aux plus puissantes de dominer les plus faibles. Depuis l'époque Shang, on s'efforce de suivre le *tao* (la « voie ») ; de grands philosophes apparaissent, Laozi (Lao-tseu) le mystique et Confucius. L'art produit des vases de bronze et des objets de jade. L'époque des Royaumes combattants (453-221) est une période de crise qui correspond aux débuts de la fonte du fer ; en 221 av. J.-C., la dynastie de Qin (Ts'in) réalise, sous le premier empereur Qin Shi Huangdi (Ts'in Che Houang-ti) [221-210 av. J.-C.], le premier rassemblement de toute la terre chinoise.

Préhistoire et période shang (XVIIIe-XIIe s. av. J.-C.)

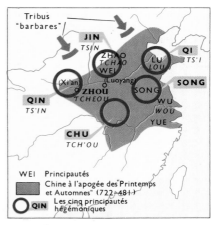

Les Zhou et la période des hégémons (VIIe-Ve s. av. J.-C.)

Les Royaumes combattants (V[e]-IIIe s. av. J.-C.)

Les Qin (IIIe s. av. J.-C.)

Sous les Han, le pouvoir impérial, tyrannique, s'appuie sur une armée forte et sur des finances aisées (impôts élevés et monopoles d'État). La société, où s'imposent les lettrés, est dominée par une noblesse d'argent qui entretient esclaves et harems. Les paysans, métayers et libres le plus souvent, vivent mal. La religion tend à n'être plus que philosophie ; celle-ci est divisée en écoles correspondant aux aspirations de différents groupes : le confucianisme des hauts fonctionnaires, formaliste, est un

athéisme de fait ; les humbles cherchent le salut par le taoïsme, puis par le bouddhisme ; les légistes, militaires, artisans ou commerçants, prônent l'établissement de la justice par la force. Les techniques (moulins à eau, papier) et les sciences (astronomie) brillent autant que les arts, bronzes, bijoux. Une telle prospérité assure à l'empereur Wudi (Wouti) [140-87 av. J.-C.] les moyens de dilater son empire dans trois directions : vers le nord-ouest et l'ouest, où, malgré les Xiongnu (Hiong-nou), est

ouverte la route du Tarim où s'établit Ban Chao au Ier siècle apr. J.-C. ; vers le sud, où le royaume de Nayue (Nan-yue) est annexé en 111 av. J.-C. ; vers le nord-est, où celui de Luolang (Lolang) est plus difficilement occupé en 108-107 av. J.-C. Mais, à partir du milieu du IIe siècle apr. J.-C., le jeu des clans (eunuques, généraux, lettrés) et la misère (révolte des Turbans jaunes en 184) ainsi que les menaces barbares préparent la chute des Han. La Chine est alors partagée en trois royaumes.

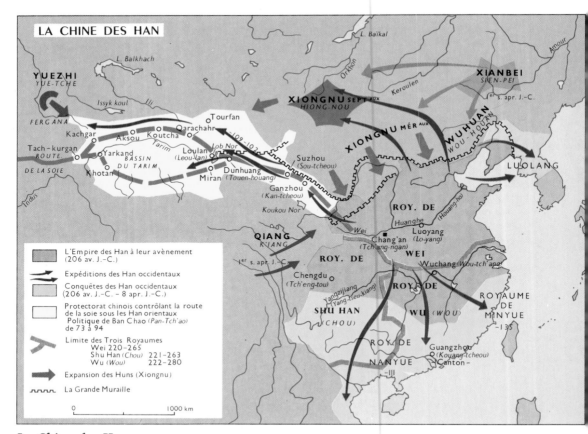

La Chine des Han

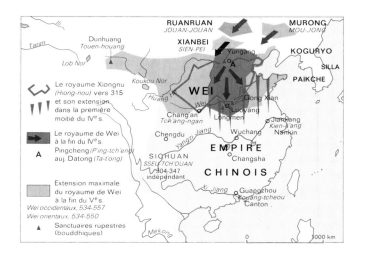

La Chine du IVᵉ au VIᵉ s.

S'exerçant contre la Chine depuis le Nord et le Nord-Ouest, la menace barbare s'ajoute, du IVᵉ au VIᵉ siècle, à la crise interne. Les pouvoirs du monarque sont limités, nombre de souverains meurent assassinés ; le pays est divisé, dès le IIIᵉ siècle, entre les Trois Royaumes (Wei, Wu [Wou] et Shu [Chou] Han) [v. carte p. 220] ; après une brève réunification sous l'autorité des Jin (Tsin) de l'Ouest (280-316), il se trouve de nouveau divisé entre le Sud, où se succèdent cinq dynasties d'origine chinoise, et le Nord, où règnent des dynasties barbares pendant la période dite « des Seize Royaumes » (311-436), parmi lesquels émerge celui des Wei du Nord (386-534/557). Dite également « des Six Dynasties » (cinq dans le Sud, une dans le Nord), cette période (316-580) s'achève par le retour à l'unité imposée par les Sui (Souei) de 581 à 618. Dans le même temps, les mentalités et la société évoluent : recul du confucianisme devant le bouddhisme et le taoïsme ; apparition de deux nouveaux types d'homme : l'aventurier et le dilettante.

Les Sui

La dynastie des Sui (581-618) est fondée par la famille Yang. Elle adopte deux capitales, Chang'an et Luoyang. L'annexion des royaumes du Sud contribue largement à recréer l'unité chinoise (589). L'empereur Wendi fait face à la menace des deux empires turcs et profite de leurs dissensions. Son successeur, Jangdi (605-616), fait creuser le Grand Canal, qui facilite le ravitaillement de Chang'an et de ses environs. L'œuvre administrative de la dynastie est importante : les bases de la centralisation impériale sont fondées. Mais, après de graves revers militaires en Corée (615), suivis d'une grande révolte intérieure, l'empire tombe dans l'anarchie jusqu'à ce que la dynastie des Tang rétablisse l'ordre.

Issue d'un coup d'État militaire, la dynastie des Tang (T'ang) prétend descendre de Lao-tseu et favorise le taoïsme. Taizong (T'ai-tsong) [627-649], vainqueur des Turcs orientaux et occidentaux, rétablit le contrôle chinois sur la route du Tarim ou « route de la soie », par où pénètrent le bouddhisme, l'islām, le christianisme nestorien ; mais il échoue en Corée. Il organise une administration centralisée, recrutée par concours. Remariée à son successeur, sa veuve, l'an-

cienne concubine Wu Zetian (Wou Tsö-t'ien) [† 705], se proclame « empereur » (690), favorise le bouddhisme, prend pour capitale Luoyang (Lo-yang) ; elle fait régner la terreur, mais combat énergiquement les Tibétains. La dynastie Tang est restaurée par Xuanzong (Hiuan-tsong) [713-756] qui passe pour le plus grand empereur de l'histoire chinoise. Il répare les canaux, construit d'énormes silos, organise militairement les frontières ; le commerce prospère ; le

règne est l'âge d'or des lettrés, mais sa fin est désastreuse : les musulmans prennent Tachkent, après une victoire écrasante sur le Talas (751) ; la rébellion d'An Lushan en 755 déchaîne l'anarchie, qui, malgré une courte rémission sous le règne de Hsientsong (Hien-tsong) [806-820], s'aggrave avec la terrible jacquerie de Huang Chao (Houang Tch'ao) [875-881]. Elle ne finit qu'avec le dernier Tang et le morcellement de l'Empire.
(V. carte pp. 196-197.)

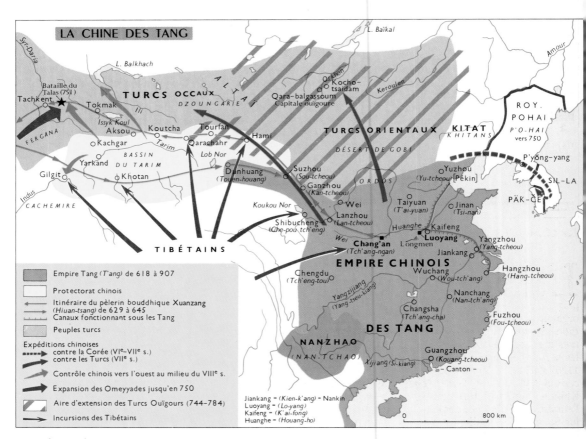

La Chine des Tang

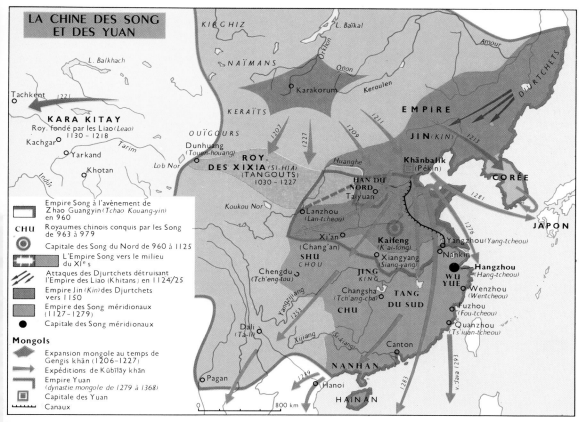

LA CHINE DES SONG ET DES YUAN

- Empire Song à l'avènement de Zhao Guangyin (*Tchao Kouang-yin*) en 960
- **CHU** Royaumes chinois conquis par les Song de 963 à 979
- Capitale des Song du Nord de 960 à 1125
- L'Empire Song vers le milieu du XIᵉ s
- Attaques des Djurtchets détruisant l'Empire des Liao (Khitans) en 1124/25
- Empire Jin (*Kin*) des Djurtchets vers 1150
- Empire des Song méridionaux (1127-1279)
- ● Capitale des Song méridionaux

Mongols
- Expansion mongole au temps de Gengis khân (1206-1227)
- Expéditions de Kūbīlāy khân
- Empire Yuan (*dynastie mongole de 1279 à 1368*)
- Capitale des Yuan
- Canaux

0   800 km

Labels visibles sur la carte : KIRGHIZ, L. Baïkal, Amour, NAÏMANS, Orkhon, Onon, Keroulen, Karakorum, KERAÏTS, DJURTCHETS, L. Balkhach, Tachkent 1221, OUÏGOURS, EMPIRE, KARA KITAY, Roy. fondé par les Liao (*Leao*) 1130-1218, Kachgar, Yarkand, Tarim, Dunhuang (*Touen-houang*), Lob Nor, ROY. DES XIXIA (*SI-HIA*) (TANGOUTS) 1030-1227, Huanghe, JIN (*KIN*), Khānbalik (*Pékin*), CORÉE, Khotan, Indus, Koukou Nor, HAN DU NORD, Taiyuan, Lanzhou (*Lan-tcheou*), Xi'an (*Chang'an*), Kaifeng (*K'ai-fong*), JAPON, Yangzhou (*Yang-tcheou*), Nankin, Hangzhou (*Hang-tcheou*), SHU CHOU, Xiangyang (*Siang-yang*), WU YUE, Chengdu (*Tch'eng-tou*), JING KING, Wenzhou (*Wen-tcheou*), Changsha (*Tch'ang-cha*), TANG DU SUD, Fuzhou (*Fou-tcheou*), Yangziljiang, CHU, Quanzhou (*Ts'iuan-tcheou*), Dali (*Ta-li*), Xijiang, Si-kiang, Canton, NANHAN, Pagan, Hanoi, v. Java 1293, HAINAN

La Chine des Song et des Yuan

Les débuts des Song sont heureux : ils unifient la Chine, achètent en 1004 la paix avec les Khitans au nord et organisent une administration modèle. Puis, en 1122, les Khitans menacent les Xixia et, pour les secourir, Houei-tsong (1100-1125) s'allie aux Djurtchets ; ceux-ci rejettent vers l'ouest les Khitans, fondent à leur place l'empire Jin (*d'or*) et attaquent les Song, qui se replient à Nankin, puis à Hangzhou (1127). Il y a alors trois Chines : celle des Xixia, celle des Jin, celle des Song méridionaux (dont la civilisation reste brillante). Au début du XIIIᵉ siècle, le Mongol Gengis khân submerge les Xixia et repousse les Jin ; après sa mort (1227), Ogoday domine les Jin, puis, en 1234, pénètre dans la Chine des Song, que Kūbīlāy élimine définitivement en 1279 pour fonder la dynastie Yuan, avec Khānbalik (Pékin) pour capitale. Il y héberge le Vénitien Marco Polo. Ses tentatives d'invasion du Japon, du Champa, de la Birmanie et de Java ne lui permettent que de faire re-

connaître sa « suzeraineté » sur la péninsule indochinoise. Premiers étrangers à gouverner la Chine entière, les Yuan représentent, parmi les grandes dynasties, celle dont la durée est la plus brève : l'immense empire de Kūbīlāy dépasse les forces trop peu nombreuses de ses successeurs, qu'affaiblissent des querelles familiales. Diffusée à partir de 1351, la révolte chinoise aboutit à la restauration d'une dynastie nationale, celle des Ming (1368). (V. cartes pp. 224 et 225.)

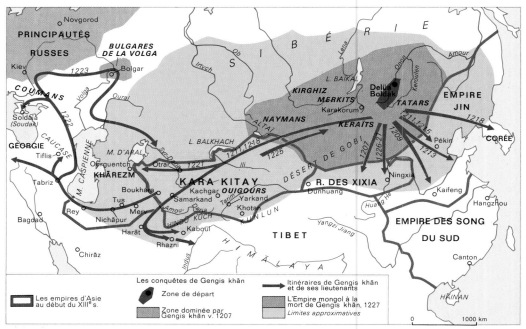

L'Empire mongol de Gengis khān

É lu khān des Mongols en 1196, Gengis khān (Tchin-gīz khan) unifie les tribus mongoles et turco-mongoles en les opposant avec habileté les unes aux autres : Tatars à l'est de 1198 à 1202 ; Keraïts au centre en 1203 ; Naïmans et Merkits à l'ouest en 1204 et en 1205. Proclamé khaghān (khān suprême) de toutes les tribus par le quriltay de 1206 (assemblée générale des chefs mongols), Gengis khān instaure alors un véritable État mongol, en em-pruntant aux Ouïgours leurs institutions administratives et en imposant à tous le respect du droit mongol. Surtout, il entreprend de dilater son État en un vaste empire qui englobe, au nord, les Oïrats (Kalmouks) et les Kirghiz en 1207 ; au sud et au sud-est, les Xixia (Shi-hia) de 1205 à 1207 et l'empire des Jin (Kin) jusqu'au Huanghe (Houang-ho), au sud-ouest, les Kara Kitay en 1218 et le Khā-rezm, au prix de rudes combats, de 1219 à 1224. Dirigé par ses fils Subutāy et Djebe, le raid dévastateur de 1222-23 ravage la Russie méridionale sur les rives de la Kalka, petite rivière qui se jette dans la mer d'Azov. Ces deux chefs mongols défont même totalement le prince de Kiev le 31 mai 1223. Mais la mort du conquérant, le 18 août 1227, laisse à ses héritiers le soin d'achever la conquête de l'Asie (sauf l'Inde et l'extrême Sud-Est) et de la pacifier sous la domination mongole. (V. cartes pp. 200-201 et 223.)

Héritiers de Gengis khān, les khaghāns Ogoday (1229-1241), Güyük (1246-1248) et Möngke (1251-1259) achèvent la conquête mongole. De 1229 à 1235, le premier élimine définitivement les Jin (Kin) de la Chine du Nord. Dotant alors l'Empire d'une capitale fortifiée, Karakorum, en 1235, il y convoque aussitôt un quriltay (assemblée des chefs de tribus), qui décide de lancer une offensive générale dans quatre directions : l'Europe, où, de 1236 à 1242, Batū khān sème la terreur jusqu'à l'Adriatique ; le Moyen-Orient, où l'Azerbaïdjan et la Transcaucasie sont conquis (1231-1239), le sultanat seldjoukide de Rūm vassalisé (1243), Bagdad occupée (1258) ; la Corée, qui est rapidement assujettie (1236-1241) ; la Chine méridionale, où les Song ne sont éliminés qu'en 1279 par Kūbīlāy khān (1260-1294) qui, de 1274 à 1293, tente de vassaliser en vain le Japon et Java, mais soumet l'Asie du Sud-Est.

La cohésion de l'ensemble est assurée par la grande armée impériale et par un remarquable système de postes (yam) qui permettent la libre circulation des hommes (Matteo, Niccolo et Marco Polo), des biens (soie), et des idées (christianisme). Mais cet Empire, le plus vaste qui ait jamais existé, ne résiste pas aux rivalités qui opposent les descendants de Gengis khān et qui le disloquent en khānats bientôt ennemis : *Qiptchaq* (Horde d'Or) et Horde Blanche détenus par les héritiers de l'aîné, Djütchī ; Asie centrale possédée par ceux du second, Djaghataï ; Chine (empire des Yuan) et Perse (empire des Ilkhāns) fondées respectivement par Kūbīlāy (1249) et par Hūlāgū (1256), tous deux fils du cadet Tuli. Ainsi se trouve facilitée la renaissance des nations traditionnelles, qui assimilent leurs vainqueurs. (V. cartes pp. 170, 200-201, 233, 234 et 244.)

L'Empire mongol au XIIIe s.

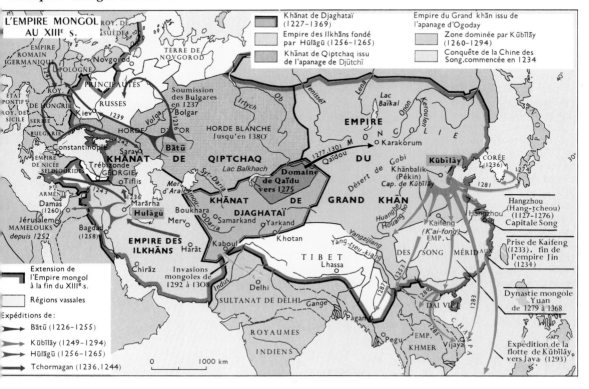

Les seize empereurs Ming rendent la Chine à ses traditions et la rétablissent dans sa puissance du VIIIe siècle. Le fondateur, Hongwu (Hongwou) [1368-1398], gouverne de Nankin, avec l'aide d'un Grand Conseil de cinq ou six membres et celle d'une administration recrutée par concours et étroitement surveillée. Yongle (Yunglo) [1403-1424] fait définitivement de Pékin, en 1421, une capitale d'aspect monumental. Ses successeurs exercent un pouvoir absolu, gêné par les intrigues des concubines et des eunuques, maintenu par des épurations sanglantes. Le pays reste prospère, à l'abri de la Grande Muraille, restaurée et prolongée ; l'époque produit une céramique superbe, des romans, des opéras encore populaires. Au début du XVIe siècle, les Portugais apparaissent, suivis des Espagnols, des Hollandais, tous mal reçus ; mais l'empereur Wanli (Wan-li) [1573-1620] accueille à la cour le père Matteo Ricci, jésuite. Au XVIIe siècle, les Mandchous franchissent la Grande Muraille (1629) et menacent Pékin, en même temps que les paysans du Shǎnxi (Chen-si) et du Henan (Honan), qui se sont révoltés sous la direction de Li Zicheng (Li Tseu-tch'eng, v. 1605-1645). Abandonné, l'empereur Tch'ung-tchen [Tchouang-lie-tï] (1628-1644) se pend ; les chefs militaires font appel aux Mandchous, qui mettent les rebelles en déroute, mais s'emparent de Pékin et du pouvoir (1644). Une résistance Ming persiste dans le Sud-Est pendant une trentaine d'années ; Koxinga (Zheng Cheng-gong) [Tcheng Tch'eng-kong] et son fils la prolongent à Taiwan jusqu'en 1683.

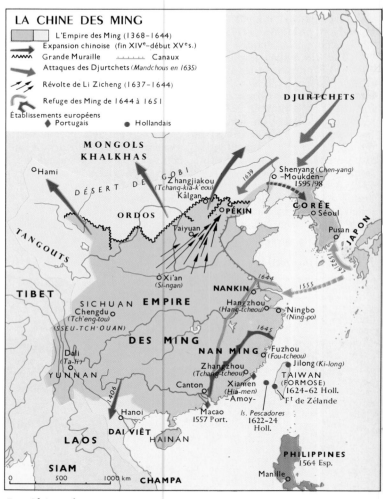

LA CHINE DES MING

- L'Empire des Ming (1368-1644)
- Expansion chinoise (fin XIVe–début XVes.)
- Grande Muraille — Canaux
- Attaques des Djurtchets (Mandchous en 1635)
- Révolte de Li Zicheng (1637-1644)
- Refuge des Ming de 1644 à 1651
- Établissements européens
  - ◆ Portugais ● Hollandais

La Chine des Ming

LA CHINE DES QING

La Chine des Qing (Ts'ing), dynastie mandchoue (1644-1911)

Frontière de l'Empire Qing lors de sa plus grande extension septentrionale

Nankin 1842 Traités

Régions contrôlées par les Taiping(T'ai-p'ing) de 1850 à 1864

Principales insurrections musulmanes

Territoires tenus par les Boxeurs (Boxers) en 1900

Ports ouverts aux étrangers en 1842 (traité de Nankin)

Ports et villes ouverts en 1858 (traité de T'ien-tsin)

Territoires à bail   ■ Colonies européennes

Révolution de 1911

La Chine des Qing

Les premiers Qing gouvernent en vrais et grands empereurs chinois. Kangxi (K'ang-hi) [1661-1722] et Qianlong (K'ien-long) [1736-1796] annexent la Mongolie, le Tibet, la vallée de l'Ili, le Xinjiang (Sinkiang) et arrêtent l'infiltration russe par le traité de Nertchinsk en 1689. Jamais l'Empire n'a été si vaste, si prospère, si peuplé, puisqu'il englobe dès lors le bassin de l'Amour : c'est la *Pax sinica*, de 1683 à 1830 environ. Puis, la corruption, les eunuques, les sociétés secrètes, les étrangers (Anglais, Français, Russes d'abord – Allemands, Japonais ensuite) minent les assises de la dynastie. Le traité de Nankin (ouverture de cinq ports et cession de Hongkong au Royaume-Uni, 1842) inaugure l'ère des « traités inégaux ». À Pékin (1860), les Anglo-Français imposent l'ouverture de nouveaux ports (onze), et les Russes, qui ont annexé les territoires au nord de l'Amour (Aihun, 1858), s'avancent jusqu'à la mer du Japon. En écrasant la révolte des Taiping (T'ai-p'ing), les Anglo-Américains raffermissent la dynastie au profit de l'impératrice douairière Zixi (Ts'eu-hi) [1861-1908], adversaire des réformes. Deux guerres perdues, contre la France (1883-1885) et le Japon (1894-1895), la défaite des Boxeurs (Boxers), société secrète antieuropéenne soutenue par Zixi (1900), la contraignent aux réformes – trop tard ! Peu après sa mort (1908), la révolution préparée par Sun Yat-sen part de Wuchang (Wou-tch'ang) le 10 octobre 1911, gagne Nankin (novembre) et force le régent à abdiquer au nom du dernier empereur, Puyi (P'ou-yi), un enfant (12 février 1912).

L a révolution de 1911 débouche sur la proclamation de la république, avec à sa tête Sun Yat-sen (1912). Mais ce dernier est vite évincé par Yuan Che-K'ai (Yuan Shi-kai), qui instaure une dictature militaire. À sa mort (1916), la Chine, partagée en zones d'influence par les puissances étrangères, est alors plongée dans le chaos. Le Japon s'empare des concessions allemandes et le pays, devenu le jouet de généraux rivaux, est en voie de désintégration politique. Après 1927, Sun Yat-sen s'allie avec le parti communiste et obtient l'appui militaire soviétique. Après sa mort (1925), son successeur Tchang Kaï-chek (Jiang Jieshi) rompt cette alliance, lance l'« Expédition vers le Nord » dissident et entreprend la reconstruction politique et économique du pays, mais il ne peut empêcher les communistes de former une armée populaire paysanne. En 1931, Mao Zedong (Mao Tsö-tong) proclame une république soviétique chinoise dans la province du Jiangxi et, en 1934, commence la « Longue Marche », alors que se précise la menace japonaise (occupation de la Mandchourie en 1931).

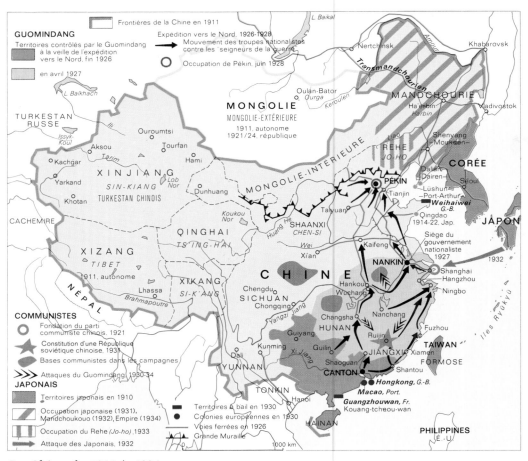

La Chine de 1911 à 1934

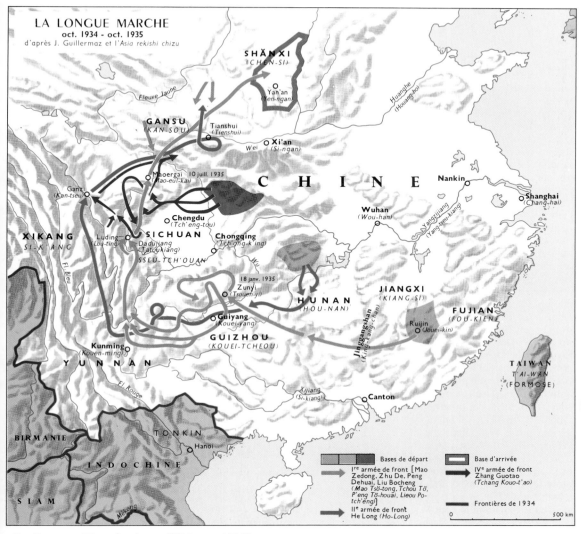

La Longue Marche (oct. 1934-oct. 1935)

Après 1927, le parti communiste chinois se replie vers les campagnes. Mao Zedong fonde dans le Jiangxi (déc. 1931) une république soviétique où apparaît déjà le particularisme du communisme chinois, militaire et paysan. Encerclés dès 1932 par les troupes de Tchang Kaï-chek, les communistes doivent s'enfoncer dans les montagnes de l'Ouest. La « Longue Marche », qui dure un an, est une épreuve épuisante (130 000 hommes au départ, 30 000 à l'arrivée), mais elle permet aux troupes communistes d'entrer en contact avec les paysans. Nommé « président du comité central » (janv. 1935), Mao Zedong poursuit son avance vers le Nord. Peu après, Tchang Kaï-chek se dirige vers le Sichuan. Mao Zedong fonde à Yan'an une nouvelle république soviétique (oct. 1935) où il adapte le marxisme à la Chine.

La crise économique de 1929, qui éprouve durement le Japon, entraîne le retour au pouvoir des militaires, appuyés par les dirigeants de la grande industrie. La Mandchourie, réservoir de matières premières et débouché des produits japonais, est la première victime de leur politique impérialiste : profitant d'un attentat contre la voie ferrée du Sud-Mandchourien, les militaires japonais occupent Moudken (sept. 1931), puis conquièrent le pays en quelques semaines. Ils créent en Mandchourie (mars 1932) un État fantoche, le Mandchoukouo, qui devient un véritable protectorat japonais. Il servira de base à l'élargissement de l'influence japonaise en Mongolie et en Chine du Nord. Mais ce « grignotage », favorisé par la passivité d'un gouvernement chinois surtout préoccupé de combattre les communistes, suscite une réaction nationaliste : à la suite de l'incident de Xi'an (Si-ngan), le 12 décembre 1936, Jiang Jieshi (Tchang Kaï-chek) est contraint d'accepter le « front commun » avec les communistes. Brusquant alors les événements, le Japon envahit la Chine en juillet 1937 et occupe rapidement tout l'est du pays, jusqu'à Nanjing (Nankin), où le gouvernement collaborateur de Wang Jingwei (Wang Tsin-wei) est installé le 30 mars 1940. Mais le contrôle effectif des Japonais se limite aux grandes villes et aux voies de communication, ce qui favorise la résistance des troupes de Jiang Jieshi (qui s'est replié sur Chongqing [Tch'ong-k'ing]) et surtout la guérilla communiste, qui immobilise d'importantes troupes japonaises. (V. carte p. 95.)

L'invasion japonaise

Après la capitulation japonaise, communistes et nationalistes se retrouvent face à face, l'armée de libération de Mao Zedong (Mao Tsö-tong) [500 000 hommes] ayant refusé de se fondre dans celle de Tchang Kaï-chek (Jiang Jieshi). Les forces communistes dominent en Chine du Nord et pénètrent en Mandchourie, précédemment occupée par les Soviétiques. Le Guomindang récupère, lui, la plupart des grandes villes.

Les négociations pour la création d'un gouvernement national commun (visite de Mao Zedong à Tch'ong King [Chongqing], 1946) sont un échec, de même que la mission de médiation du général américain Marshall : le rapport du général accablant les dirigeants nationalistes, les États-Unis suspendent leur aide militaire. La guerre civile est inévitable. Jusqu'en 1948, les adversaires engagent une course de vitesse dans le but de récupérer les territoires abandonnés par les Japonais.

Ensuite, la supériorité numérique et la stratégie militaire des forces communistes leur permettent de l'emporter partout. Elles prennent T'ien-tsin (Tianjin) et Pékin (janvier 1949), écrasent les troupes nationalistes restées au nord du Yangzijiang, occupent Nankin (avril), Hang-tcheou (Hangzhou), Shangai (Chang-hai) en mai, Canton en octobre. Le 1er octobre 1949, la République populaire de Chine est proclamée. Le gouvernement de Tchang Kaï-chek se réfugie à Taiwan (Formose).

La Chine de 1945 à 1949

L'organisation administrative chinoise obéit à deux impératifs : un souci de centralisation mais aussi la volonté de respecter le particularisme des populations allogènes. La Chine se partage en 22 provinces et 5 régions autonomes. Le gouvernement donne ses ordres directement aux comités révolutionnaires des provinces, ainsi qu'aux trois grandes villes : Beijing (Pékin), Tianjin et Shanghai. Un rôle essentiel est dévolu aux 75 000 communes créées en 1958. La commune populaire est la collectivité de base de la société ; c'est une unité économique et sociale autonome, placée sous la direction d'un comité révolutionnaire élu. La Chine est un État multinational et les minorités ethniques jouissent d'un statut particulier. Ces minorités vivent dans cinq grandes régions qui couvrent de 50 à 60 p. 100 de la superficie de la Chine : Guangxi, Xizang, Xinjiang, Ningxia, Neimenggu. Elles représentent 60 millions de personnes (6 p. 100 de la population chinoise), partagées en 50 ethnies et 55 minorités nationales.

Chine : divisions administratives

Le morcellement physique et humain n'a pas permis l'éclosion d'une civilisation indépendante dans la péninsule indochinoise, située dans la zone de convergence des civilisations indienne et chinoise. La première pénètre tous les peuples indochinois, à l'exception des Vietnamiens, et aboutit à la formation, aux premiers siècles de notre ère, de royaumes totalement indianisés. Au IXe siècle, l'émigration des habitants de Prome à Pagan donne réellement naissance à la Birmanie. Les Khmers édifient de vrais empires, porteurs d'une brillante civilisation : après la domination du Fou-nan du IIe au VIe siècle, le relais est pris par la principauté des Kambujas du Tchen-la qui l'absorbe au milieu du VIe siècle. Ainsi se constitue un puissant empire khmer, dont l'apogée au XIIe siècle se reflète dans la splendeur des monuments d'Angkor Vat. Mais, à partir de la fin du XIIIe siècle, la décadence khmère témoigne du recul de l'influence indienne et des progrès des éléments mongoloïdes.

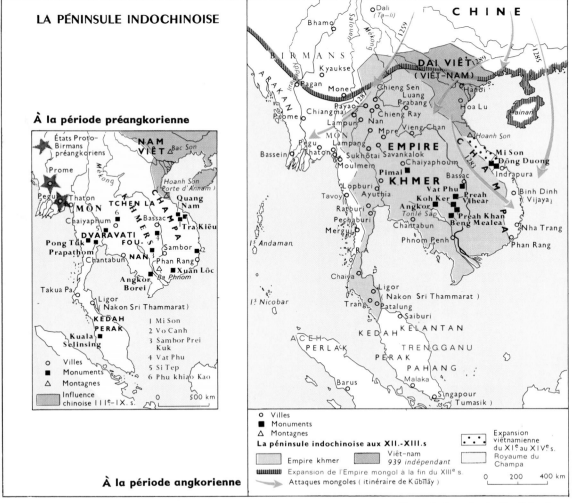

LA PÉNINSULE INDOCHINOISE

À la période préangkorienne

À la période angkorienne

La péninsule indochinoise

LE VIÊT-NAM
DES ORIGINES AU Xᵉ SIÈCLE

Le Viêt-nam apparaît divisé en deux aires culturelles. Au sud, les Chams subissent l'influence indienne par l'intermédiaire du Fou-nan (Oc-èo, centre du commerce international), puis du Tchen-la ; en 192,

ils fondent le royaume du Champa. Au nord, les Vietnamiens sont marqués par l'influence chinoise, qui devient prépondérante à partir de la création du royaume du Nam Viêt (en chin. Nanyue [Nan-yue]), en 208 av. J.-C. Annexé en 111 av. J.-C. par les Han et englobé dans le Nanyue, le nouveau royaume

du Nam Viêt (Tonkin, Thanh-hoa, Je-nan) subit une sinisation. Le sentiment national provoque des révoltes et, en 939, le pays se libère des Chinois. Après un siècle d'anarchie, l'arrivée au pouvoir de la dynastie Ly consolide définitivement le nouveau royaume du Dai Viêt. (V. cartes pp. 222 et 233.)

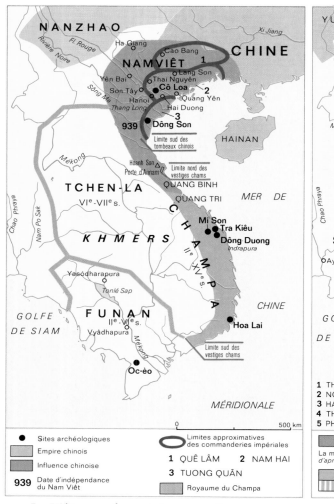

Le Viêt-nam des origines au Xᵉ s.

Le Viêt-nam du XIᵉ au XVIIIᵉ s.

L'Indochine française

Le Viêt-nam actuel

Étapes de la colonisation française
1859-62 1883-85
1863   1893
1867
1873 (Francis Garnier)

Provinces cédées par le Siam en 1907
Limites de l'Indochine française en 1927
Transindochinois commencé en 1921, terminé en 1936

LE VIÊT-NAM DU XIᵉ AU XVIIIᵉ SIÈCLE

L'organisation d'un pouvoir central fort, établi en 1020 à Thang Long (Hanoi), s'appuyant sur une classe de mandarins, permet de développer la puissance du Dai Viêt, qui pratique une politique d'expansion. Impossible vers le nord en raison de la présence menaçante des Chinois, cette expansion s'exerce au sud, aux dépens du Champa, qui perd ses provinces septentrionales (en deux étapes [1069 et 1307]), puis le Centre-Annam après une bataille décisive en 1471. Le pays se divise au XVIᵉ siècle. Tandis que le Nord est soumis à la dictature du clan Trinh, les Nguyên, établis à Phu Xuân (Huê), reprennent à leur compte la marche vers le sud, atteignant, à la fin du XVIIᵉ siècle, le delta du Mékong, d'où ils refoulent peu à peu les Khmers. Ayant retrouvé son unité en 1789, le Dai Viêt semble atteindre alors son apogée. (V. cartes pp. 222, 223, 225 et 226.)

Pour protéger les chrétiens persécutés, Napoléon III fait occuper Saigon en 1859, la Cochinchine orientale (1862-1864), puis occidentale (1867), le Cambodge étant placé, en 1863, sous protectorat français et ainsi soustrait aux ambitions du Siam. Le désir de conquérir le marché chinois explique l'extension vers le nord. Francis Garnier remonte le Mékong (1866-1868), prend Hanoi en 1873, mais il est tué le 21 décembre. L'assassinat du commandant Rivière à Hanoi (1883) provoque l'intervention décisive : le 25 août, l'Annam accepte le protectorat français, étendu au Tonkin le 6 juin 1884. Malgré l'incident de Lang Son en mars 1885, la Chine accepte le fait accompli. Regroupés en 1887 en une Union indochinoise, accrue en 1893 du Laos, conquis pacifiquement, ces territoires sont soumis à une centralisation systématique et connaissent un essor économique favorisé, à la veille du second conflit mondial, par les chemins de fer transindochinois et du Yunnan.

Conséquence de la défaite française en Europe, l'occupation japonaise, à partir du 23 septembre 1940, a renforcé le nationalisme indochinois ; aussi, le 2 septembre 1945, profitant du vide du pouvoir dû à la capitulation japonaise, Hô Chi Minh, chef du mouvement nationaliste et communiste viêt-minh, proclame à Hanoi l'indépendance du Viêt-nam. Pour se réinstaller au Tonkin, les Français doivent donc négocier avec lui ; mais malentendus et suspicions concernant l'interprétation des clauses de l'accord du 6 mars 1946 engendrent deux incidents graves qui créent l'irréparable : le bombardement de Hai-phong par l'artillerie française le 23 novembre ; l'attaque de Hanoi par Vô Nguyên Giap le 19 décembre. Pendant trois ans, les Français se heurtent à la guérilla menée par le Viêt-minh qui, par la propagande ou la terreur, s'assure le contrôle de vastes régions rurales en Cochinchine et au Tonkin ; à partir de 1950, l'aide massive que lui assurent les communistes chinois permet au général Giap de remporter d'importants succès dans le nord du Tonkin. En renforçant les effectifs franco-vietnamiens (près de 450 000 hommes à la fin de 1953) et en obtenant l'aide des États-Unis, déjà alertés par la guerre de Corée, le général de Lattre de Tassigny opère pendant deux ans un redressement militaire, mais le désastre de Diên Biên Phu, le 7 mai 1954, précipite la fin de la guerre : dans la nuit du 20 au 21 juillet, à la conférence de Genève, Pierre Mendès France entérine le partage provisoire du Viêt-nam en deux zones, de part et d'autre du 17e parallèle nord, et confirme l'intégrité des États du Cambodge et du Laos, dont l'indépendance a été affirmée dès 1953.

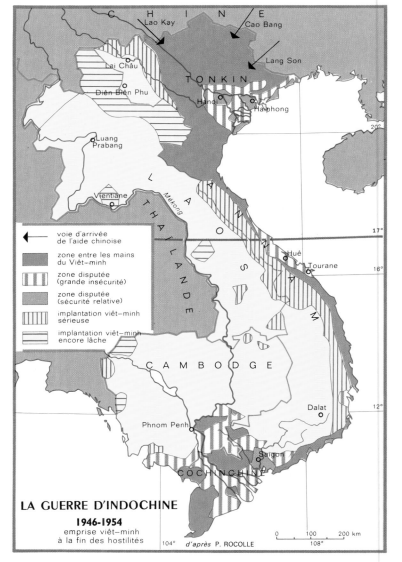

LA GUERRE D'INDOCHINE
1946-1954
emprise viêt–minh
à la fin des hostilités

voie d'arrivée de l'aide chinoise

zone entre les mains du Viêt–minh

zone disputée (grande insécurité)

zone disputée (sécurité relative)

implantation viêt–minh sérieuse

implantation viêt–minh encore lâche

d'après P. ROCOLLE

La guerre d'Indochine :
emprise viêt-minh
à la fin des hostilités

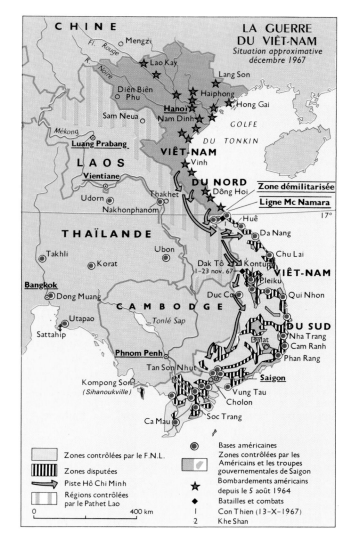

LA GUERRE DU VIÊT-NAM
Situation approximative décembre 1967

CHINE

Fl. Rouge
R. Noire
Mengzi
Lao Kay
Lang Son
Diên Biên Phu
Haiphong
Hanoi
Hong Gai
Sam Neua
Nam Dinh
GOLFE
DU TONKIN
Mékong
Luang Prabang
VIÊT-NAM
LAOS
Vinh
Vientiane
DU NORD
Dông Hoi
Zone démilitarisée
Udorn
Thakhet
Ligne Mc Namara
Nakhonphanom
17°
Huê
THAÏLANDE
Da Nang
Ubon
Chu Lai
Takhli
Dak Tô
1-23 nov. 67
Kontum
VIÊT-NAM
Korat
Pleiku
Bangkok
Qui Nhon
Dong Muang
Duc Co
CAMBODGE
Tonlé Sap
DU SUD
Utapao
Dalat
Nha Trang
Cam Ranh
Sattahip
Phan Rang
Phnom Penh
Tan Son Nhut
Kompong Son
(Sihanoukville)
Saigon
Vung Tau
Cholon
Ca Mau
Soc Trang

Zones contrôlées par le F.N.L.
Zones disputées
Piste Hô Chi Minh
Régions contrôlées par le Pathet Lao
0   400 km

Bases américaines
Zones contrôlées par les Américains et les troupes gouvernementales de Saigon
Bombardements américains depuis le 5 août 1964
Batailles et combats
1   Con Thien (13-X-1967)
2   Khe Shan

La guerre du Viêt-nam
Situation approximative
(déc. 1967)

L a guerre du Viêt-nam est née du refus de Ngô Dinh Diêm, chef de la république du Viêt-nam (sud), de procéder aux élections prévues par les accords de Genève. Regroupant communistes et progressistes sud-vietnamiens, le Front national de libération (F.N.L.) coordonne les opérations de guérilla menées contre le régime en place dès sa fondation en 1960.

Deux facteurs contribuent à l'internationalisation rapide du conflit : l'intervention directe des États-Unis (165 000 hommes en 1965 ; 510 000 en 1968) pour éviter l'effondrement du Viêt-nam du Sud ; l'aide apportée au F.N.L., via la « piste Hô Chi Minh », par les armées du Viêt-nam du Nord, appuyées par le Pathet Lao et largement ravitaillées en matériel par l'U.R.S.S. et

par la Chine. Aussi les combats s'aggravent-ils dans le Sud et la guerre s'étend-elle au Nord, bombardé par les Américains. L'échec de la politique de « pacification » est révélé par l'« offensive du Têt » du 30 janvier 1968 et par l'hostilité de l'opinion américaine, ce qui entraîne l'arrêt des bombardements sur le Nord, l'ouverture de négociations et la mise en œuvre d'une nouvelle stratégie en 1969. Mais, ni la « vietnamisation » de la guerre, ni son extension au Cambodge en avril 1970, pour couper la « piste Hô Chi Minh », ni la reprise des bombardements sur le Nord, ni le blocus naval du golfe du Tonkin ne viennent à bout de la résistance du peuple vietnamien. Aussi les États-Unis se retirent-ils du conflit, auquel il est mis un terme théorique par les accords de Paris du 27 janvier 1973. Ne recevant plus, dès lors, qu'une aide américaine limitée, le gouvernement sud-vietnamien du général Nguyên Van Thiêu s'effondre le 30 avril 1975, après deux ans de résistance.

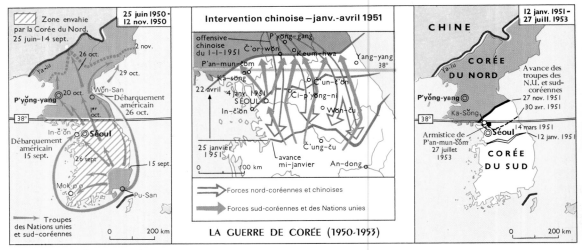

La guerre de Corée (1950-1953)

En 1945, après la défaite du Japon, la Corée est divisée en deux zones d'occupation, américaine et soviétique, de part et d'autre du 38e parallèle nord. La guerre froide rendant la réunification impossible, la « république de Corée » (au sud) et la « république démocratique populaire de Corée » (au nord) sont créées en 1948. Encouragés par les succès communistes en 1949 (première bombe atomique soviétique, victoire communiste en Chine), les Nord-Coréens franchissent le 38e parallèle par surprise le 25 juin 1950 et marchent sur Séoul. Le Conseil de sécurité de l'O.N.U., dont l'U.R.S.S. se trouve volontairement absente, et qui ne peut donc user valablement de son droit de veto, enjoint à la Corée du Nord de cesser son agression, puis, dès le 27 juin, fait appel aux nations membres pour porter militairement assistance à la Corée du Sud. Le même jour, le président Truman s'y engage au nom des États-Unis. Le 28, Séoul est prise par les Nord-Coréens et, dès le 30, les divisions américaines stationnées au Japon interviennent sous le commandement de MacArthur. Aux troupes américaines se joindront des contingents plus ou moins symboliques de pays occidentaux (Grande-Bretagne, France, Belgique, Turquie) ou asiatiques (Thaïlande, Philippines). Les troupes débarquent à In-čŏn (Inchon) le 15 septembre 1950, prennent Séoul, et atteignent le Ya-lu le 26 octobre. Elles sont rejetées aussitôt par les « volontaires » chinois jusqu'au sud de Séoul, qui tombe le 4 janvier 1951, avant d'être reprise le 14 mars par les troupes de MacArthur. Celles-ci sont renforcées par le président Harry Truman, qui refuse cependant de recourir à l'arme nucléaire, de peur de déclencher une troisième guerre mondiale. MacArthur est rappelé le 11 avril, et son successeur, le général Ridgway, stabilise le front entre le 23 mai et le 27 novembre 1951, un peu au nord du 38e parallèle. Après deux ans de négociations, l'armistice est signé à P'an-mun-čŏm (Panmunjom) le 27 juillet 1953 : il rétablit le *statu quo ante*, sans résoudre le problème coréen.

Conquête de l'archipel par les Japonais (IVᵉ-XVIIIᵉ s.)

D'abord peuplé par des groupes venus de Sibérie ou de l'Asie méridionale, le Japon reçoit, au Iᵉʳ millénaire avant notre ère, de nouveaux arrivants. Leur avance technique (riziculture, métallurgie), l'unification des clans primitifs en petits royaumes permettent la formation, au milieu du VIᵉ siècle, d'un « empire » : l'État du Yamato. Au terme de violents affrontements, les Aïnous sont refoulés au VIIIᵉ siècle au nord de Honshū. Mais cette expansion est freinée, à partir du XIIᵉ siècle, par le développement progressif d'une « féodalité » et par l'affaiblissement d'un pouvoir impérial trop éloigné (à Heijō-kyō [Nara], 710-794 ; puis à Heian-kyō [Kyōto], 794-1185) : après l'expulsion définitive des Aïnous d'Honshū, seule la restauration d'un pouvoir central fort (qui s'installe à Edo [auj. Tōkyō] en 1603) permet d'engager la colonisation d'Hokkaidō.

DISTRIBUTION DES GRANDS SEIGNEURS AU XVIᵉ SIÈCLE

L'usurpation de vastes domaines, qu'ils concèdent en fiefs à des vassaux, fait des gouverneurs provinciaux de véritables « seigneurs féodaux » *(daimyō)*, disposant d'une vaste clientèle, et pratiquement indépendants du pouvoir du *shōgun* résidant à Kyōto. Le morcellement politique affaiblit l'autorité centrale ; le pouvoir est en effet accaparé par une trentaine de grands daimyō, par une centaine de petits seigneurs révoltés, enfin par les sectes religieuses (Ikkō). Les guerres sanglantes plongent le pays dans l'anarchie et le ruinent en suscitant de nombreuses jacqueries, qui aggravent les désordres.

LES SOIXANTE-SIX PROVINCES TRADITIONNELLES À L'ORIGINE

Dans un cadre provincial qui n'a guère changé depuis le VIIᵉ ou le VIIIᵉ siècle, le rétablissement, au XVIIᵉ siècle, de l'autorité centrale par la dynastie shōgunale des Tokugawa entraîne un nouveau style de gouvernement local, mélange de féodalité et de centralisation. Le processus de féodalisation semble achevé, puisque les provinces sont concédées en fiefs aux daimyō ; mais le shōgun y assure son autorité en « domestiquant » les seigneurs, contraints de résider une année sur deux dans la capitale, Edo (aujourd'hui Tōkyō).

cartes p. 240 →

Japon : distribution des grands seigneurs au XVIe s.

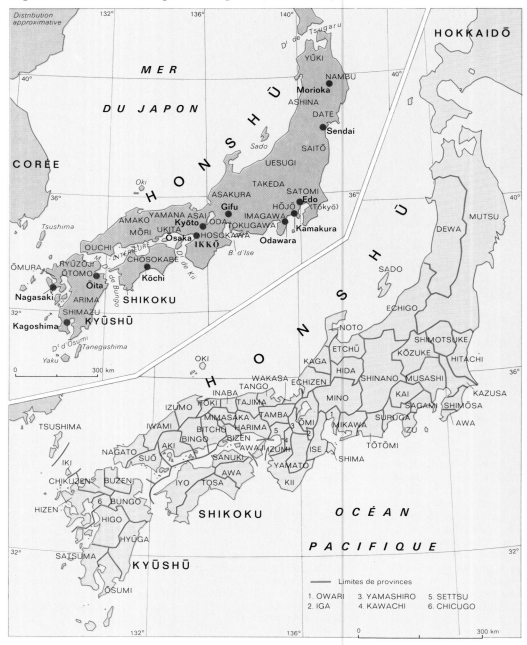

Distribution approximative

MER DU JAPON

CORÉE

HONSHŪ

HOKKAIDŌ

YŪKI
NAMBU
Morioka
ASHINA
DATE
Sendai
SAITŌ
Sado
UESUGI
TAKEDA
SATOMI
ASAKURA
HŌJŌ
Edo (Tōkyō)
AMAKO
YAMANA ASAI
Gifu
ODA
IMAGAWA
Kyōto
TOKUGAWA
MŌRI
UKITA
Kamakura
OUCHI
HOSOKAWA
Ōsaka
Odawara
IKKŌ
B. d'Ise
CHŌSOKABE
RYŪZŌJI
ŌTOMO
ŌMURA
Ōita
Kōchi
Nagasaki
ARIMA
SHIKOKU
SHIMAZU
KYŪSHŪ
Kagoshima
Tsushima
Oki
MUTSU
DEWA
SADO
ECHIGO
NOTO
SHIMOTSUKE
ETCHŪ
KŌZUKE
HITACHI
KAGA
HIDA
OKI
WAKASA ECHIZEN
SHINANO MUSASHI
TANGO
KAI
KAZUSA
INABA
MINO
SAGAMI SHIMŌSA
IZUMO HŌKI TAJIMA
TSUSHIMA
MIMASAKA TAMBA
MIKAWA
IZU
AWA
IWAMI
BITCHŪ HARIMA
ŌMI
SURUGA
BINGO BIZEN
BANGO
TŌTŌMI
AKI
AWAJI IZUMI
SHIMA
NAGATO SUŌ
SANUKI
ISE
IKI
AWA
YAMATO
CHIKUZEN BUZEN
IYO TOSA
KII
HIZEN
BUNGO
HIGO
SHIKOKU
HYŪGA
OCÉAN
SATSUMA
KYŪSHŪ
PACIFIQUE
ŌSUMI

HONSHŪ

Tsushima
D^t de Tsugaru
M. INTÉRIEURE
D^t de Kii
de Bungo
D^t d'Osumi
Tanegashima
Yaku

0   300 km

Limites de provinces

1. OWARI   3. YAMASHIRO   5. SETTSU
2. IGA   4. KAWACHI   6. CHICUGO

0   300 km

Les soixante-six provinces traditionnelles à l'origine

Contraint de s'ouvrir aux étrangers (1854), le Japon assimile rapidement les apports occidentaux, l'empereur Mutsuhito inaugurant l'ère « Meiji » (1868-1912), marquée par d'importantes réformes politiques et sociales. Parallèlement, le Japon s'engage dans une politique impérialiste : il s'empare de Taiwan (1895) et de la Corée (1905) et étend son influence en Mandchourie. La crise de 1929 lui fermant de nombreux marchés, le Japon engage alors une nouvelle politique de conquêtes : occupation de la Mandchourie (1931), invasion de la Chine (1937). Mais il se heurte à la résistance communiste.

(V. cartes pp. 94-95 et 230.)

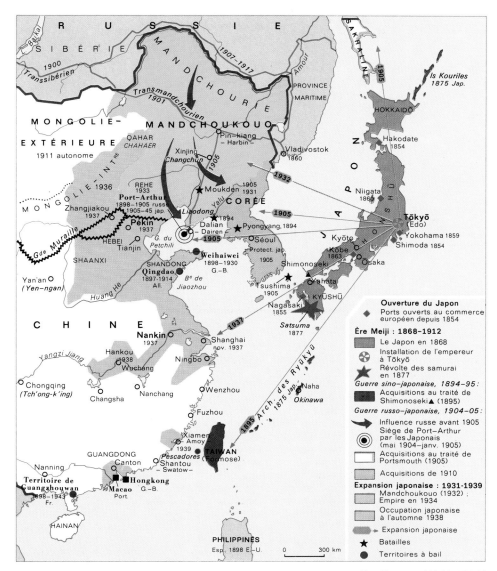

Le Japon (1868-1939)

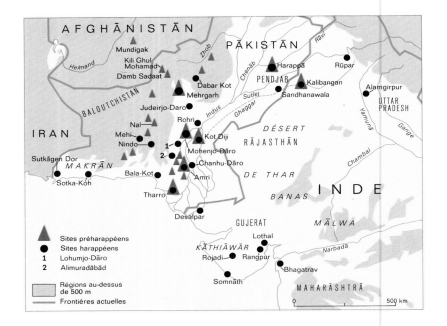

La civilisation de l'Indus

On appelle « civilisation de l'Indus » ou « de Harappā », du nom du premier site étudié, la culture qui, dans le bassin de ce fleuve (au sens le plus large), correspond à la période protohistorique et se caractérise par la diffusion du cuivre (v. 2500-v. 1500 av. J.-C.). Les principaux sites sont Mohenjo-Dāro, Chanhu-Dāro et, surtout, Harappā ; on y voit les vestiges des villes comportant une citadelle et des quartiers d'habitation. L'existence de surplus agricoles (vastes greniers) explique cette floraison urbaine et alimente un commerce lointain, attesté par la découverte de sceaux jusqu'en Mésopotamie. La destruction de la culture d'Harappā correspondrait à l'arrivée de cavaliers armés de fer, les Aryens (Indo-Européens venus d'Iran).

L'EMPIRE D'ASOKA ET SON DÉMEMBREMENT

Le règne d'Aśoka (v. 268-v. 232) marque l'apogée de la dynastie des Maurya et, pour l'Inde, sa première unification. Sacré à Pātaliputra, sa capitale, le roi est converti au bouddhisme et se montre fervent prosélyte, comme l'attestent ses édits gravés sur le roc ; il embellit les sanctuaires existants et en construit d'autres, provoquant l'essor d'un art admirable. Profitant du reflux des Grecs consécutif à la mort d'Alexandre en 323 (v. carte pp. 18-19), exploitant l'héritage de Candragupta, le Sandrakottos des historiens

grecs, Aśoka étend son empire : celui-ci comprenait les bassins de l'Indus et du Gange, le nord-ouest de l'Inde et l'Afghānistān oriental ; il atteint les limites de l'Inde actuelle, à l'exception de l'Assam et du sud du Deccan. Le gouvernement est religieux sans excès, la civilisation mixte : au fonds indien s'ajoutent des influences iraniennes et grecques (bilinguisme de Kandahar en Afghānistān). L'unité ne survit pas à Aśoka : on a incriminé sa politique de non-violence, une possible réaction des brahmanes contre le bouddhisme ; il faut aussi tenir compte de l'excessive pression économique exercée par l'État.

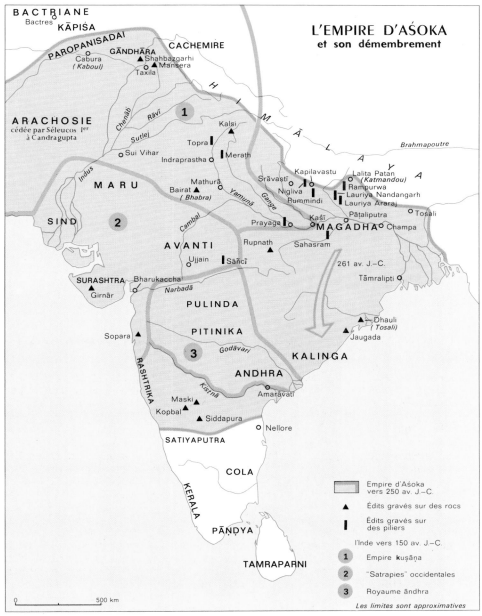

L'EMPIRE D'AŚOKA
et son démembrement

BACTRIANE
Bactres
KĀPIŚA
PAROPANISADAI
Cabura
(Kaboul)
GĀNDHĀRA
Shahbazgarhi
Mansera
Taxila
CACHEMIRE

ARACHOSIE
cédée par Séleucos Ier
à Candragupta

HIMĀLAYA

Brahmapoutre

1

Kalsi
Topra
Indraprastha
Merath
Sui Vihar

MARU
Mathurā
Bairat
(Bhabra)
Yamunā
Gange
Chenāb
Rāvī
Sutlej
Indus

Srāvastī
Kapilavastu
Nigliva
Rummindi

Lalita Patan
(Katmandou)
Rampurwa
Lauriya Nandangarh
Lauriya Araraj
Pātaliputra
Tosali

SIND
2
Cambal
Kaśī
MAGADHA
Champa

AVANTI
Prayaga
Rupnath
Sahasram
261 av. J.–C.

Ujjain
Sāñcī

SURASHTRA
Girnār
Bharukaccha
Narbadā

Tāmralipti

PULINDA

PITINIKA

Sopara
RASHTRIKA
3
Godāvari

KALINGA
Dhauli
(Tosali)
Jaugada

ANDHRA

Kistnā
Maski
Kopbal
Siddapura
Amarāvatī
Nellore

SATIYAPUTRA

COLA

KERALA

PĀNDYA

TAMRAPARNI

Empire d'Aśoka
vers 250 av. J.–C.

▲ Édits gravés sur des rocs

❙ Édits gravés sur
des piliers

l'Inde vers 150 av. J.–C.

1 Empire kuṣāṇa

2 "Satrapies" occidentales

3 Royaume āndhra

Les limites sont approximatives

0   500 km

L'empire d'Aśoka et son démembrement

243

PÉNINSULE INDIENNE

Commencée au xiᵉ siècle par les raids de Mahmūd de Rhazni, la mainmise des musulmans sur l'Inde septentrionale est achevée par la victoire de Muhammad de Rhūr (ou de Ghor) sur le roi de Delhi, Prithvī Rāj, à Thānesar en 1192. Le sultanat de Delhi passe dès 1206 à des dynasties turques.

Étendant sa domination du Sind au Bengale, cet État vassalise, au début du xivᵉ siècle, presque tous les royaumes hindous du Deccan, à l'exception de l'extrême Sud Tamoul. En même temps, l'islamisation se répand. Mais la résistance hindoue à l'islamisation conduit à la formation d'États qui luttent contre le sultanat (confédération rājpūt, Orissa de la dynastie Ganga, Pāndya et, surtout, empire de Vijayanaga). Après 1398, le raid de Timūr plonge définitivement le sultanat de Delhi dans l'anarchie, contre laquelle lutte vainement la dynastie afghane des Lōdī de 1451 à 1526. (V. cartes pp. 200 et 202.)

Le sultanat de Delhi

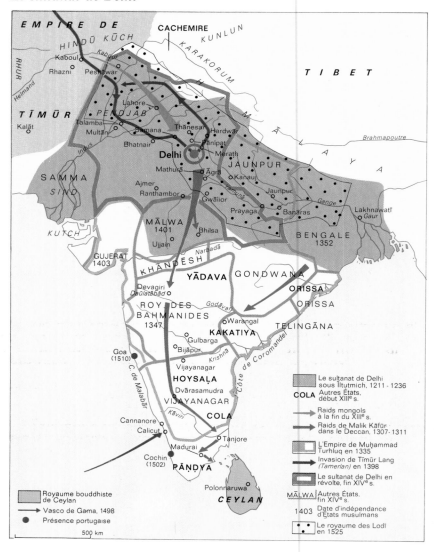

244

La faiblesse du sultanat de Delhi permet au prince tīmūride Bābur (1483-1530) de constituer un Empire moghol après ses victoires de Pānīpat (1526) et de Khānuā (1527). Son petit-fils Akbar (1556/1561-1605) renforce l'Empire en annexant toute l'Inde du Nord, du Sind à l'Orissa, et en le protégeant par un système de glacis (Afghānistān, Cachemire, Baloutchistan) ; de plus, après la destruction du royaume de Vijayanagar en 1565, il vassalise les États du Deccan central. À la fin du XVIIᵉ siècle, Awarangzīb (1658-1707) conquiert la majeure partie du Deccan, mais la politique anti-hindoue suscite de violentes révoltes : Jāts en 1669 ; Rājpūts, surtout Marathes, qui édifient, à partir de 1674, un véritable État. L'affaiblissement de la puissance moghole est mis à profit par les Européens pour renforcer leurs positions sur les côtes.

L'Empire moghol

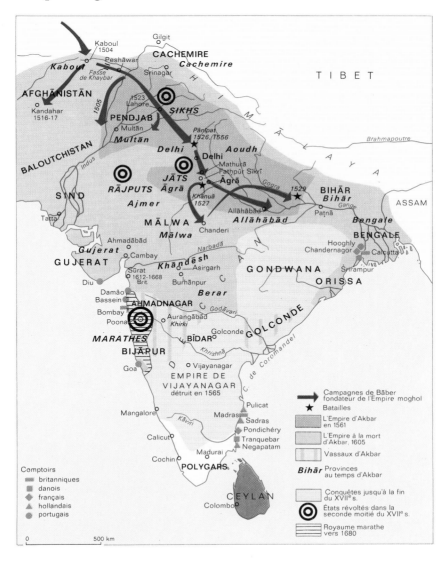

Maîtresse du Bengale après la victoire de Plassey en 1757, bénéficiaire indirecte de la défaite infligée à Pānīpat, en 1761, aux Marathes et aux Moghols par l'Afghan Ahmad khān, la Compagnie anglaise des Indes orientales arrache à sa rivale française la suprématie sur l'Inde (traité de Paris, 1763). Pour empêcher un retour en force de la France et pour briser les soulèvements indiens, la Compagnie étend peu à peu sa domination sur l'Inde. En 1849, l'Inde est entièrement contrôlée, soit directement (Inde britannique), soit indirectement (États princiers). Une fois réprimée la grande révolte des cipayes (1857), l'Inde devient colonie directe de la Couronne. L'administration locale est renforcée par l'institution de l'Indian Civil Service. On essaie de désarmer les oppositions par une plus grande souplesse vis-à-vis des princes, par un effort d'éducation pour créer une élite « occidentalisée ». L'exploitation économique de la colonie, érigée en Empire des Indes en 1877, en fait la pièce maîtresse de l'Empire britannique, défendue par un système de « glacis » (Népal, allié dès 1816 ; Birmanie, annexée en 1886 ; Afghānistān, neutralisé entre Russie et Angleterre en 1895). Mais la destruction de l'économie traditionnelle suscite un nationalisme virulent. (V. carte p. 205.)

L'Inde à l'époque coloniale

Animé à partir de 1885 par le Congrès national indien, le mouvement nationaliste se développe après la Première Guerre mondiale sous l'influence de Gāndhī (campagne de désobéissance civile, boycott des produits anglais). Jouant sur les dissensions religieuses, la politique britannique renforce, en fait, les éléments extrémistes et creuse le fossé entre hindous et musulmans. La Ligue musulmane d'Alī Jinnah, fondée dès 1906, exige la création d'un Pākistān regroupant les régions à majorité musulmane. Le 18 juillet 1947, les Britanniques reconnaissent l'indépendance de deux États : l'Union indienne, qui achèvera son unité en annexant (déc. 1961) les territoires portugais de Goa, Diu et Damão ; le Pākistān englobant deux territoires éloignés de 1 500 km. Aux franges du sous-continent, deux autres États sont créés : Ceylan en 1947 (Sri Lanka depuis 1972), et l'Union birmane en 1948. Dans l'Union indienne et le Pākistān, le retrait précipité des Britanniques crée un vide politique, qui favorise de nouvelles violences (massacres au Pendjab, assassinat de Gāndhī le 30 janv. 1948), notamment lors des échanges de populations ; l'hostilité entre l'Inde et le Pākistān, aggravée par le problème du Cachemire, semble irréductible, alors même que la Chine conteste le tracé des frontières.

L'indépendance et la partition de l'Inde

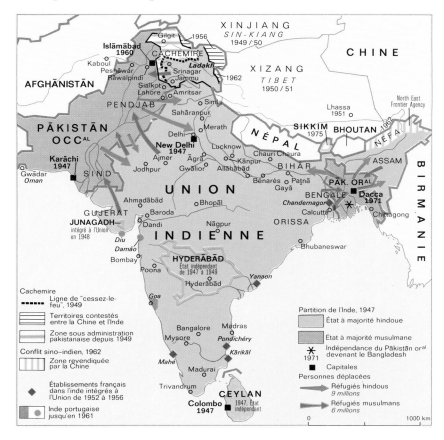

En 732 se constitue dans le centre de Java un État dont les rois deviennent vassaux, à la fin du VIII⁰ siècle, des Śailendra de Sumatra. Sur le plan culturel, l'indianisation de l'île a débuté dès le V⁰ siècle, ainsi que l'attestent des textes épigraphiques dérivés du sanskrit. Elle progresse du VII⁰ au IX⁰ siècle au centre de Java, où sont édifiés de magnifiques monuments : sanctuaires dédiés, dès 732, à Śiva sur le plateau de Dieng, ou à la trimūrti hindouiste à Prambanan ; célèbre stūpa bouddhique édifié à Bārābudur vers 750.

La dynastie est remplacée par des rois hindouistes qui transfèrent la capitale dans l'Est. Le centre de la civilisation se dé-place en même temps (X⁰-XI⁰ s.). C'est dans la région orientale de Java que sont désormais édifiés du X⁰ au XIV⁰ siècle des sanctuaires, à Gurah au XII⁰ s., au XIII⁰ s. à Singasari, capitale d'une dynastie fondée en 1222. Le roi Kertanagara (1268-1292) étend la puissance de Java, dont la prédominance dans l'archipel est bien établie. Il favorise les progrès du bouddhisme tantrique. Après lui, la capitale se fixe à Majapahit, et, au cours du XIV⁰ siècle, le royaume exerce son autorité sur tout l'archipel. L'art est de plus en plus imprégné de culture indigène, aux dépens de la tradition indienne. L'islām commence à pénétrer dans l'île au début du XV⁰ siècle avec Malik Ibrāhīm et triomphe ver 1520.

La pénétration hollandaise à Java (1800-1830)

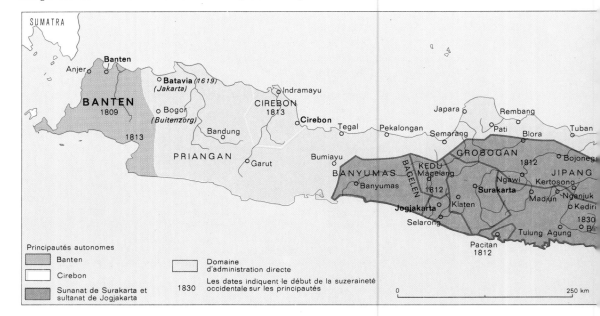

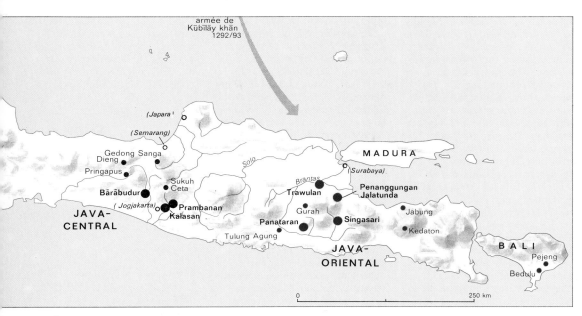

Java du VIIIe au XIVe s.

Installés dès le début du XVIIe siècle à Java, où ils fondent Batavia en 1619, les Hollandais s'assurent, au XVIIIe siècle, le contrôle de la côte nord de l'île et vassalisent le sultanat de Mataram, divisé (1755) en deux principautés, Jogjakarta et Surakarta. La Compagnie hollandaise des Indes orientales, fondée en 1602, exploite l'île à son profit avec l'aide des intermédiaires chinois. Mais les variations de la conjoncture économique mondiale aboutissant à la remise en cause du principe des compagnies à monopole, la Compagnie hollandaise disparaît en 1799. La République batave, alliée de la France depuis 1795, voit son domaine colonial tomber aux mains des Anglais, qui occupent les Moluques (1809-1810), Batavia (1811) et reprennent la politique d'intervention et d'annexion de la Compagnie. En 1816, les Hollandais retrouvent toutes leurs possessions et renforcent leur mainmise sur Java. L'économie coloniale est alors désorganisée et plusieurs rébellions se succèdent jusqu'en 1830. Un certain calme ayant été rétabli, Johannes Van den Bosch est nommé gouverneur (1830-1833), avec pour mission de rétablir l'économie. C'est lui qui instituera le *cultuurstelsel* (« système des cultures »), chaque village devant abandonner au gouvernement un cinquième de ses terres, et chaque paysan fournir un cinquième de son temps.

usqu'au XIVᵉ siècle, la civilisation de l'archipel est fortement marquée par l'apport culturel indien : introduits dès le Vᵉ siècle, l'hindouisme et le bouddhisme tantrique se répandent surtout à Sumatra et à Java, d'où l'empire maritime de Majapahit étend son influence sur tout l'archipel. Mais l'importance commerciale et la richesse en bois et en épices des îles attirent les marchands chinois, arabes et indiens du Gujerāt ; ceux-ci apportent avec eux l'islām. À Sumatra, où la ruine du royaume de Srīvijaya a laissé un vide politique et culturel, l'islām est introduit dès la fin du XIIIᵉ siècle. Il se répand ensuite à Malaka (dont le sultanat sera le grand foyer de diffusion). L'islām progresse d'autant plus facilement dans l'archipel que les princes vassaux de l'empire de Majapahit en profi-

tent pour se soustraire à l'autorité de ce dernier qui, lui, reste un « infidèle ». Aussi son empire s'effondre-t-il dès la fin du XVᵉ siècle, ce qui accélère la pénétration de l'islām à Java et dans le reste de l'archipel. Ceux qui sont restés fidèles à l'hindouisme doivent alors chercher refuge à Bali, où la civilisation brahmanique s'est d'ailleurs maintenue jusqu'à nos jours. Cette islamisation se greffe sur un vieux fonds de croyances animistes, antérieures à l'indianisation, et le droit coranique ne supplante pas l'adat (droit indonésien). En revanche, l'islamisation s'accompagne d'un morcellement politique de l'archipel. Celui-ci se divise en sultanats indépendants, dont les rivalités favorisent de nouvelles pénétrations étrangères : les marchands indiens et surtout arabes leur ayant fait connaître les épices

d'Indonésie, les Occidentaux préfèrent aller les chercher eux-mêmes. En 1511, Albuquerque s'empare de la position stratégique de Malaka. Timor est occupée en 1520, Moluques en

Islamisation de l'archipel

1521, Flores en 1667. À partir du XVIIe siècle, les Européens s'attaquent aux grands sultanats (Mataram, Banten, Aceh), surtout à l'instigation des Hollandais. Avec la pénétration européenne, le christianisme s'introduit dans l'archipel. Les missionnaires (François Xavier à Ternate, 1546) entament rapidement une évangélisation dont Flores et Timor ont gardé des traces.

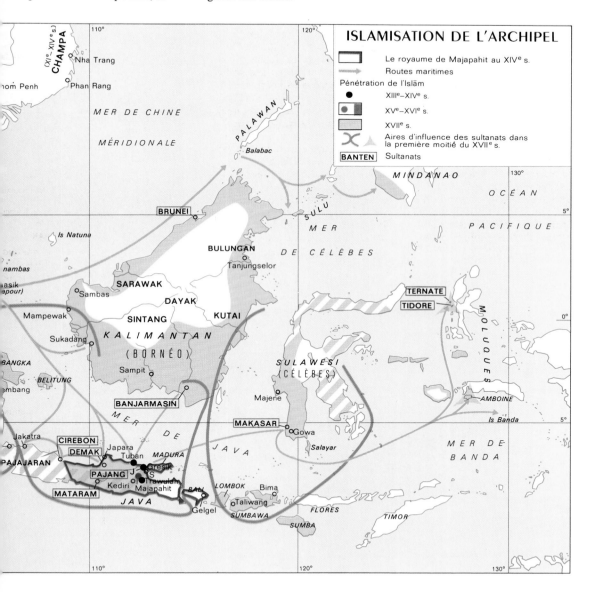

ISLAMISATION DE L'ARCHIPEL

Le royaume de Majapahit au XIVe s.

Routes maritimes

Pénétration de l'Islām

● XIIIe–XIVe s.

XVe–XVIe s.

XVIIe s.

Aires d'influence des sultanats dans la première moitié du XVIIe s.

BANTEN Sultanats

L'Afrique

Les premiers États souda-
niens naissent de la ren-
contre des pasteurs ber-
bères et des agriculteurs noirs.
L'intensification des échanges
avec le Maghreb, grâce à l'usage
du dromadaire, assure, à partir
du vᵉ siècle, la prospérité du
royaume du Ghāna, qui contrôle
le commerce de l'or et du sel.
Celui-ci domine ainsi, au xᵉ siècle, plusieurs États vassaux. Au
xiᵉ siècle, la diffusion de l'islām
par les Berbères perturbe le Soudan. Le royaume Songhaï et le
Kanem deviennent musulmans.
Le chef almoravide Abū Bahr
s'empare du Ghāna en 1076-
1077. Les progrès de l'islām permettent la constitution de grands
États, dont le Kanem-Bornou et
le Mali. (V. carte p. 268.)

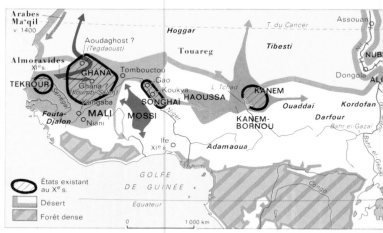

Les États soudaniens (Xᵉ-XIVᵉ s.)

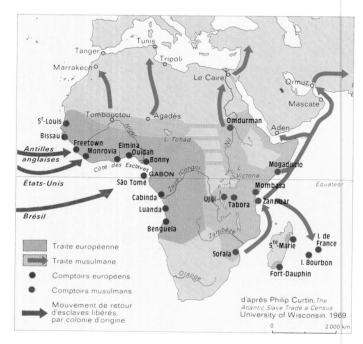

d'après Philip Curtin, *The Atlantic Slave Trade a Census* University of Wisconsin. 1969

Aux esclaves acheminés du
vIIᵉ au xIXᵉ siècle vers le
monde arabe s'ajoutent, à
partir du xvIᵉ siècle, ceux qui
sont troqués, entre le cap Vert et
le golfe de Guinée, contre des
produits européens, puis
échangés en Amérique contre
des denrées comme le sucre. 15
à 20 millions de Noirs ont ainsi
été déportés, sans compter les
morts au cours du voyage. Prati-
qué par le Portugal, les Pays-Bas,
le Danemark, la Grande-Bretagne, la France, ce commerce
est déclaré illégal (1815 par la
France), mais se maintient
pourtant au cours du xIXᵉ siècle.

La traite des esclaves

A partir de 1522, la migration des Gallas, nomades païens venus du lac Rodolphe, entraîne le déclin de l'empire chrétien d'Éthiopie ; en Afrique sud-orientale, celle des Hereros affaiblit les États bantous (Congo, Monomotapa) ; le Bénin est à son apogée ; au Soudan, enfin, les Sadiens, en 1591, détruisent l'Empire songhaï, ce qui facilite le maintien des États haoussas et mossis et surtout la montée du Bornou. Affaiblie, l'Afrique noire s'ouvre aux chrétiens et aux musulmans. Les Espagnols s'établissent aux Canaries entre 1404-1405 et 1496, à Melilla en 1497 et à Oran en 1509. Désireux de commercialiser les épices des Indes orientales, les Portugais colonisent les îles atlantiques et fondent des comptoirs côtiers (Elmina, 1482 ; Sofala, 1505-1506) ou fluviaux (Tete, 1530-1531) : ils drainent ainsi l'or et les esclaves de l'Afrique guinéenne et du Monomotapa. Établis depuis le VIIIe siècle sur la côte orientale du continent, entre Mogadiscio et Sofala, les Arabes y diffusent l'islām avant que les Ottomans n'aient unifié à leur profit la quasi-totalité de l'Afrique blanche entre 1517 (occupation de l'Égypte) et 1587 (constitution de la Régence d'Alger). (V. carte p. 268.)

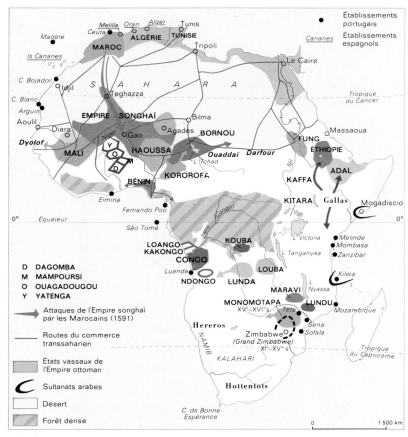

L'Afrique au XVIe s.

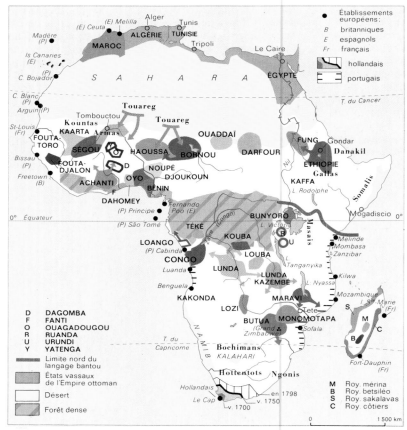

L'Afrique au XVIIe et au XVIIIe s.

Au XVIIIe siècle on ne voit plus de grands empires en Afrique nigérienne et sénégalaise. Des royaumes plus modestes (Bambaras de Ségou, Peuls et Toucouleurs au Sénégal, au Fouta-Djalon, au Macina et au Nigeria, Mossis de Haute-Volta) coexistent jusqu'à la période coloniale. Au centre et à l'est de la zone soudanaise, les Empires du Bornou, du Ouaddaï et du Baguirmi survivront jusqu'à l'arrivée des Européens. Plus à l'est, le Darfour et le Kordofan (réuni au Darfour au XVIIIe s.) seront soumis au XIXe siècle par l'Égypte. La traite des esclaves favorise l'essor, près de la côte de Guinée, de trois États négriers relativement bien structurés : la confédération achantie, le royaume d'Oyo et le Dahomey. La zone sud-équatoriale est moins bien connue, hormis les fédérations de tribus groupées un temps en royaume dans la région du Loango et du bas Congo. L'Afrique du Sud est, dès le XVIIIe siècle, la seule zone où la colonisation prend un tour marqué, les Hollandais du Cap refoulant Bochimans et Hottentots vers l'intérieur, avant d'être eux-mêmes repoussés par les Anglais après 1815.

L imitée jusqu'en 1882 à l'Afrique du Sud et à l'Afrique du Nord, la présence européenne ne peut empêcher le réveil africain, marqué dès 1804 par l'émancipation de fait de l'Égypte. Rejetant l'autorité ottomane, Méhémet-Ali conquiert le Soudan nilotique à partir de 1820. En Afrique occidentale s'édifient des États théocratiques : Empires peuls de Sokoto (fondé par Ousmane dan Fodio en 1804) et du Macina (par Cheikhou Ahmadou en 1818) ; Empire toucouleur du Niger, créé vers 1850 par El-Hadj Omar et maintenu jusqu'en 1890 ; Empire mandingue, établi en Guinée orientale par Samory Touré entre 1870 et 1898 ; État créé par le Mahdī de 1881 à 1898 dans le Soudan anglo-égyptien. L'État esclavagiste de Zanzibar et, de 1886 à 1900, celui du sultan noir Rabah se réclament aussi de l'islām, auquel restent étrangers quelques peuples : Fantis, Achantis, Dahoméens du golfe du Bénin, Mérinas de Madagascar, Zoulous d'Afrique du Sud. Enfin, grâce à l'énergie des empereurs Théodoros (1855-1867) et Ménélik (1867-1913), les Éthiopiens parviennent seuls à se soustraire à la colonisation européenne, qui, en 1914, a recouvert le reste de l'Afrique. (V. cartes pp. 86-88, 256, 260, 267, 269-271.)

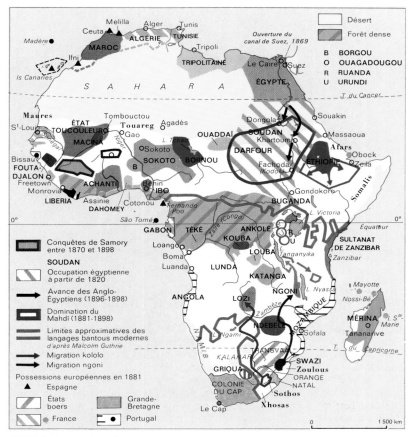

L'Afrique au XIXe s.

Le mouvement antiesclava-giste, la curiosité scienti-fique de la fin du XVIIIe siècle suscitent un intérêt nouveau pour l'Afrique. Le mouvement d'exploration est renforcé au XIXe siècle par les préoccupations missionnaires et les intérêts économiques. D'abord consacrées à l'Afrique musulmane, à la liaison Maghreb-Soudan, à la quête des sources du Nil, les explorations s'orientent ensuite vers l'Afrique équatoriale après les voyages de Livingstone. Dès 1875-1880, les préoccupations politiques l'emportent : les voyages de Stanley et de Wissmann pour le compte de Léopold II, de Brazza et de Binger pour la France, de Serpa Pinto pour le Portugal, de Bottego pour l'Italie, ouvrent la voie de la colonisation. Après 1890, des missions militaires (mission Foureau-Lamy) se chargent de relier les territoires déjà colonisés.

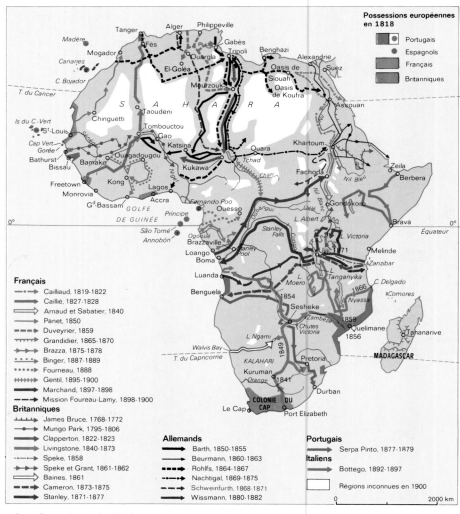

L'exploration de l'Afrique au XIXe s.

Le partage de l'Afrique (1924)

Carte 1 (haut) :

MAROC ESP.OL — Tanger — Alger — Tunis
Madère — Rabat — MAROC — TUNISIE — Tripoli
Canaries — IFNI Agadir 1911 — Le Caire
SAHARA ESP.OL — LIBYE — ÉGYPTE
u C.-Vert — AFRIQUE OCCIDENTALE FRANÇAISE — SOUDAN — ÉRYTHRÉE
Dakar — Khartoum — ANGLO-ÉGYPTIEN — CÔTE DES SOMALIS — Socotra
GAMBIE — GUINÉE PORT.SE — NIGERIA — SOMALIE BRIT.
SIERRA LEONE — GOLD COAST — Lagos — Addis-Abeba — ÉTHIOPIE — SOMALIE ITALIENNE
LIBERIA — TOGO — ÉQUAT.LE FR.SE — CAMEROUN — F. Poo — Principe — S. Tomé — GUINÉE ESP.LE — AFR. — CONGO BELGE — OUGANDA — KENYA
Brazzaville — Léopoldville — Is Seychelles
Cabinda — Zanzibar
Ascension — Luanda — TANGANYIKA
Comores
S.te-Hélène — ANGOLA — RHODÉSIE DU N. — RHOD. DU S. — MOZAMBIQUE — Tananarive — I. Maurice
SUD-OUEST — BECH.LAND — MADAGASCAR — La Réunion
Walvis Bay — AFRICAIN — SWAZILAND
UNION SUD-AFRICAINE — BASUTOLAND — Ruanda-Urundi
Le Cap — 1 - Ruanda-Urundi — 2 - Nyassaland

Légende :
France
Gr.de Bretagne
Union sud-africaine
Portugal
Espagne
Italie
Belgique

Mandats
Ruanda-Urundi

0 — 2 000 km

Pour éviter les conflits nés de la ruée des puissances européennes en Afrique, la conférence de Berlin (1884-85) réglemente la colonisation sur ce continent. De nombreux traités de partage sont conclus à partir de 1890, sans toujours tenir compte de l'unité des ethnies. Le partage n'est remis en cause, entre les deux guerres mondiales, que par l'attribution, en 1919-20, par la S.D.N. des colonies allemandes aux puissances mandataires (Belgique, France, Royaume-Uni) et par la conquête de l'Éthiopie par l'Italie en 1936.

Carte 2 (bas) :

Madère Port. — Melilla — Alger
Ceuta — TUNISIE
Ifni 1969 — MAROC — Le Caire
Canaries Esp. — ALGÉRIE — LIBYE — ÉGYPTE
SAHARA OCC.AL retrait des Espagnols 1974
AP-VERT — MAURITANIE — MALI — NIGER — TCHAD — SOUDAN — DJIBOUTI
SÉNÉGAL — BURKINA — NIGERIA — ÉTHIOPIE
GAMBIE — NÉE-BISSAU — GUINÉE — GHANA — BENIN — RÉP. CENTRAFRICAINE
SIERRA LEONE — CÔTE D'IVOIRE — TOGO — CAMEROUN — OUGANDA — SOMALIE
LIBERIA — Bioko — 3 — KENYA
SÃO TOMÉ ET PRÍNCIPE — GABON — CONGO — ZAÏRE — SEYCHELLES
Annobón — Brazzaville — Kinshasa — 2 — TANZANIE
Ascension G.-B. — Cabinda Ang. — COMORES — Mayotte Fr.
S.te-Hélène G.B. — ANGOLA — ZAMBIE — MALAWI — MADAGASCAR
NAMIBIE — ZIMBABWE — MOZAMBIQUE — MAURICE
Walvis Bay A. du S. — BOTSWANA — la Réunion Fr.
SWAZILAND
AFRIQUE DU SUD — LESOTHO
Le Cap

Légende :
1936-1955
1956-1957
1958-1960
○ 1961-1970
◉ 1971-1976
● 1977-1990
● Territoires dépendants

1. Ruanda
2. Burundi
3. Guinée éq.le

0 — 1000 km

L'Afrique blanche suit le mouvement d'émancipation du monde arabe après 1945, la révolution égyptienne l'amplifiant après 1952. En Afrique noire, des insurrections mal organisées laissent place à une décolonisation pacifique : les cadres européens sont relayés par les élites africaines occidentalisées. Du Ghāna (1957), le mouvement s'étend à toute l'Afrique française en 1960, puis à l'Afrique orientale britannique, enfin de 1980 à 1990 à l'Afrique australe où l'Afrique du sud est contrainte à une déségrégation progressive.

La décolonisation

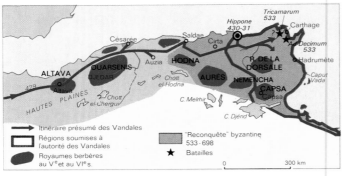

Le Maghreb au Ve et au VIe s.

Après avoir suivi le sort de l'Empire d'Occident, le Maghreb est occupé par les Vandales venus d'Espagne. Ils assiègent Hippone (auj. Annaba), s'emparent de Carthage (439) et s'enracinent. Mais ils sont menacés par les royaumes berbères et les raids des chameliers du Sud. En 533, en deux batailles (Tricamarum et Ad Decimum), le général Bélisaire conquiert le royaume au profit de l'Empire byzantin.

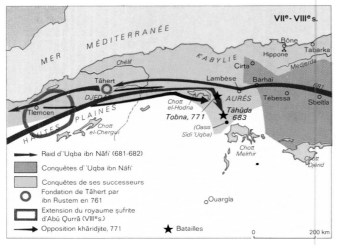

La conquête arabe – VIIe-VIIIe s.

IXe-début Xe s.

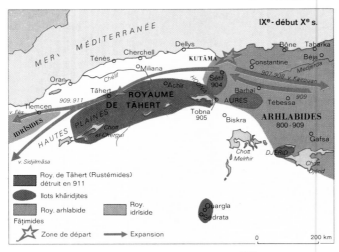

En 647, les premiers conquérants arabes pénètrent au Maghreb. Leur installation est lente car Byzantins et Berbères résistent. Au début du VIIIe siècle, le Maghreb est soumis. L'islamisation est rapide. L'aristocratie arabe doit coexister avec les Berbères, qui se révoltent régulièrement, tandis que le pays se morcelle en émirats assez indépendants. Les Berbères découvrent dans le khāridjisme, mouvement hérétique, un élément moteur de leur opposition à la dynastie arhlabide établie à Kairouan (800-909). À la fin du VIIIe siècle, Tāhert (auj. Tihert) devient la capitale d'un royaume khāridjite gouverné par la dynastie des Rustémides (761-911), jusqu'à sa destruction par les Fāṭimides, dès leur arrivée dans le pays.

Les Hammādides

Au XIᵉ siècle, les Ḥammā-dides, dynastie berbère sanhādjienne (1017-1152) issue d'une branche des Zīrides, règnent sur le Maghreb central à Qalʿa des Banū Ḥammād, qu'ils abandonnent en 1091 pour Bougie, fondée en 1063. Le dernier Ḥammādide, Yaḥiya, est détrôné par les Almohades.

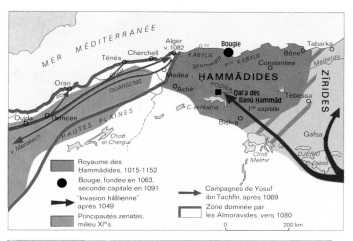

les Almohades

Les Berbères almohades, issus de l'Anti-Atlas maro-cain, se révoltent au début du XIIᵉ siècle, sous l'influence d'Ibn Tūmart, partisan de l'inter-prétation allégorique du Coran. Ils occupent rapidement le Maghreb et s'emparent d'une partie de l'Espagne.

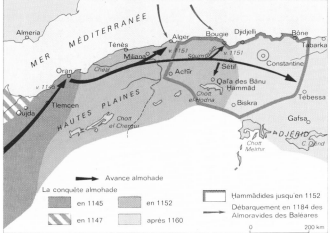

Les ʿAbdalwādides

La dynastie berbère des ʿAb-dalwādides règne à Tlem-cen (auj. Tilimsen) après l'effondrement des Almohades au XIIIᵉ siècle. Les Marinīdes pren-nent Tlemcen en 1337, mais les ʿAbdalwādides reviennent au pouvoir avec Abū Ḥammū Mūsā (1339-1389). Le royaume tombe aux mains des Turcs en 1550.

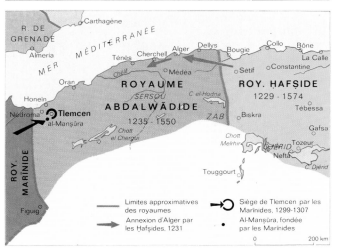

L'Algérie n'acquiert une certaine unité politique qu'avec l'arrivée, en 1514, des corsaires turcs, Bāba 'Arūdj et Khayr al-Dīn. En 1518, Khayr al-Dīn place le pays sous le protectorat de Selim Ier, sultan de Constantinople. Ainsi protégé, le nouvel État, qui est rattaché à l'Empire ottoman en 1533, se livre à la piraterie en Méditerranée, malgré les expéditions de Charles Quint, puis de Louis XIV. Le pacha d'Alger est nommé par le sultan, mais, à partir du milieu du XVIIe siècle, son autorité est partagée avec celle de l'agha, élu par la milice algéroise, puis avec un dey qui, en 1771, s'arroge l'autorité. À l'intérieur du pays, les beys administrent et perçoivent les impôts.

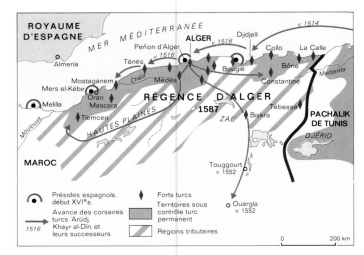

Le protectorat ottoman

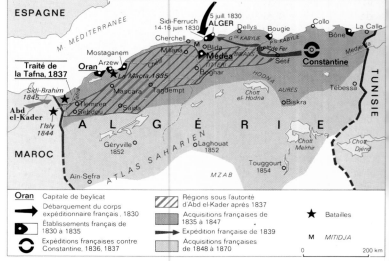

Les étapes de l'occupation française

L'occupation française se limite d'abord à quelques villes côtières, dont Alger. Devant la résistance des émirs locaux, le gouvernement négocie d'abord avec eux, notamment avec Abd el-Kader, créateur d'un État algérien indépendant des Turcs (traité de la Taf-

na), puis il conquiert l'arrière-pays, débordant sur les confins marocains (bataille de l'Isly). Abd el-Kader se soumet en 1847. La colonisation permet certes d'importants progrès économi-

ques, et donc une forte croissance démographique, mais l'afflux de colons européens en Algérie et surtout leur mainmise sur les terres des autochtones contraignent souvent ceux-ci à émigrer en France ou les incitent parfois à l'insurrection (1871). La politique d'intégration se veut assimilatrice mais fait des musulmans des citoyens de seconde zone.

Né vers 1930, le mouvement national algérien est stimulé par la Seconde Guerre mondiale. La répression brutale du soulèvement constantinois (mai 1945), l'hostilité des Français d'Algérie et des musulmans au statut libéral de 1947 expliquent en partie l'insurrection du 1er novembre 1954 et la création d'un Front de libération nationale (F.L.N.). La guerre s'accentue à partir de 1955-56 : les nationalistes modérés (Farḥāt 'Abbās) se rallient à la rébellion, qui se dote d'institutions au congrès de la Soummam (20 août 1956). L'aide du Maroc et de la Tunisie indépendants, la solidarité arabe, les interventions diplomatiques anglo-américaines contribuent à l'internationalisation du conflit. En reconnaissant le droit de l'Algérie à l'autodétermination (16 sept. 1959), de Gaulle modifie le cours de la guerre, qui se complique des réactions de désespoir d'une partie de l'armée française et des « Pieds-Noirs ». La flambée de violence qui en résulte ne peut empêcher la signature des accords d'Évian (18 mars 1962), la proclamation de l'indépendance de l'Algérie (3 juill.) et l'exode de la majorité des « Pieds-Noirs ».

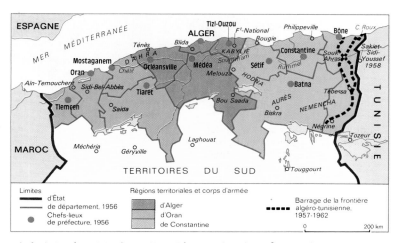

L'Algérie de 1954 à 1962 – L'organisation française

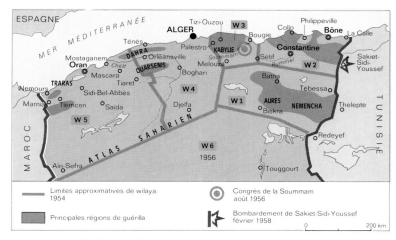

La guerre d'Algérie (1954-1962)

Carthage et Rome

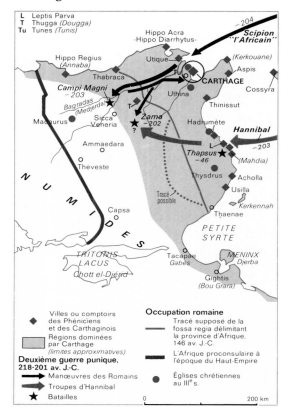

L Leptis Parva
T Thugga (Dougga)
Tu Tunes (Tunis)

Villes ou comptoirs des Phéniciens et des Carthaginois
Régions dominées par Carthage (limites approximatives)
Deuxième guerre punique, 218-201 av. J.-C.
→ Manœuvres des Romains
⇒ Troupes d'Hannibal
★ Batailles

Occupation romaine
Tracé supposé de la fossa regia délimitant la province d'Afrique, 146 av. J.-C.
L'Afrique proconsulaire à l'époque du Haut-Empire
Églises chrétiennes au IIIᵉ s.

0   200 km

L'Afrique romaine et byzantine

BYZACÈNE
Provinces romaines du Bas-Empire
Itinéraire présumé des Vandales, 5ᵉ s.
Régions soumises à l'autorité vandale
Royaumes berbères au Vᵉ et au VIᵉ s.

"Reconquête" byzantine, 533-698
Sièges épiscopaux importants
Siège d'Hippone par les Vandales, 430-431
★ Batailles

0   200 km

CARTHAGE ET ROME

P endant la deuxième guerre punique (v. carte p. 21), Carthage domine un territoire limité, approximativement, par la *fossa regia* de 146 av. J.-C., auquel il faut ajouter les *Campi Magni* et le pays au sud de Zama ; au traité de 201, Carthage garde ce territoire africain. À l'issue de la troisième guerre punique (149-146), la province d'Afrique est constituée ; sa limite est la *fossa regia*. César, en 46 av. J.-C., annexe la Numidie de Cirta ou *Africa Nova* (par opposition à l'ancienne province dite dès lors *Africa Vetus*. Auguste fond les deux provinces en une seule, à une date qui reste imprécise : les régions de Cirta, Theveste, Capsa en font déjà partie ; les Flaviens atteignent l'Aurès, qui est encerclé sous Trajan et Hadrien. Avec Septime Sévère, l'apogée territorial est atteint : au sud, l'Afrique romaine s'étend de *Castellum Dimmidi* à Ghadamès.

L'AFRIQUE ROMAINE ET BYZANTINE

L 'Afrique connaît au IVᵉ siècle une remarquable renaissance mais les donatistes, les circoncellions et la révolte de Gildon en 396-397 affaiblissent le pays. Les Vandales débarquent en Tingitane (429), traversent l'Afrique et battent les Romains (431) ; organisés en royaume, ils confisquent des terres et s'établissent. En 533, sur ordre de Justinien, Bélisaire débarque à Caput Vada, bat Gélimer (Ad Decimum, Tricamarum). Les troupes de Byzance occupent le pays jusqu'à la fin du VIIᵉ siècle. (V. cartes pp. 36 et 38-39.)

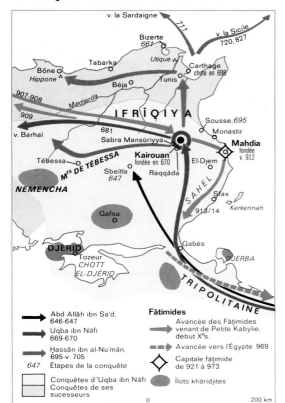

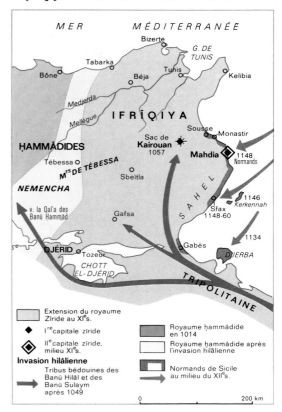

LA CONQUÊTE ARABE DU VIIe AU Xe SIÈCLE

La décomposition de l'Afrique byzantine, l'irrédentisme berbère facilitent la conquête de l'Ifrīqiya par les Arabes. Celle-ci est amorcée par le raid d''Abd Allāh ibn Sa'd, vainqueur des Byzantins à Sbeïtla en 647. Elle est poursuivie par 'Uqba ibn Nāfi', fondateur de Kairouan, place forte et ville sainte de l'islām, qui est finalement tué à Tāhūda en 683 par les Berbères (v. carte p. 258).

La conquête de l'Ifrīqiya est achevée par Hassān ibn al-Nu'mān, qui occupe Carthage en 698 et brise la résistance berbère en 702 lorsque meurt Al-Kāhina, héroïne qui l'avait pendant longtemps animée.

Rapidement islamisée et arabisée, l'Ifrīqiya est placée, par le calife 'abbāside Harūn al-Rachīd, sous l'autorité des Arhlabides, qui fondent un émirat héréditaire (800-909). La capitale est transférée par Ibrāhīm II (875-952) à Raqqāda. Éliminant en 909 les Arhlabides, la dynastie chī'ite des Fātimides fonde la ville d'al-Mahdiyya (Mahdia), capitale jusqu'en 973 de l'Ifrīqiya. (V. cartes pp. 196-97 et 198-99.)

L'IFRĪQIYA DU XIe AU MILIEU DU XIIe SIÈCLE

Combattant pour le compte des Fātimides, le Berbère sanhadjien Yusuf Bulukkīn ibn Zīrī reçoit le gouvernement de l'Ifrīqiya en 973. Lorsque les Zīrides décident de faire allégeance au califat de Bagdad en 1048, les Fātimides livrent l'Ifrīqiya en 1051-52 à des nomades, les Banū Hilāl : Kairouan est mise à sac en 1057, et les Zīrides se réfugient à al-Mahdiyya (Mahdia). L'Ifrīqiya tente alors les Normands qui occupent le littoral oriental du royaume entre 1134 et 1156. Les Almohades chassent du Maghreb les Normands en 1160 et occupent l'Ifrīqiya.

Map labels (top map):
Tolède,1085 · Valence · *Cuart,1094* · *Zalaca Sagrajas 1086* · Tage · 1094 · *Consuegra 1097* · *Bairén 1097* · Lisbonne · Badajoz · Cordoue · *Aledo 1091* · Alicante · Murcie · Guadalquivir · ANDALOUSIE · Grenade · Séville · Almeria · OCÉAN · Málaga · M. MÉDITERRANÉE · Tarifa · Algésiras · Ceuta 1083 · Oran · v. Alger 1082 · Tanger · RIF · Tlemcen · ATLANTIQUE · Sebou · Oujda · HAUTES PLAINES · Taza · Salé · Fès · Guercif 1145 · Chott el-Chergui · 1146 · MOYEN ATLAS · Moulouya · Oum-er-Rebia · Marrakech fondée en 1062 · Ārhmāt · 1147 · HAUT ATLAS · Sidjilmāsa · Taroudannt · SOUS · ANTI-ATLAS · Mâssat · Noûl Nûl · Drâa · S A H A R A · **ALMORAVIDES**

Légende:
→ Campagnes de Yūsuf ibn Tāchfīn, 1061-1106
▢ Zone dominée par les Almoravides
▽ Reconquête chrétienne au XIᵉs.
★ Batailles
⇧ Attaques almohades
0 ——— 300 km

Les Almoravides (1056-1147)

A u XIᵉ siècle, les Sanhādjas, de rite malékite, veulent imposer leur croyance. Les Almoravides entreprennent la conquête vers le Maghreb, où leur premier souverain Yūsuf ibn Tāchfīn (1061-1106) fonde Marrakech en 1062, avant d'étendre sa domination jusqu'à Alger, vers la péninsule Ibérique, et enfin vers le Niger, avec l'occupation de la ville de Ghāna en 1076-77.

L'Empire almoravide s'effondre dès le règne de Tāchfīn ibn 'Alī (1143-1147), sous les coups des Espagnols et des Almohades.

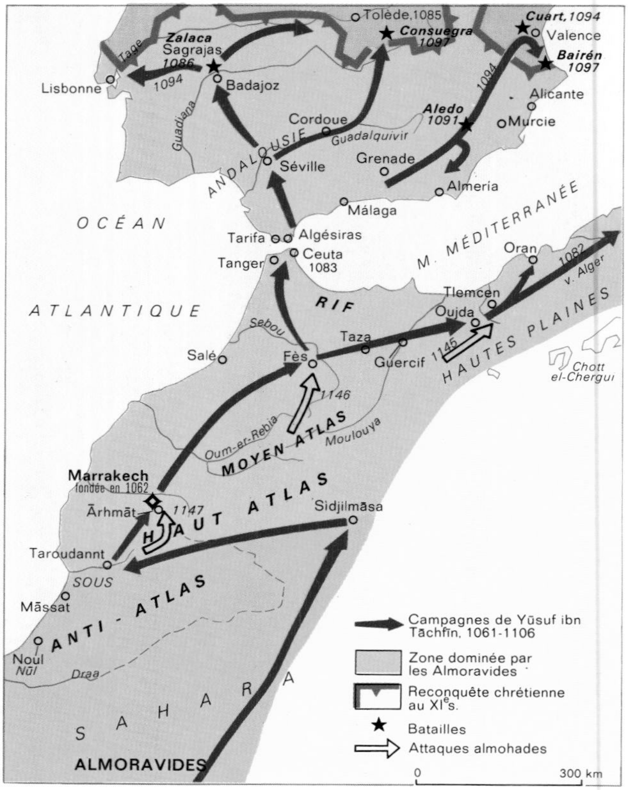

Map labels (bottom map):
PORTUGAL · CASTILLE · Alicante · Séville · Cordoue · Carthagène · Grenade · R D E · Guadalquivir · Málaga · GRENADE · Cadix · Almeria · v. Palma · Gibraltar · Mostaganem · Tanger · Ceuta, 1415. port. · Oran · Arzila · Tétouan · Honein · Larache · Alcudia · ROY. · RIF · Tlemcen · al-Mansūra fondée par les Marīnides · Salé · Taza · Rabat · Fès · Moulouya · 'ABDALWĀDIDE 1235-1550 · Meknès · Fès Djedid · Azemmour · Mazagan · ROY. MARĪNIDE · Oum er Rebia · Safi · MOYEN ATLAS · Figuig · Tensift · 1269, prise de Marrakech · HAUT ATLAS · TAFILALET · Tinmel · Agdz · Sidjilmāsa · Taroudannt · SOUS · Zagora · ANTI-ATLAS · Mâssat · Drâa · S A H A R A

Légende:
● Le royaume marīnide
● Capitale
◉ Siège de Tlemcen, 1299-1307
→ Chrétiens d'Espagne en 1401
→ Trafic génois, fin XIIIᵉs.
— Trafic catalan, début XIVᵉs.
▢ Régions au-dessus de 1000 m · ● Oasis
0 ——— 300 km

F ormant comme les 'Abdal-wādides une confédération de Berbères Zenāta, les Marīnides mettent un terme à la domination almohade dans le Maghreb occidental en s'emparant de Meknès en 1244, de Fès en 1248 et de Marrakech en 1269. De multiples expéditions en Espagne échouent. À l'est, la lutte contre les 'Abdalwādides se cristallise autour de Tlemcen, de 1299 à 1389. Aux prises avec leurs divers adversaires de la péninsule Ibérique, les Marīnides sont finalement éliminés par les Wattāsides (1465). [V. cartes pp. 60 et 61.]

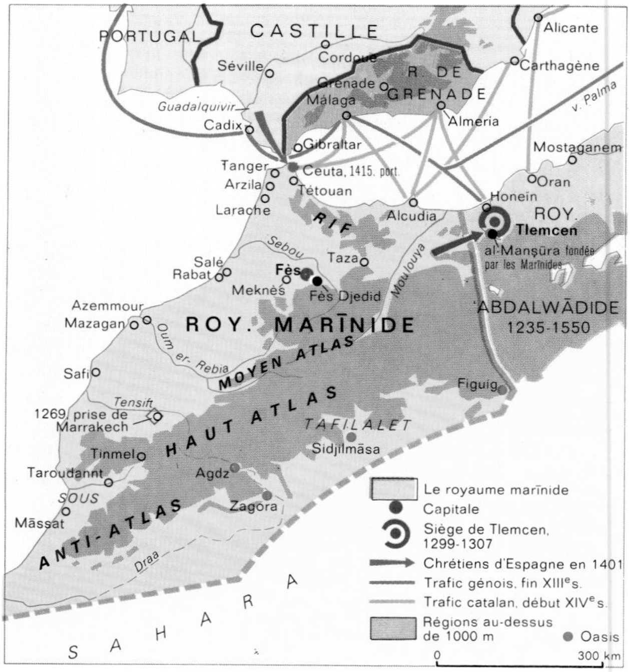

Les Marīnides (1269-1465)

Les Almohades (1147-1269)

Fondée par Ibn Tūmart, la communauté des Almohades naît dans le Maroc du Sud. Elle se révolte en 1145 et prend Tlemcen, Fès en 1146, Marrakech en 1147. Ensuite, le Maroc atlantique, le Rif et al-Andalus (jusqu'au Guadalquivir) sont occupés dès 1147. L'ensemble du Maghreb est conquis entre 1151 et 1160. Ébranlée par la victoire des chrétiens ibériques à Las Navas de Tolosa en 1212, la puissance almohade s'effondre sous les coups des Berbères Zenāta entre 1244 et 1269. (V. cartes pp. 47 et 110.)

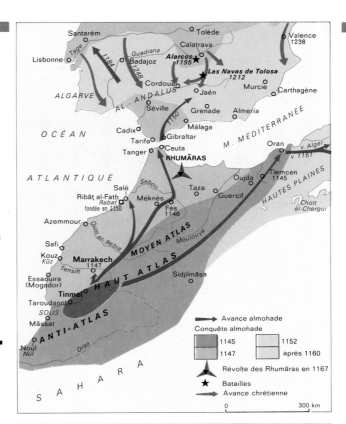

Tuteurs des Marīnides (1420-1465), les Wattāsides s'emparent définitivement du pouvoir en 1471, mais ne peuvent empêcher Portugais et Espagnols de s'établir sur la côte marocaine. Ils sont chassés du pouvoir en 1553 par les Sa'diens. Ces derniers, fondateurs de l'Empire chérifien, organisent de fructueuses expéditions vers le continent noir ; mais ils doivent céder le pouvoir à une autre dynastie chérifienne, celle des 'Alawītes du Tafilalet, fondée par Mūlāy al-Rachid (1660-1672), unificateur du Maroc, dont ont été chassés les Européens.

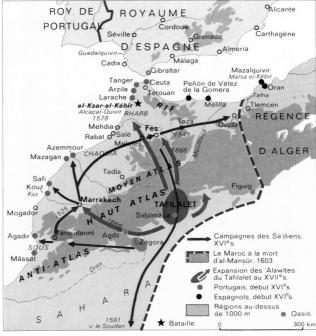

Le Maroc (XVIe-XVIIIe s.)

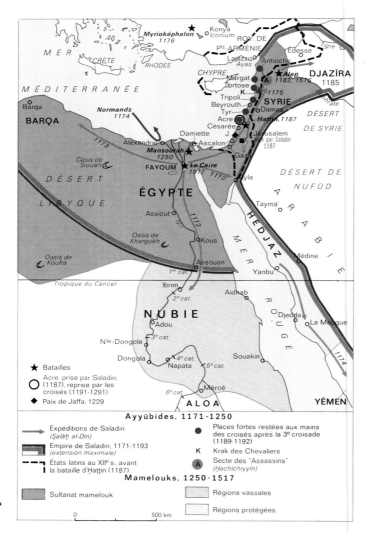

L'Égypte du XIIe au XVIe s.

Légende de la carte :

★ Batailles

◯ Acre, prise par Saladin, (1187), reprise par les croisés (1191-1291)

◆ Paix de Jaffa, 1229

Ayyūbides, 1171-1250

→ Expéditions de Saladin (*Şalāḥ al-Dīn*)

▬ Empire de Saladin, 1171-1193 (extension maximale)

╌┐ États latins au XIIe s., avant la bataille d'Ḥaṭṭīn (1187)

● Places fortes restées aux mains des croisés après la 3e croisade (1189-1192)

K Krak des Chevaliers

Ⓐ Secte des "Assassins" (*Ḥachichiyyīn*)

Mamelouks, 1250-1517

▨ Sultanat mamelouk

▢ Régions vassales

▢ Régions protégées

0 ──── 500 km

L ieutenant au Caire du prince d'Alep Nūr al-Dīn, Şalāḥ al-Dīn (Saladin) se substitue en 1171 au dernier prince fātimide en Égypte, où il restaure aussitôt le sunnisme. Fondateur de la dynastie ayyū-bide (1171-1250), il reprend à Damas (1174), puis à Alep (1176) l'héritage de Nūr al-Dīn. Pour renforcer la cohésion de peuples si divers, il proclame alors la guerre sainte contre les États la-

tins du Levant, dont il écrase les forces à Ḥaṭṭīn (1187). De Barqa et d'Assouan à Mossoul se trouve ainsi reconstituée l'unité des pays du Croissant fertile jadis réalisée par les pharaons du Nouvel Empire. La médio-crité des successeurs de Sala-din, les multiples interventions des croisés entraînent le déclin de la dynastie. Des esclaves turcs, les Mamelouks, qui vien-nent de sauver l'Égypte en captu-

rant Saint Louis à Mansourah, l'éliminent en 1250. Chassant dé-finitivement les Latins du Levant en 1291, ils maintiennent, pour l'essentiel, le cadre territorial de l'ancien Empire ayyūbide. Ampu-tée de la boucle de l'Euphrate, mais agrandie de la Nubie, dont les souverains de Dongola (chré-tiens jusqu'en 1315, musulmans depuis lors) sont réduits à la condition de tributaires, l'Égypte islamique domine le Proche-Orient au XIVe siècle. Mais, en 1517, les Ottomans portent un coup fatal à sa puissance en l'oc-cupant et en la réduisant à l'état de pachalik. (V. cartes pp. 7, 56-57 et 61.)

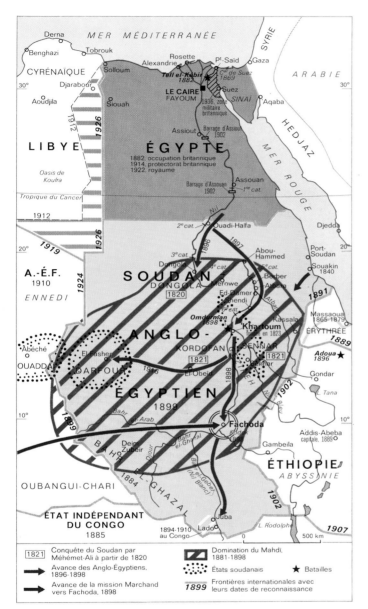

Égypte et Soudan (XIXᵉ-début XXᵉ s.)

Légende de la carte :

1821	Conquête du Soudan par Méhémet-Ali à partir de 1820
→	Avance des Anglo-Égyptiens, 1896-1898
→	Avance de la mission Marchand vers Fachoda, 1898

▨	Domination du Mahdi, 1881-1898
⋯	États soudanais
★	Batailles
1899	Frontières internationales avec leurs dates de reconnaissance

Devenue pratiquement indépendante de l'Empire ottoman, l'Égypte commence à se moderniser sous l'impulsion de Méhémet-Ali (1804-1849) et, à partir de 1820, elle étend sa domination sur le Soudan, où l'islamisation s'accentue. Toutefois, cette modernisation la rend de plus en plus dépendante, d'abord de la France, qui fait creuser le canal de Suez (1859-1869), puis de l'Angleterre, qui veut contrôler seule la route des Indes. En 1882, les Anglais établissent un protectorat de fait sur l'Égypte ; il ne sera proclamé en droit qu'en 1914. Quant au Soudan, où se révoltent des disciples du Madhī, un prophète qui avait instauré dans ce pays un islām purifié, il est occupé par l'Anglais Kitchener en 1898. Kitchener rêve alors de construire une Afrique anglaise allant du Cap au Caire et évince le Français Marchand, dont la mission visait la création d'une route Dakar-Djibouti (incident de Fachoda, 1898). Devenu gouverneur général du Soudan, lord Kitchener installe un condominium anglo-égyptien sur le pays. Mais la puissance britannique à son apogée renforce, par réaction, le nationalisme égyptien. La Grande-Bretagne doit renoncer, le 28 février 1922, à son protectorat sur le royaume d'Égypte. (V. carte p. 87.)

Prenant le relais du Mali, l'Empire songhaï représente la dernière des grandes civilisations soudaniennes. Partis de Gao, émancipés de la tutelle du Mali au xvᵉ siècle, les Songhaïs, convertis à l'islām, édifient au xvIᵉ siècle un vaste empire dont l'influence s'étend sur le Sénégal, les États haoussas et le Sud saharien,

sous la dynastie des Askias. Une civilisation islamo-soudanaise rayonne autour de Tombouctou, son axe vital étant la vallée du Niger. La menace constante des Mossis au sud, des nomades peuls à l'ouest, affaiblit sa cohésion à partir du milieu du xvIᵉ siècle. D'autre part, l'installation des Européens sur la côte entraîne un bouleversement qui

affecte toute l'Afrique : développement de nouveaux États, comme le Congo, drainage de l'or vers la côte, déclin des voies commerciales sahariennes et des États de l'intérieur (sauf le Bornou, à l'est). Finalement, au xvIᵉ siècle, les Marocains, animés par le renouveau musulman, envahissent et détruisent l'Empire songhaï (1591). [V. carte p. 253.]

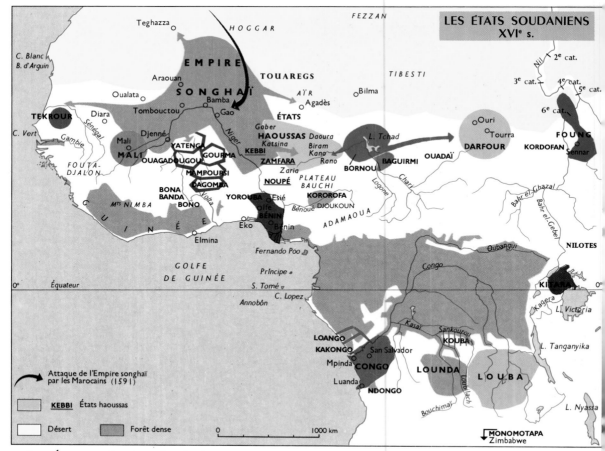

Les États soudaniens (XVIᵉ s.)

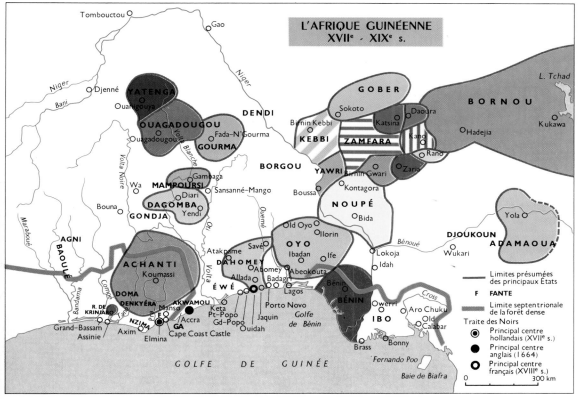

L'AFRIQUE GUINÉENNE
XVIIᵉ - XIXᵉ s.

Limites présumées
des principaux États

F   FANTE

Limite septentrionale
de la forêt dense

Traite des Noirs

◉ Principal centre
hollandais (XVIIᵉ s.)

● Principal centre
anglais (1664)

◯ Principal centre
français (XVIIIᵉ s.)

0   300 km

L'Afrique guinéenne (XVIIᵉ-XIXᵉ s.)

Les Portugais au XVIᵉ siècle, les Hollandais et les Anglais qui les supplantent au XVIIᵉ siècle, les Français au XVIIIᵉ siècle pratiquent la traite des esclaves à partir des comptoirs côtiers. La perte de 11 millions d'habitants au cours de ces trois siècles provoque la décadence des civilisations qui avaient brillé aux XIIIᵉ et XIVᵉ siècles. En revanche, trois États négriers prennent leur essor près de la côte de Guinée : la confédération achantie, le royaume d'Oyo, le royaume d'Abomey (Dahomey). Ces États bloquent l'accès à l'intérieur du continent, où ils pillent le « bois d'ébène ». Aussi les États soudaniens – Mossis au sud du Niger, Haoussas au nord de la Bénoué et Bornou – n'ont-ils aucun contact avec les Européens.

Cependant, les États négriers s'affaiblissent par les guerres perpétuelles qu'ils se livrent pour le monopole du commerce des esclaves. Quand les Européens entreprennent la colonisation systématique de l'Afrique guinéenne au XIXᵉ siècle, ils en ont facilement raison, seuls certains peuples (Achantis de 1807 à 1901, Adjas du Dahomey, 1892-1894) s'opposant à la colonisation.

MADAGASCAR

Établis à Madagascar dès le XVIIe siècle, les Français ne s'y maintiennent que par intermittence. Au XIXe siècle, le royaume mérina, des hautes terres centrales, étend son autorité sur les deux tiers de l'île. Ayant occupé les principaux ports (1883), les Français imposent au pays un « protectorat fantôme » (1885). Annexée en 1896, l'île, avec Gallieni, jouit d'une relative prospérité. Aussi l'émancipation se fera-t-elle sans trop de heurts (malgré l'insurrection durement réprimée de 1947). La république malgache est proclamée autonome le 14 octobre 1958, puis indépendante le 26 juin 1960.

Formation de l'Afrique du Sud ▶

Colons hollandais installés au Cap dès 1652, les Boers élargissent leur territoire africain au XVIIIe siècle, refoulant ou asservissant les indigènes, Namas puis Bantous. En conflit avec les Anglais qui ont acquis la colonie (1814) et mécontents de l'abolition de l'esclavage, les Boers émigrent vers le Nord-Est (le « Grand Trek », 1834-1852) formant deux républiques indépendantes (Transvaal et Orange). Mais les Anglais, installés au Natal depuis 1844, convoitent leurs mines de diamants et d'or et cèdent aux visées impérialistes qu'incarne Cecil Rhodes (Afrique anglaise « du Cap au Caire »). D'abord victorieux (1881), les Boers sont finalement vaincus par les Britanniques (paix de Pretoria, 1902). Une Union sud-africaine rassemble les républiques boers, Le Cap et le Natal (1910), agrandis, à titre de mandat, en 1920, du Sud-Ouest africain. Modéré à ses débuts, le gouvernement cède ensuite à une politique d'apartheid, née du refus inquiet de la minorité blanche d'admettre l'égalité des droits avec la forte majorité noire.

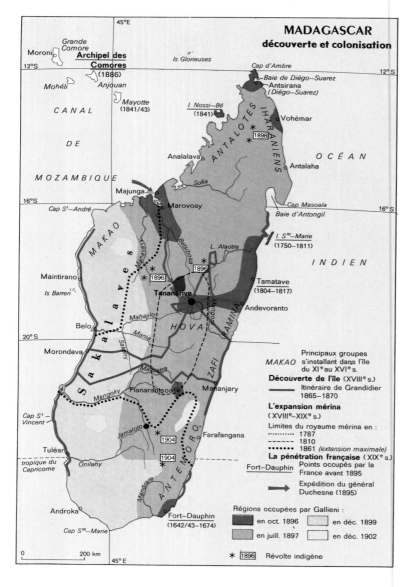

MADAGASCAR
découverte et colonisation

45°E
12°S
16°S
20°S

Grande Comore
Moroni
Archipel des Comores
(1886)
Mohéli
Anjouan
Mayotte (1841/43)
CANAL DE MOZAMBIQUE

Is Glorieuses
Cap d'Ambre
Baie de Diégo–Suarez
Antsirana (Diégo–Suarez)
I. Nossi–Bé (1841)
Vohémar
1898
Analalava
Antalaha
Sofia
OCÉAN
Majunga
Marovoay
Cap Masoala
Baie d'Antongil
Cap St–André
I. Ste–Marie (1750–1811)
L. Alaotra
INDIEN
Maintirano
1896
Is Barren
1896
Tamatave (1804–1817)
Tananarive
Andevoranto
Belo
Mahajilo
HOVA
Morondava
Maintitra
Manambovo
Mananjary
Fianarantsoa
Cap St–Vincent
Jamaloto
1904
Farafangana
Tuléar
1904
tropique du Capricorne
Onilahy
Androka
Fort–Dauphin (1642/43–1674)
Cap Ste–Marie
MAKAO
Sakalaves
ANTALOTES
IHARANIENS
ZAFIRAMINA
ANTEMORO

0   200 km
45°E

Principaux groupes
MAKAO s'installant dans l'île du XIe au XVIe s.
Découverte de l'île (XVIIIe s.)
········ Itinéraire de Grandidier 1865–1870
L'expansion mérina (XVIIIe–XIXe s.)
Limites du royaume mérina en :
········ 1787
------ 1810
•••••• 1861 *(extension maximale)*
La pénétration française (XIXe s.)
Fort–Dauphin Points occupés par la France avant 1895
➡ Expédition du général Duchesne (1895)
Régions occupées par Gallieni :
▮ en oct. 1896   ▯ en déc. 1899
▮ en juill. 1897   ▯ en déc. 1902
✳ 1896 Révolte indigène

Madagascar, découverte et colonisation

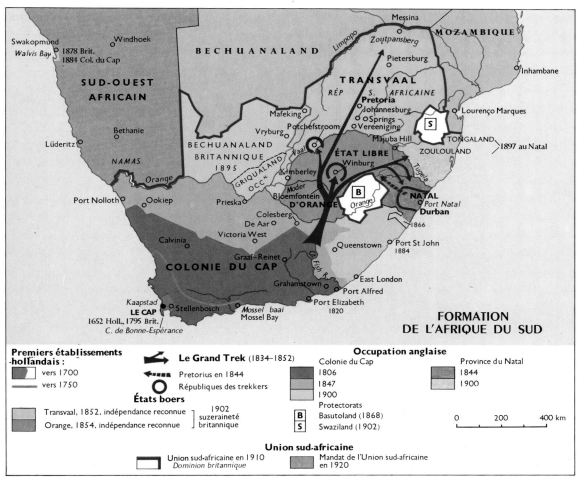

Swakopmund
Windhoek
Walvis Bay 1878 Brit.
1884 Col. du Cap
BECHUANALAND
Messina
Zoutpansberg
MOZAMBIQUE
Limpopo
Pietersburg
Inhambane
SUD-OUEST
AFRICAIN
TRANSVAAL
RÉP. S. AFRICAINE
Bethanie
Pretoria
Johannesburg
Springs
Mafeking
Lourenço Marques
Lüderitz
Vryburg
Potchefstroom
Vereeniging
S
NAMAS
BECHUANALAND
BRITANNIQUE
1895
Majuba Hill
TONGALAND
Orange
Vaal
ÉTAT LIBRE
ZOULOULAND
1897 au Natal
GRIQUALAND
OCC.ᵗᵃˡ
Kimberley
Winburg
Port Nolloth
Ookiep
Prieska
Moder
Bloemfontein
B
NATAL
Port Natal
Durban
D'ORANGE
Orange
Colesberg
1866
Calvinia
De Aar
Victoria West
Queenstown
Port St John
1884
COLONIE DU CAP
Graaf-Reinet
Gt Fish R.
Grahamstown
East London
Kaapstad
Stellenbosch
Port Alfred
LE CAP
Mossel baai
Port Elizabeth
1652 Holl., 1795 Brit.
Mossel Bay
1820
C. de Bonne-Espérance

FORMATION DE L'AFRIQUE DU SUD

Premiers établissements hollandais :
- vers 1700
- vers 1750

Le Grand Trek (1834–1852)
- Pretorius en 1844
- Républiques des trekkers

États boers
- Transvaal, 1852, indépendance reconnue
- Orange, 1854, indépendance reconnue
- 1902 suzeraineté britannique

Occupation anglaise
Colonie du Cap
- 1806
- 1847
- 1900
Protectorats
- B Basutoland (1868)
- S Swaziland (1902)

Province du Natal
- 1844
- 1900

0   200   400 km

Union sud-africaine
- Union sud-africaine en 1910 *Dominion britannique*
- Mandat de l'Union sud-africaine en 1920

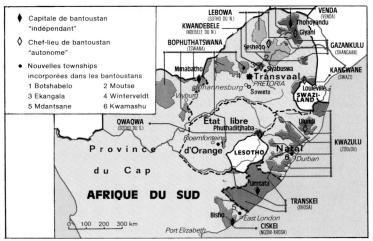

- ◆ Capitale de bantoustan "indépendant"
- ◇ Chef-lieu de bantoustan "autonome"
- • Nouvelles townships incorporées dans les bantoustans
  1 Botshabelo   2 Moutse
  3 Ekangala   4 Winterveldt
  5 Mdantsane   6 Kwamashu

LEBOWA (SOTHO DU N.)
VENDA (VENDA)
Thohoyandu
KWANDEBELE (NDEBELE DU N.)
Giyani
BOPHUTHATSWANA (TSWANA)
GAZANKULU (SHANGAAN)
Seshego
Mmabatho
Siyabuswa
KANGWANE (SWAZI)
Transvaal
Johannesburg
PRETORIA
Soweto
Louieville
Vryburg
SWAZI-LAND
OWAQWA (SOTHO DU S.)
État libre
Phuthaditjhaba
Ulundi
Province
Bloemfontein
d'Orange
LESOTHO
Natal
KWAZULU (ZOULOU)
Durban
du   Cap
Umtata
AFRIQUE DU SUD
TRANSKEI (XHOSA)
0 100 200 300 km
Bisho
East London
Port Elizabeth
CISKEI (NGONI-XHOSA)

L es bantoustans sont les « foyers nationaux » attribués aux Noirs sud-africains. Au nombre de 10, ils occupent 10 p. 100 de la surface de l'Afrique du Sud et rassemblent près de 75 p. 100 de la population. 4 sont indépendants, 6 autonomes mais tous dépendent d'un pouvoir blanc qui renonce peu à peu à l'*apartheid*.

Les bantoustans en 1990

L'Amérique

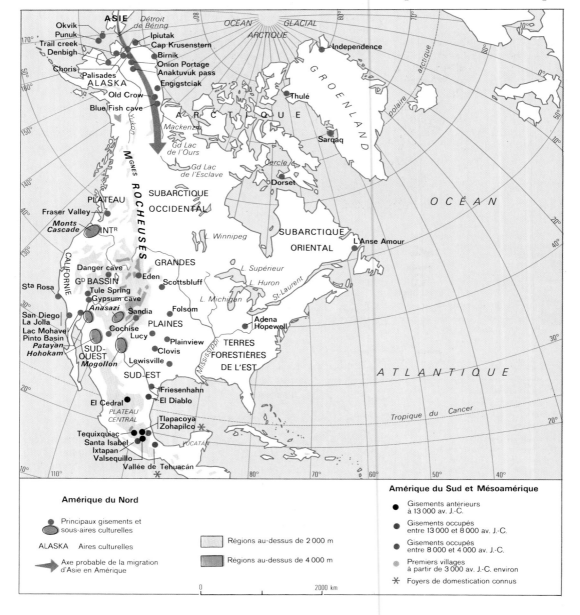

Amérique du Nord

- Principaux gisements et sous-aires culturelles
- ALASKA Aires culturelles
- Axe probable de la migration d'Asie en Amérique
- Régions au-dessus de 2 000 m
- Régions au-dessus de 4 000 m

Amérique du Sud et Mésoamérique

- Gisements antérieurs à 13 000 av. J.-C.
- Gisements occupés entre 13 000 et 8 000 av. J.-C.
- Gisements occupés entre 8 000 et 4 000 av. J.-C.
- Premiers villages à partir de 3 000 av. J.-C. environ
- Foyers de domestication connus

0   2000 km

Les premiers habitants de l'Amérique sont des Sibériens venus d'Asie par le détroit de Béring et installés en Alaska. Entre 70 000 et 15 000 av. J.-C., on découvre des indices de la présence humaine jusqu'en Californie et au Mexique. Dans les Grandes Plaines, la chasse prospère grâce au bison et à l'invention du forçage des hordes vers les précipices. Les Califor-

niens, réfractaires à l'agriculture, tirent de mieux en mieux parti du milieu marin. La culture de Cochise utilise les plantes cultivées originaires de la Mésoamérique et adopte la céramique. La culture de Dorset se partage avec celle de Thulé les régions arctiques. Au Ier millénaire av. J.-C., les hommes de la culture de Dorset usent de microlames, construisent des habitations mas-

sives et semi-souterraines et sont équipés pour la chasse hivernale. Ceux de Thulé se répandent d'autant mieux qu'ils associent au traîneau l'oumiak, bateau de peau : ils se déplacent ainsi de l'Alaska au Groenland. Ils précèdent immédiatement les Esquimaux.

Le peuplement du Nouveau Monde se fait du Nord au Sud. Mais les traces de la présence

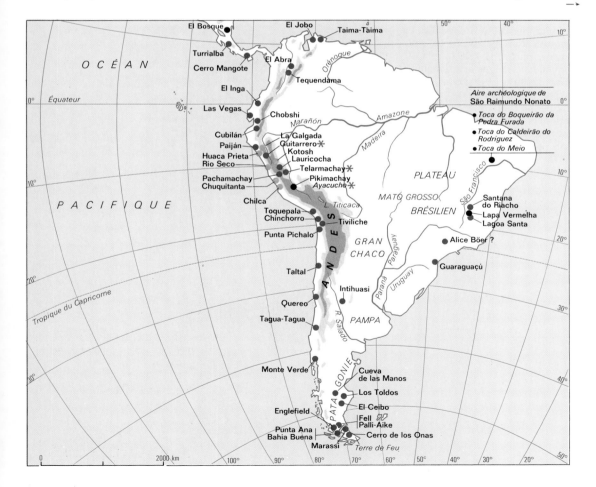

humaine sont aussi anciennes au Mexique et au Brésil que dans le Grand Nord. En Mésoamérique, les sites les plus anciens sont El Bosque, Tlapacoya, Tequixquiac, Valsequillo. La domestication des animaux est limitée et tardive, l'agriculture précoce. L'activité horticole s'épanouit au Ve millénaire avec l'avocat, l'amarante, la courge, suivis du maïs. Dès lors, vers 3 000-2 500 av. J.-C., se construisent de gros villages (Tehuacán).

En Amérique du Sud, le Brésil possède les sites les plus anciens (Toca do Boqueirão). Au Chili, à Monte Verde, on a découvert, dans un habitat de 12 000 av. J.-C. environ des bolas et des traces d'habitations en bois et peaux. La domestication des animaux s'observe à partir de 4 000 av. J.-C., comme le témoigne le gisement de Telarmachay (Ayacucho). Vers 3 000-2 500, le Pérou connaît déjà une bonne partie des productions agricoles précolombiennes. Le reste du continent suit avec retard, mais découvre la poterie vers 3 000.

Dès le Ier millénaire av. J.-C. la civilisation olmèque est déjà très évoluée (villes avec temples en pierre et marchés, calendrier et système de numérotation) ; aussi étend-elle son influence, à partir de la côte atlantique (La Venta [v. 100-v. 400 av. J.-C.], puis Tres Zapotes [à partir de 31 av. J.-C.]), sur toute la zone mésoaméricaine ; elle donne

alors naissance à de nouvelles civilisations qui, au Ier millénaire apr. J.-C., s'individualisent en deux grandes aires. Au sud, dans les basses terres guatémaltèques du Petén (Tikal, Uaxactún, Seibal), les Mayas édifient à partir du IVe siècle la plus brillante civilisation de la région, qui rayonne au Chiapas (Palenque, Bonampak, Yaxchilán), au Yucatán et vers le sud-est (Kaminal-

juyú, Amatitlán, Copán). Dans l'aire mexicaine, la civilisation de Teotihuacán étend son influence sur tout le plateau central (Xochicalco, Cholula) et jusqu'en pays maya ; elle domine, par la splendeur de ses monuments, les cultures voisines des Zapotèques, dans l'Oaxaca (Monte Albán), et des Totonaques, en Veracruz (El Tajín). À la fin du Ier millénaire apr. J.-C., toutes ces civilisations disparaissent, pour des raisons mal connues, peut-être sous les coups de chasseurs nomades venus du Nord : dans un premier temps, les Toltèques, dans la région de Tula, recueillent l'héritage de Teotihuacán ; mais, au XIIe siècle, ils sont balayés par de nouveaux envahisseurs (affrontement mythique entre Quetzalcóatl, le serpent à plumes toltèque, et Tezcatlipoca, le dieu de la Guerre) ; aussi se réfugient-ils au Yucatán, où ils revivifient la civilisation maya, à Uxmal, à Chichén Itzá et à Mayapán. À la même époque, les Aztèques s'imposent au Mexique central ; réalisant la synthèse de la civilisation toltèque et de leurs traditions guerrières, ils édifient, en cent cinquante ans, un empire couvrant tout le Mexique.

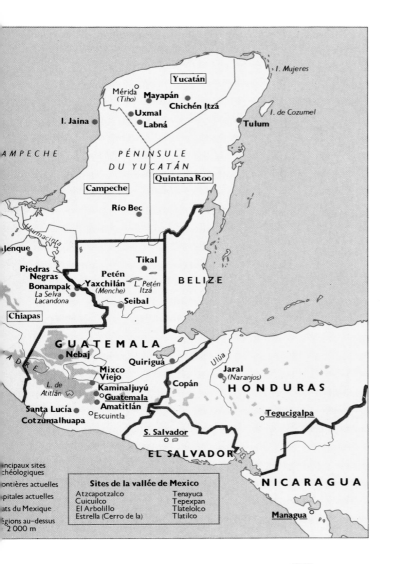

La Mésoamérique.
Archéologie

L'Amérique du Sud précolombienne présente de grandes différences culturelles, liées à la variété des conditions naturelles. Au sud, les populations ignorent encore l'agriculture : pêcheurs de l'archipel fuégien (Yahgans, Alakalufs) ; chasseurs de guanacos des pampas (Tehuelches, Puelches) ; tribus du Chaco et du Sud brésilien, combinant chasse et cueillette. Les régions tropicales et l'Est sont peuplés d'Indiens pratiquant une agriculture itinérante sur brûlis (manioc, igname, patate), répartis en trois grands groupes culturels : Tupi-Guaranis, Arawaks au sud de l'Amazonie, (qui édifient la civilisation Marajoara sur l'Amazone) et Caríb au nord, d'où ils envahissent les Antilles. Enfin la région andine connaît, depuis le IIe millénaire, une véritable agriculture sédentaire, fondée sur la culture du maïs, qui permet l'éclosion de civilisations évoluées. Mais le relief accidenté des Andes entraîne un morcellement en petites aires culturelles, qui ne sont que tardivement unifiées. Malgré leurs remarquables réussites dans la métallurgie de l'or (Atacames, Milagro), les civilisations des franges septentrionales pâlissent auprès de celles des Andes centrales.

En Colombie, toutefois, le site de San Agustín, dont les débuts sont antérieurs à l'ère chrétienne, peut s'enorgueillir de ses statues colossales. Les Andes sont d'abord marquées par l'influence mésoaméricaine (civilisation de Chavín, qui rayonne sur toute la côte, à Cupisnique, à Ancón, à Paracas). Paracas est une zone de gisements d'époques variées, favorisée par un climat désertique qui a conservé la flore et les textiles. Un bon niveau technique (agriculture irriguée, artisanat développé) permet l'épanouissement, à partir de 300 av. J.-C., de cultures originales : sur la côte, la culture mochica au nord, celle de Nazca au sud. Le site de Nazca, d'épo-

Sites archéologiques de l'Amérique du Sud

que classique, s'est rendu célèbre grâce aux qualités de ses céramiques polychromes.

Ces civilisations sont bientôt éclipsées par celles des hauts plateaux où, à partir de Tiahuanaco, s'édifie, vers 600 apr. J.-C., le premier empire sud-américain. Son effondrement vers 1100 entraîne un nouveau morcellement en petits royaumes ou confédérations (Chincha, Chancay, surtout Chimú), dont la culture composite reprend les acquis des civilisations côtières et de celle de Tiahuanaco. Il faut attendre le xvᵉ siècle pour que se construise, à partir des hautes terres, un nouvel empire qui unifie toute la région andine : venus de la vallée du Cuzco, les Incas étendent leur domination de l'Équateur au Chili central. De nombreux facteurs témoignent de leur haut degré de civilisation : perfection de l'organisation sociale, importance du réseau routier, ingéniosité du système comptable, splendeur des monuments.

Cuzco, capitale de l'ancien Empire inca, comporte de nombreux vestiges enfouis dans les constructions modernes. Machu Picchu, ville morte, aujourd'hui très accessible, est le site le plus étonnant.

Mais, comme chez les Aztèques, le manque de cohésion de l'Empire, aggravé par les luttes intestines (querelle dynastique entre Atahualpa et son demi-frère, Huàscar), favorise la conquête espagnole en 1532-33. (V. cartes pp. 280 et 281.)

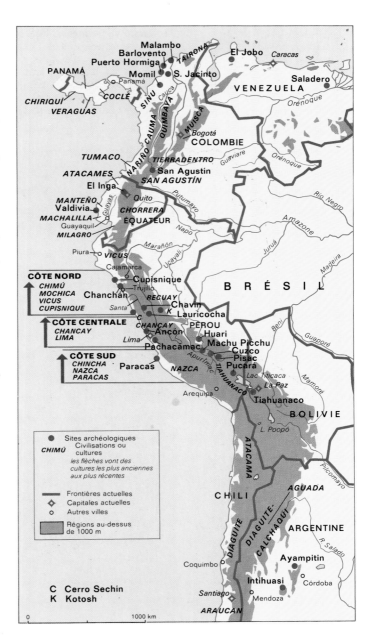

Sites archéologiques de la région andine

Vers 982, Erik le Rouge, parti d'Islande, aborde au Groenland, qui est colonisé. De là, les navigateurs vikings atteignent le mystérieux Vinland et s'y établissent entre 1003 et 1006. Des traces de leurs installations ont été identifiées à la pointe nord de Terre-Neuve. La route du Nouveau Monde est ouverte véritablement par Christophe Colomb en 1492, suivi très vite par divers navigateurs espagnols. Dès 1497, Jean Cabot, au service des Anglais, retrouve le chemin de Terre-Neuve. À l'autre extrémité du continent nord, l'Espagnol Cabeza de Vaca pénètre dans les profondeurs du Mexique jusqu'à la Sierra Madre.

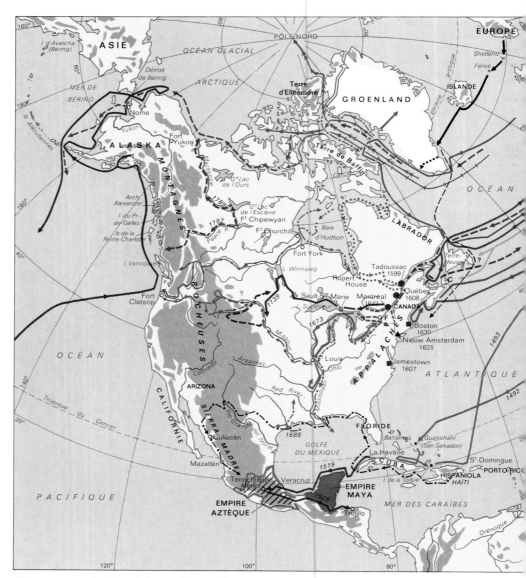

Découverte de l'Amérique du Nord

À la recherche d'un passage septentrional vers le Pacifique (le « passage du Nord-Ouest »), les Britanniques pénètrent, à la fin du XVIe siècle, dans le détroit de Davis (Martin Frobisher en 1576, John Davis en 1587), puis, au début du XVIIe siècle, dans la baie d'Hudson, à laquelle un anglais, Henry Hudson, donne son nom, en 1609-10.

Mais c'est dans le nord-est des actuels États-Unis qu'ils fondent leurs premiers établissements permanents (Jamestown en 1607, Boston en 1630), en concurrence notamment avec les Néerlandais qui achètent aux Indiens l'île de Manhattan en 1625 (Nieuw Amsterdam, auj. New York).

Entre ces deux zones d'établissement en majorité britanniques, explorateurs (Jacques Cartier au XVIe s.) et colonisateurs français (Samuel Champlain au XVIIe s.) pénètrent loin à l'intérieur du continent, le long de l'axe du Saint-Laurent, où sont fondés Québec (1608) et Montréal (1642). Autour de ces villes se constitue alors la colonie de la Nouvelle-France, noyau du Canada. Disposant d'une excellente voie de pénétration, le Saint-Laurent, les Français explorent la vallée du Mississippi (le P. Jacques Marquette et Louis Joliet, puis Robert Cavelier de La Salle) et s'aventurent jusqu'aux montagnes Rocheuses (Pierre de La Vérendrye et ses fils).

Partant de leurs établissements de la baie d'Hudson, dont la compagnie exploite les fourrures depuis 1670, les Anglais entreprennent l'exploration de la région de la Saskatchewan (Henday, 1754-55) et surtout celle du Grand Nord après 1763. Mackenzie atteint l'Arctique en descendant la rivière qui porte actuellement son nom (1789), puis le Pacifique, non loin de l'île du Prince-de-Galles (1793), déjà reconnue par mer par George Vancouver qui, relayant James Cook (1778), explore le littoral occidental de l'Amérique du Nord de 1792 à 1794. Pour l'essentiel, la reconnaissance du continent est achevée.

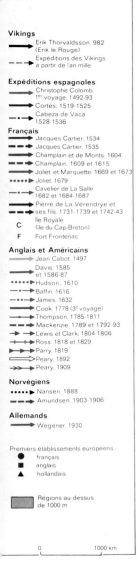

Vikings
Erik Thorvaldsson, 982 (Erik le Rouge)
Expéditions des Vikings à partir de l'an mille

Expéditions espagnoles
Christophe Colomb, 1er voyage, 1492-93
Cortés, 1519-1525
Cabeza de Vaca 1528-1536

Français
Jacques Cartier, 1534
Jacques Cartier, 1535
Champlain et de Monts, 1604
Champlain, 1609 et 1615
Joliet et Marquette, 1669 et 1673
Joliet, 1679
Cavelier de La Salle 1682 et 1684-1687
Pierre de La Vérendrye et ses fils, 1731-1739 et 1742-43
C   Île Royale (Île du Cap-Breton)
F   Fort Frontenac

Anglais et Américains
Jean Cabot, 1497
Davis, 1585 et 1586-87
Hudson, 1610
Baffin, 1616
James, 1632
Cook, 1778 (3e voyage)
Thompson, 1785-1811
Mackenzie, 1789 et 1792-93
Lewis et Clark, 1804-1806
Ross, 1818 et 1829
Parry, 1819
Peary, 1892
Peary, 1909

Norvégiens
Nansen, 1888
Amundsen, 1903-1906

Allemands
Wegener, 1930

Premiers établissements européens :
● français
■ anglais
▲ hollandais

Régions au-dessus de 1000 m

0   1000 km

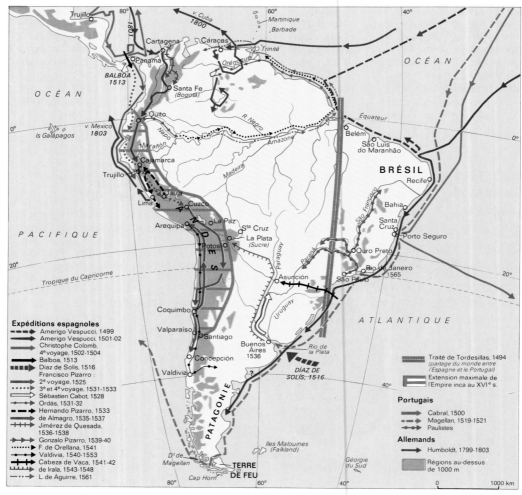

Découverte de l'Amérique du Sud

En 1492, l'arrivée de Christophe Colomb aux Bahamas ouvre la voie à la colonisation de l'Amérique du Sud. Dès 1494, le traité de Tordesillas partage le monde entre Espagnols et Portugais. En 1500, Cabral s'empare, pour le compte du Portugal, de la « Terre de la Vraie Croix », région du futur Brésil. Amerigo Vespucci longe jusqu'en Patagonie les terres du littoral sud-américain. L'intérieur du continent est exploré par des conquistadores (Almagro, Pizarro, Orellana) mais aussi par des aventuriers en quête d'eldorados. Vers l'Atlantique sud, Díaz de Solís pénètre dans le Río de la Plata dès 1516. La jonction avec les possessions andines est assurée, avant le milieu du XVIe siècle, par Irala ; les Portugais s'engageront plus tard à l'intérieur du Brésil, l'Amazonie restant en grande partie inconnue jusqu'au XIXe siècle.

En quelques années, les conquistadores se rendent maîtres des puissants empires amérindiens (Cortés au Mexique, Pizarro et Almagro au Pérou). Un vaste empire espagnol se constitue en trente ans, tandis que les Portugais s'installent lentement sur la côte brésilienne (arbitrage pontifical de 1493 ; traité de Tordesillas, 1494). La monarchie espagnole crée en Europe des organismes de contrôle des nouvelles colonies et, sur place, une administration locale. Les galions drainent vers l'Europe les métaux précieux de Colombie, du Mexique et du Pérou, rapportent les produits manufacturés et assurent, depuis Acapulco, la liaison avec les Philippines et l'Asie. Mais la colonisation entraîne l'effondrement de la population amérindienne, qui passe de 80 millions d'habitants à 11 ou 12 millions au cours du XVIe siècle.

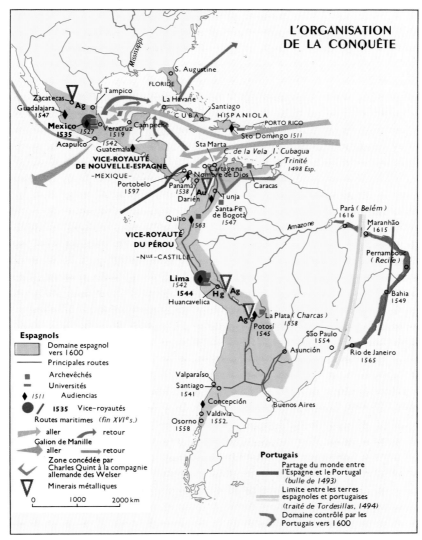

L'organisation de la conquête

L'Amérique au XVIIᵉ et au XVIIIᵉ s.

Espagnols

- Zone occupée ou prospectée vers 1600
- Progrès de l'occupation au XVIIᵉ et au XVIIIᵉ s.
- Missions jésuites "réductions"
- Franciscains
- Vice-royautés en 1800
- Capitaineries générales

Portugais

- vers 1650
- 1750
- 1800

Français

- Canada français en 1660
- Possessions en 1750
- Pertes en
  - 1713 (Anglais)
  - 1763 (Anglais)
  - 1763 (Espagnols)

- ▲ Forts français
- 4 Fort Duquesne
- ● Possessions fˢᵉˢ après le traité de Paris (1763)

Anglais

- Établissements britanniques en 1664
- en 1763
- ◆ Forts anglais
- 5 Fort Necessity
- → Immigration
- Cᵢᵉ de la baie d'Hudson vers 1750

Les Treize Colonies révoltées (1775)

Hollandais

- Brésil hollandais 1624-1654
- Nᴸᴸᴱ-Hollande 1624-1664
- Autres possessions
- → Traite des Noirs

1. *Louisbourg* ; 2. *Acadie* ; 3. *I. du Cap-Breton* ; 6. *Philadelphie*

0 1000 2000 km

A l'aube du XVIIᵉ siècle, l'Amérique est, de la Floride à l'Argentine, le domaine réservé des Ibériques, notamment des Espagnols. Mais, en deux siècles, la situation est bouleversée. Les Portugais occupent peu à peu le désert humain qui va de l'Atlantique aux Andes. Si la présence hollandaise, de Nieuw Amsterdam (New York) au Brésil, est peu durable, les Français conquièrent depuis le Canada une bonne partie de l'Amérique du Nord. Faiblement implantés dans l'ensemble du continent au XVIIᵉ siècle, les Anglais étendent au XVIIIᵉ siècle leur influence commerciale dans l'Amérique espagnole. Après avoir évincé les Français du Canada et de Louisiane occidentale (traité de Paris, 1763), ils peuvent créer un vaste empire en Amérique du Nord. Dans la plupart des colonies, de grands latifundia se créent, exploités par des esclaves noirs. La minorité créole de la société coloniale s'impose aux esclaves, métis et indigènes, que les Européens tentent épisodiquement de protéger et d'évangéliser, notamment dans le cadre des réductions jésuites. Mais les colonies, surtout en Amérique espagnole, restent sous la tutelle politique des pays européens, dont la domination économique (pacte colonial) mécontente les colons.

L a chute de la monarchie
espagnole en 1808 provo-
que, à partir de 1810, une
première vague révolutionnaire.
Au Mexique, les prêtres Hidalgo
et Morelos mènent l'insurrection.
En Amérique du Sud, des mouvements séparatistes éclatent,
animés par Miranda puis par
Bolívar au Venezuela, Belgrano
dans le vice-royaume de la Plata,
O'Higgins au Chili. Mais les dissensions internes et la restauration des Bourbons en Espagne
permettent partout le rétablissement de la souveraineté espagnole, sauf dans les pays de la
Plata. En 1817, les révoltes reprennent : San Martín libère le
Chili et le Pérou ; Bolívar prend
les trois pays du Nord, qu'il fé-
dère en une « Grande-Colom-
bie » ; Iturbide proclame l'indépendance du Mexique en 1821.
Entre 1821 et 1824, les pays
d'Amérique centrale créent une
république fédérale. Au Brésil,
don Pedro, l'héritier du trône
portugais, évite la révolution en
acceptant la couronne impériale.

L'affirmation des tendances
centrifuges en Amérique latine
fait échouer les rêves fédéralistes
de Bolívar (congrès de Panamá,
juin-juill. 1826) : la Grande-Co-
lombie se voit privée du Venezuela, puis de l'Équateur. En
1839, les Provinces-Unies d'Amérique se morcellent en cinq républiques, auxquelles se joint le
Panamá en 1903.

FORMATION DES ÉTATS
D'AMÉRIQUE LATINE
(XIXe-MILIEU DU XXe S.)

L 'indépendance en Amé-
rique latine a renforcé le
pouvoir des caciques (seigneurs locaux) sur les indigènes.
Dès lors, se manifeste une ten-
dance permanente à l'éclatement
des États, évité seulement par
l'instauration de dictatures militaires. Le rôle croissant de l'armée dans la vie politique exacerbe les nationalismes. Les
guerres se multiplient, favorisant
les modifications de frontières,
au détriment, notamment, des
États intérieurs (Paraguay, Bolivie) et au profit des États relativement solides (Chili, Pérou et
surtout Brésil).
La faiblesse des États facilite
l'impérialisme des grandes puissances : mainmise économique
de la Grande-Bretagne sur le
« triangle blanc » (Argentine,
Uruguay, Chili) ; intervention militaire en 1862 des Français au
Mexique, où ils créent l'éphémère empire de Maximilien
(1864-1867) ; domination des
États-Unis. Ayant annexé les provinces septentrionales du Mexique par le traité de Guadalupe
Hidalgo en 1848, ceux-ci étendent leur influence, d'abord dans
la région des Caraïbes ; après la
Première Guerre mondiale et
l'effacement britannique, cette influence s'exerce dans toute
l'Amérique latine. La véritable
émancipation, commencée au
Mexique avec la révolution de
1911, reste à réaliser.

Cartes pp. 284-285 →

← Notices p. 283

L'indépendance de l'Amérique latine au XIXe s.

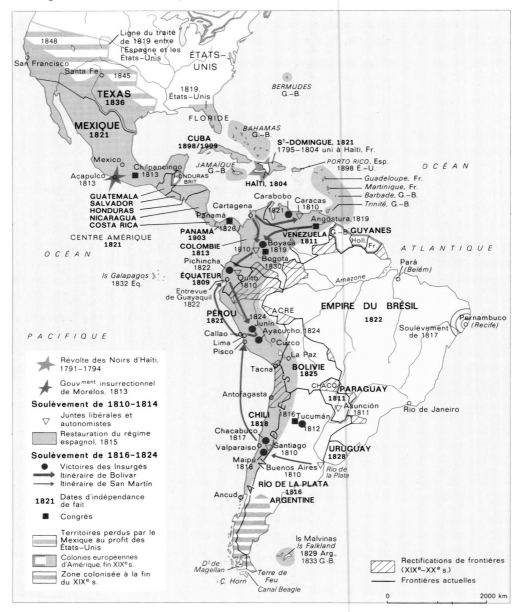

Révolte des Noirs d'Haïti, 1791–1794

Gouv^{ment} insurrectionnel de Morelos, 1813

Soulèvement de 1810–1814

▽ Juntes libérales et autonomistes

Restauration du régime espagnol, 1815

Soulèvement de 1816–1824

● Victoires des Insurgés
→ Itinéraire de Bolivar
→ Itinéraire de San Martín

1821 Dates d'indépendance de fait

■ Congrès

Territoires perdus par le Mexique au profit des États–Unis

Colonies européennes d'Amérique, fin XIXe s.

Zone colonisée à la fin du XIXe s.

Rectifications de frontières (XIXe–XXe s.)
Frontières actuelles

0   2000 km

Formation des États d'Amérique latine
(XIXe–milieu du XXe s.) ▶

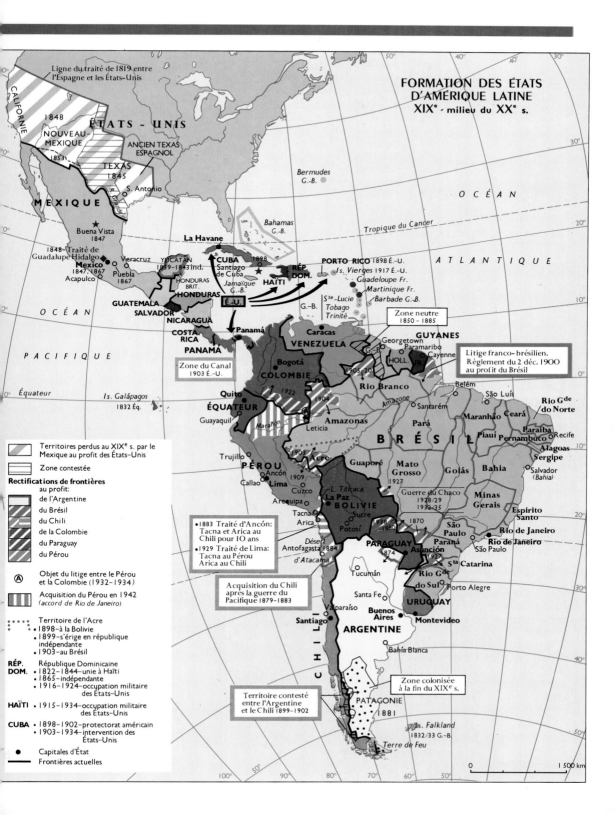

FORMATION DES ÉTATS
D'AMÉRIQUE LATINE
XIXᵉ - milieu du XXᵉ s.

Ligne du traité de 1819 entre
l'Espagne et les États-Unis

CALIFORNIE
1848
NOUVEAU-
MEXIQUE
ÉTATS - UNIS
(1853)
ANCIEN TEXAS
ESPAGNOL
TEXAS
1845
S. Antonio
R. Grande
MEXIQUE
Buena Vista
1847
1848-Traité de
Guadalupe Hidalgo
Veracruz
Mexico
1847, 1867
Puebla
1867
Acapulco
YUCATAN
1839-1843 ind.
HONDURAS
BRIT.
HONDURAS
GUATEMALA
SALVADOR
NICARAGUA
COSTA
RICA
PANAMA

La Havane
CUBA
Santiago
de Cuba
1898
Jamaïque
G.-B.
HAÏTI
RÉP.
DOM.
É.U.
Panamá

Bermudes
G.-B.

Bahamas
G.-B.

Tropique du Cancer

PORTO RICO 1898 É.-U.
Is. Vierges 1917 É.-U.
Guadeloupe Fr.
Martinique Fr.
G.-B.   Barbade G.-B.
Sᵗᵉ-Lucie
Tobago
Trinité

OCÉAN

ATLANTIQUE

Zone neutre
1850 - 1885

GUYANES
Georgetown
Paramaribo
G.-B.   Cayenne
HOLL. FR.

Litige franco- brésilien.
Règlement du 2 déc. 1900
au profit du Brésil

Caracas
VENEZUELA

Zone du Canal
1903 É.-U.

Bogotá
COLOMBIE

1905-20

Rio Branco

Belém

Quito
ÉQUATEUR
Guayaquil

1922

1904

Marañón

Leticia

Amazonas
A

Amazone

Santarém

São Luís

Rio Gde
do Norte

Maranhão Ceará
Paraíba
Piauí Pernambuco
Recife

PACIFIQUE

Équateur

Is. Galápagos
1832 Éq.

Trujillo

PÉROU
Ancón
Callao Lima
Cuzco

1903 Acre

Guaporé

Pará

B   R   É   S   I   L

Mato
Grosso
1927

Golás

Bahia

Alagoas
Sergipe
Salvador
(Bahia)

Arequipa
Tacna
Arica

L. Titicaca
La Paz
BOLIVIE
Sucre
Potosí

Guerre du Chaco
1928/29
1932-35

1938
1880

1870

Minas
Gerais

Espirito
Santo

São
Paulo

Rio de Janeiro

•1883 Traité d'Ancón:
Tacna et Arica au
Chili pour 10 ans
•1929 Traité de Lima:
Tacna au Pérou
Arica au Chili

Désert
d'Atacama
Antofagasta 1884

PARAGUAY
1874
Asunción
1927

Paraná
São
Paulo

Rio de Janeiro

Sᵗᵃ Catarina

Acquisition du Chili
après la guerre du
Pacifique 1879-1883

Tucumán

Santa Fe

Rio Gde
do Sul
Porto Alegre

URUGUAY

Territoire contesté
entre l'Argentine
et le Chili 1899-1902

Valparaíso
Santiago

Buenos
Aires
Montevideo

ARGENTINE

Bahía Blanca

Zone colonisée
à la fin du XIXᵉ s.

PATAGONIE
1881

Is. Falkland
1832/33 G.-B.

Terre de Feu

Territoires perdus au XIXᵉ s. par le
Mexique au profit des États-Unis

Zone contestée

Rectifications de frontières
au profit:
de l'Argentine
du Brésil
du Chili
de la Colombie
du Paraguay
du Pérou

Ⓐ Objet du litige entre le Pérou
et la Colombie (1932-1934)

Acquisition du Pérou en 1942
(accord de Rio de Janeiro)

••••• Territoire de l'Acre
•1898–à la Bolivie
•1899–s'érige en république
     indépendante
•1903–au Brésil

RÉP.   République Dominicaine
DOM. •1822–1844–unie à Haïti
         •1865–indépendante
         •1916–1924–occupation militaire
            des États-Unis

HAÏTI •1915–1934–occupation militaire
            des États-Unis

CUBA •1898–1902–protectorat américain
         •1903–1934–intervention des
            États-Unis

• Capitales d'État
— Frontières actuelles

0   1 500 km

AMÉRIQUE DU NORD

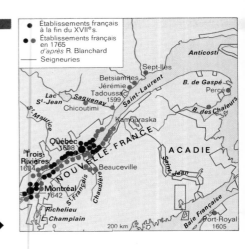

Découvert par Jacques Cartier (1534), le Canada accueille en 1604, en Acadie, les premiers colons français (fondation de Québec en 1608, de Montréal en 1642). Pourtant, le Canada reste une colonie fragile, menacée par les Iroquois et les Anglais, malgré l'effort d'immigration et de colonisation agricole réalisé après 1673 sous le gouverneur Frontenac.

Canada : Les établissements français (XVIIe-XVIIIe s.) ▶

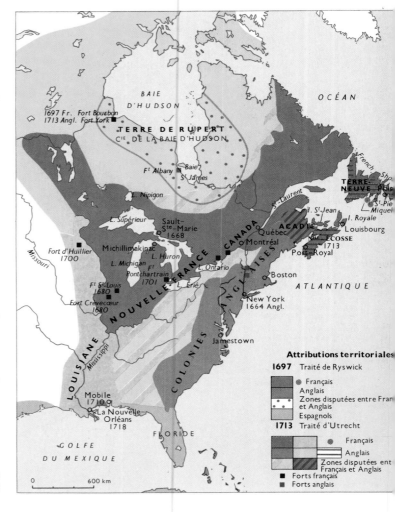

Dès 1670, la rivalité franco-anglaise en Amérique du Nord s'accentue avec le développement des colonies anglaises et avec la concurrence qui naît autour de la baie d'Hudson pour le trafic des fourrures. Les Hurons se rallient aux Français et les Iroquois aux Anglais. En s'étendant vers le sud-ouest (découverte du Mississippi par Joliet et Marquette, fondation de la Louisiane par Cavelier de La Salle en 1682), les Français bloquent l'expansion anglaise vers l'ouest. En 1690 s'ouvrent les hostilités. Au traité de Ryswick (1697), la France perd une partie de l'Acadie mais elle conserve presque tous les postes de la baie d'Hudson. Au traité d'Utrecht (1713), la France perd la baie d'Hudson, l'Acadie, Terre-Neuve. Le Canada n'est peuplé en 1754 que de 54 000 Français face aux 2 millions de colons anglais.

*La colonisation
de 1697 à 1713*

Lors de la guerre de Sept Ans (1756-1763), l'affrontement franco-anglais aboutit inévitablement, en raison de la disproportion des forces, à la défaite française, scellée par la capitulation de Montréal le 8 septembre 1760. Après avoir dû céder la Louisiane occidentale à l'Espagne par le traité secret du 3 novembre 1762, la France perd, au traité de Paris du 10 février 1763, toutes ses possessions nord-américaines (sauf Saint-Pierre-et-Miquelon). La nouvelle Amérique anglaise est partagée en trois : le Nord est rattaché aux territoires de la baie d'Hudson ; la région des Grands Lacs et du Mississippi, théoriquement laissée aux Indiens, dépend directement de la Couronne ; seule une frange le long du Saint-Laurent est abandonnée aux francophones, par ailleurs brimés dans leurs convictions religieuse et pratiquement exclus de toute fonction publique par la loi du Test. Mais le pragmatisme anglais comprend la nécessité de bonnes relations avec les Canadiens français : l'Acte de Québec du 22 juin 1774 élargit le Québec (donc le champ d'extension des francophones) du Labrador au Mississippi, abolit le Test et rétablit les lois françaises. Aussi suscite-t-il le mécontentement des vieux colons anglais, dont l'expansion vers l'ouest est de nouveau impossible, et qui dénoncent la « collusion anglo-canadienne » ; la rupture qui s'ensuit en 1774 entre l'Angleterre et les Treize Colonies est le point de départ de la formation de deux nations anglophones en Amérique. (V. carte p. 87.)

Traité de Paris, févr. 1763

| | Anglais | | Espagnols |

Français
● Possessions
Droit de pêche et de débarquement

Proclamation royale, oct. 1763
Frontières fixes
Frontières imprécises
Ligne de la Proclamation

Acte de Québec, juin 1774
Frontières fixes
Extension de la province de Québec, 1774-1783
P.-É. Île du Prince-Édouard

L'Amérique du Nord de 1763 à 1774

287

L e régime bâtard instauré en 1867 ne peut durer. Dès 1869, le Canada achète les immenses territoires du Nord-Ouest, divisés géométriquement en districts entre 1876 et 1882. La promesse de l'établissement de liaisons ferroviaires facilite la création de nouvelles provinces : Manitoba en 1870 ; Colombie britannique en 1871 ; île du Prince-Édouard en 1873. Seule Terre-Neuve conserve son statut de colonie britannique.

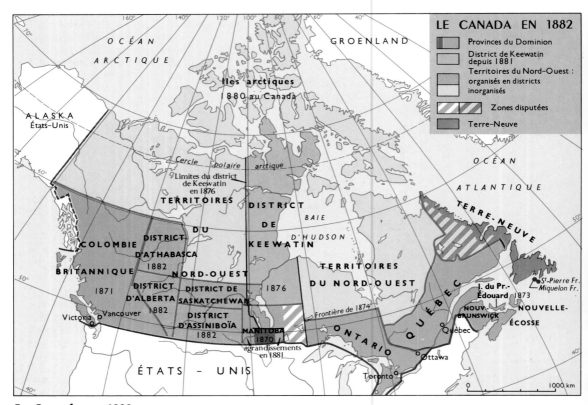

Le Canada en 1882

LA PÉRIODE COLONIALE JUSQU'AU TRAITÉ DE PARIS (1763)

Commencée en 1607 (premier établissement en Virginie), la colonisation britannique naît à la fois de raisons matérielles (croissance démographique, bouleversements ruraux dus au mouvement des enclosures, mutations de l'industrie textile) et de motivations religieuses (fuite des groupes minoritaires ou persécutés, tels les puritains du *Mayflower*). Ainsi, par fondations successives ou par annexion des territoires hollandais, se créent, de 1624 à 1732, treize colonies, où affluent nombre d'immigrants (50 000 Blancs en 1640, 450 000 en 1715, 3 millions en 1775); elles forment de petits États séparés, très jaloux de leur autonomie. Aussi les assemblées locales jouent-elles un rôle essentiel et développent-elles un sens aigu de la liberté individuelle. Ces facteurs renforcent le particularisme de chacune de ces colonies; entre le Sud, « cavalier » (royaliste), dominé par une société de planteurs propriétaires de grands domaines exploités par des esclaves noirs, et le Nord, puritain ou quaker, à société plus égalitaire, où dominent artisans et marchands, l'unité n'est que négative : contre les Indiens, contre les Espagnols et les Français, et, après 1763, contre la tutelle économique anglaise.

LA GUERRE DE L'INDÉPENDANCE AMÉRICAINE (1775-1782)

Après 1763, l'aggravation du mercantilisme et des taxes imposées par l'Angleterre, le blocage de l'expansion vers l'ouest par l'Acte de Québec de 1774 (v. carte p. 287) suscitent une agitation qui prend vite une forme politique; la répression britannique, maladroite et brutale, conduit à la rupture en 1775, officialisée par la Déclaration d'indépendance des treize États unis le 4 juillet 1776. Malgré la supériorité théorique des Anglais, les « insurgents », bien commandés par George Washington et aidés de volontaires étrangers tel La Fayette, chassent les Anglais du Nord par la victoire de Saratoga le 17 octobre 1777. La signature d'un traité d'alliance officielle avec la France le 6 février 1778 renforce leur posi-

Carte p. 290 →

Légende de la carte :

1 NEW HAMPSHIRE
2 MASSACHUSETTS
3 CONNECTICUT
4 RHODE ISLAND
5 NEW JERSEY
6 MARYLAND

→ Implantation britannique Immigrants du *Mayflower*. 1620
Établissements britanniques vers 1650
Établissements britanniques en 1713, après le traité d'Utrecht
◆ Forts anglais
Zones disputées entre Anglais et Français en 1713
Ligne de la Proclamation en 1763
Établissements français en 1713, après le traité d'Utrecht
◆ Forts français
Établissements français en 1763, après le traité de Paris

La période coloniale jusqu'au traité de Paris (1763)

tion militaire. Avec l'aide des troupes de Rochambeau et celle de l'escadre de l'amiral de Grasse, ils bloquent l'avance des Britanniques débarqués en Géorgie : la capitulation de Cornwallis à Yorktown le 19 octobre 1781 scelle la défaite anglaise. Le traité de Versailles, signé le 3 septembre 1783, reconnaît l'existence, de l'Atlantique au Mississippi, de la République fédérée des États-Unis. Mais il reste à organiser la nouvelle nation. (V. carte p. 292.)

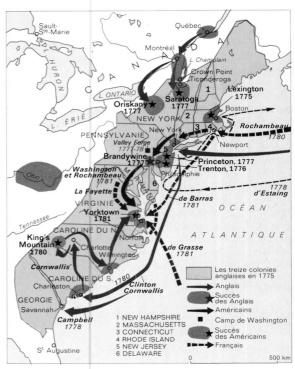

La guerre de l'Indépendance américaine (1775-1782)

La guerre de Sécession (1861-1865)

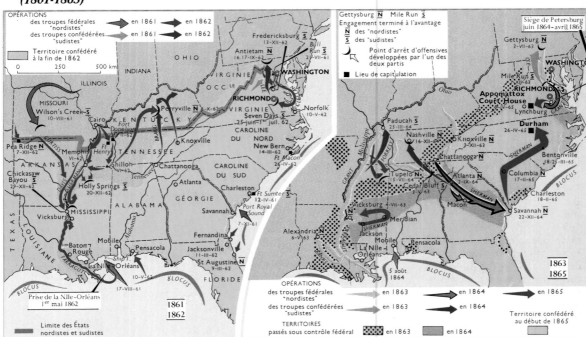

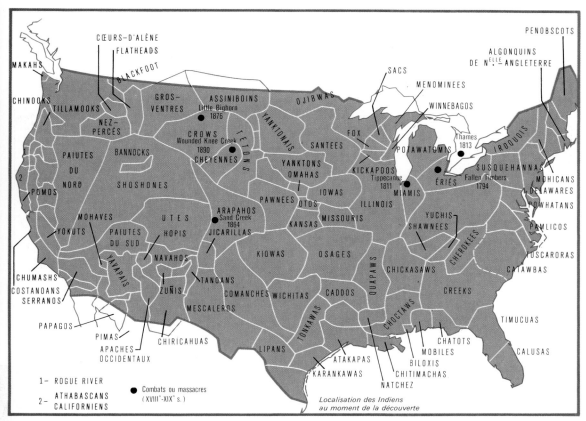

CŒURS-D'ALÊNE
FLATHEADS
MAKAHS
BLACKFOOT
PENOBSCOTS
ALGONQUINS
DE N^{ELLE} ANGLETERRE
SACS
MENOMINEES
CHINOOKS
TILLAMOOKS
GROS-
VENTRES
ASSINIBOINS
Little Bighorn
1876
OJIBWAS
WINNEBAGOS
NEZ-
PERCÉS
YANKTONAIS
FOX
Thames
1813
IROQUOIS
PAIUTES
DU
NORD
BANNOCKS
CROWS
Wounded Knee Creek
1890
CHEYENNES
T
E
T
O
N
S
SANTEES
POTAWATOMIS
SUSQUEHANNAS
2
SHOSHONES
YANKTONS
OMAHAS
KICKAPOOS
Tippecanoe
1811
MIAMIS
ÉRIÉS
Fallen Timbers
1794
MOHICANS
DELAWARES
POMOS
PAWNEES
OTOS
IOWAS
ILLINOIS
POWHATANS
MOHAVES
U T E S
ARAPAHOS
Sand Creek
1864
KANSAS
MISSOURIS
YUCHIS
SHAWNEES
PAMLICOS
YOKUTS
PAIUTES
DU SUD
HOPIS
JICARILLAS
KIOWAS
OSAGES
CHEROKEES
TUSCARORAS
CHUMASHS
COSTANOANS
SERRANOS
YAVAPAIS
NAVAHOS
ZUÑIS
TANOANS
COMANCHES WICHITAS
CADDOS
QUAPAWS
CHICKASAWS
CREEKS
CATAWBAS
PAPAGOS
PIMAS
MESCALEROS
TONKAWAS
CHOCTAWS
TIMUCUAS
APACHES
OCCIDENTAUX
CHIRICAHUAS
LIPANS
ATAKAPAS
MOBILES
BILOXIS
CHATOTS
CALUSAS
KARANKAWAS
CHITIMACHAS
NATCHEZ

1- ROGUE RIVER
2- ATHABASCANS
   CALIFORNIENS

● Combats ou massacres
(XVIIIe-XIXe s.)

Localisation des Indiens
au moment de la découverte

LA GUERRE DE SÉCESSION (1861-1865)

Entre le Nord qui s'industrialise et le Sud agricole exportateur de coton, le fossé se creuse à partir de 1840. L'esclavage, stigmatisé par le Nord, est vital pour les sudistes. D'abord évité par des compromis, l'affrontement a lieu après 1850, le mouvement abolitionniste s'étant trouvé renforcé par la publication du roman *la Case de l'oncle Tom*, par la création du parti républicain (1854) et par l'élection de son chef, Abraham Lincoln, à la présidence des États-Unis. Onze États du Sud font sécession et s'organisent en confédération le 8 février 1861.

La guerre civile commence le 12 avril 1861 (bombardement de Fort Sumter). Jusqu'en 1862, les sudistes ont l'avantage grâce à l'excellence de leur commandement (Lee, Jackson), mais les nordistes l'emportent à partir de 1863, du fait de leur supériorité numérique et de leur incontestable prépondérance industrielle. Le général Grant isole les trois États de l'Ouest, puis lance une offensive en Géorgie, qui coupe en deux le territoire confédéré. Vaincus à Gettysburg (3 juill. 1863), au nord-est, et menacés au sud, les confédérés capitulent à Appomattox et à Durham les 9 et 26 avril 1865. Le problème noir n'est pourtant réglé qu'en apparence.

Les Indiens de la découverte au XIXe s.

Avant la colonisation, la population d'Amérique du Nord se réduit à un million d'Indiens. La faiblesse numérique des Blancs et la rivalité franco-anglaise permettent aux Indiens de résister longtemps. Avec la conquête de l'Ouest par les États-Unis devenus indépendants débutent les guerres indiennes. Après 1848, ces conflits, attisés par la ruée vers l'or, la poussée pionnière et la construction de voies ferrées, dégénèrent en vrai génocide. La paix revenue, une légère poussée démographique s'amorce : 1 420 000 en 1980 ; 1 479 000 en 1990.

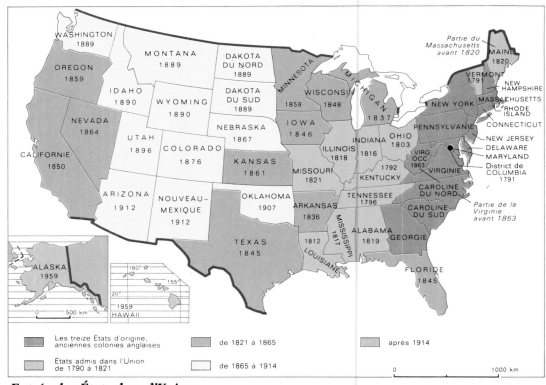

Les treize États d'origine, anciennes colonies anglaises

États admis dans l'Union de 1790 à 1821

de 1821 à 1865

de 1865 à 1914

après 1914

Entrée des États dans l'Union

Malgré les acquisitions territoriales réalisées en 1783, la poussée américaine vers l'ouest reste bloquée par les colonies européennes. Les pressions américaines et l'incapacité des métropoles à maintenir dans leurs colonies une présence efficace permettent d'acheter successivement en 1803 et en 1819 la Lousiane, redevenue française en 1800, et la Floride espagnole. Des accords avec la Grande-Bretagne fixent la frontière avec le Canada (annexion de l'Oregon en 1846). L'admission dans l'Union de la république du Texas en 1845 provoque une guerre avec le Mexique ; vaincu, celui-ci cède les territoires du Sud-Ouest, par le traité de Guadelupe Hidalgo, en 1848. En même temps, la croissance démographique et les déplacements de population provoquent l'érection en États des territoires dont la population dépasse 60 000 habitants, selon le principe édicté en 1787. En 1860, la *frontier* passe encore par le Missouri (mise à part la côte ouest, peuplée depuis la ruée vers l'or californien) ; la construction des transcontinentaux l'abolit dès 1890. L'Union est achevée en 1912 par l'intégration des territoires réservés aux Indiens. Mais, en 1959, elle s'accroît de l'Alaska et des îles Hawaii, qui en deviennent les 49e et 50e États membres. (V. carte p. 289.)

Privée d'apport extérieur depuis 1808, la population noire augmente pourtant en raison de sa fécondité supérieure à celle des Blancs, dont l'immigration vient gonfler le nombre. Elle passe de 8 833 000 personnes en 1900 (11,62 p. 100 de la population totale) à 22 672 000 en 1970 (11,16 p. 100). Encore cantonnés en 1900 à 90 p. 100 dans le Vieux Sud, les Noirs commencent alors leur exode vers les grandes villes du Sud et, surtout, vers le Nord industriel.

La population noire en 1900

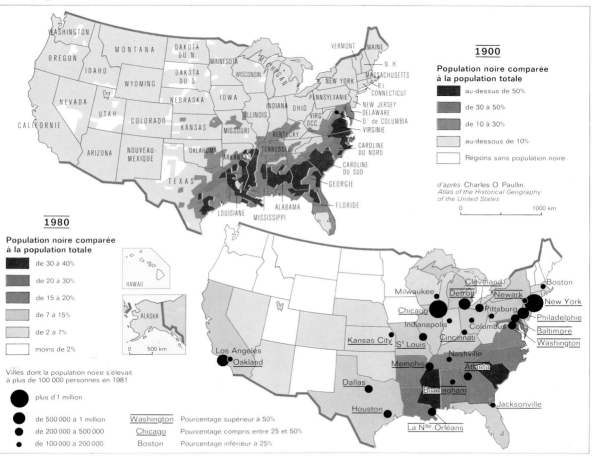

1900

Population noire comparée à la population totale

- au-dessus de 50%
- de 30 à 50%
- de 10 à 30%
- au-dessous de 10%
- Régions sans population noire

*d'après Charles O. Paullin,
Atlas of the Historical Geography
of the United States*

0   1000 km

1980

Population noire comparée à la population totale

- de 30 à 40%
- de 20 à 30%
- de 15 à 20%
- de 7 à 15%
- de 2 à 7%
- moins de 2%

0   500 km

Villes dont la population noire s'élevait à plus de 100 000 personnes en 1981

- ● plus d'1 million
- ● de 500 000 à 1 million
- ● de 200 000 à 500 000
- • de 100 000 à 200 000

Washington   Pourcentage supérieur à 50%
Chicago   Pourcentage compris entre 25 et 50%
Boston   Pourcentage inférieur à 25%

La population noire en 1980

A la crise rurale du XXᵉ siècle et au chômage s'ajoute pour les Noirs le désir de fuir le racisme des « petits-blancs » du Sud. La population noire, longtemps concentrée dans le Vieux Sud, tend à se déplacer vers les métropoles du Nord et de l'Ouest, qui se gonflent d'immenses ghettos. Ce glissement crée de nouveaux problèmes : misère accrue, chômage, délinquance, exaspération du racisme.

L'Océanie

Le Pacifique suscite au XVIIᵉ siècle l'intérêt des Hollandais. Installés en Insulinde, ils multiplient les explorations. Au XVIIIᵉ siècle, les intérêts économiques et scientifiques donnent un nouvel élan aux expéditions. En l'espace de vingt ans, les voyages des explorateurs anglais (Cook) et français (Bougainville, La Pérouse) permettent d'établir la cartographie de l'Océanie et de l'intégrer au monde connu.

La découverte du Pacifique

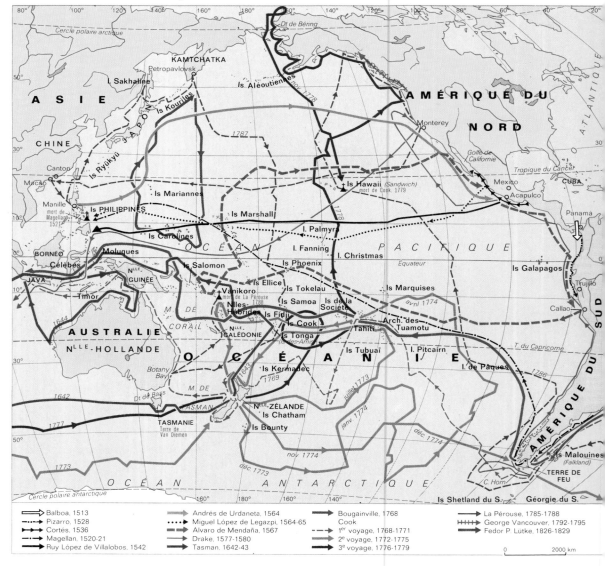

Légende :

→ Balboa, 1513
→ Pizarro, 1528
→ Cortés, 1536
-·-→ Magellan, 1520-21
→ Ruy López de Villalobos, 1542

→ Andrés de Urdaneta, 1564
····→ Miguel López de Legazpi, 1564-65
--→ Alvaro de Mendaña, 1567
→ Drake, 1577-1580
→ Tasman, 1642-43

→ Bougainville, 1768
Cook
--→ 1ᵉʳ voyage, 1768-1771
→ 2ᵉ voyage, 1772-1775
→ 3ᵉ voyage, 1776-1779

→ La Pérouse, 1785-1788
+++→ George Vancouver, 1792-1795
→ Fedor P. Lütke, 1826-1829

0   2000 km

L'Antarctique

Le continent est abordé en 1831 par l'Anglais John Biscoe, qui ouvre l'ère des explorations scientifiques, long-temps limitées aux côtes (Dumont d'Urville, James Clarke Ross, George Nares, Jean Charcot). Commencée à la fin du XIXe siècle, l'exploration terrestre se précise après 1918 : création de la première station perma-nente (1929) et programme inter-national de prospection lorsque l'Anglais E. Fuchs et le Néo-Ze-landais E. Hillary réalisent le premier raid transantarctique (1957-1958).

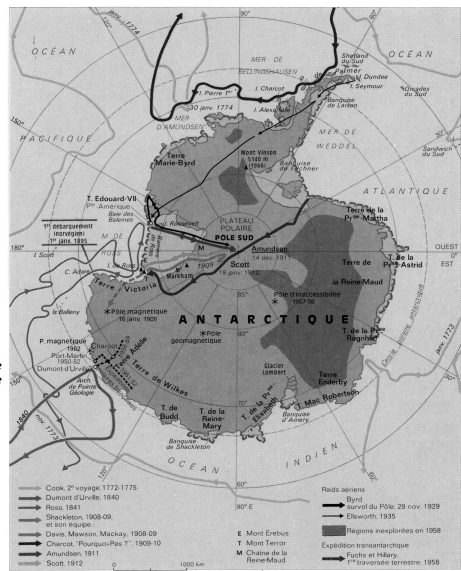

La découverte de l'Antarctique

Le monde actuel

Le monde en 1990

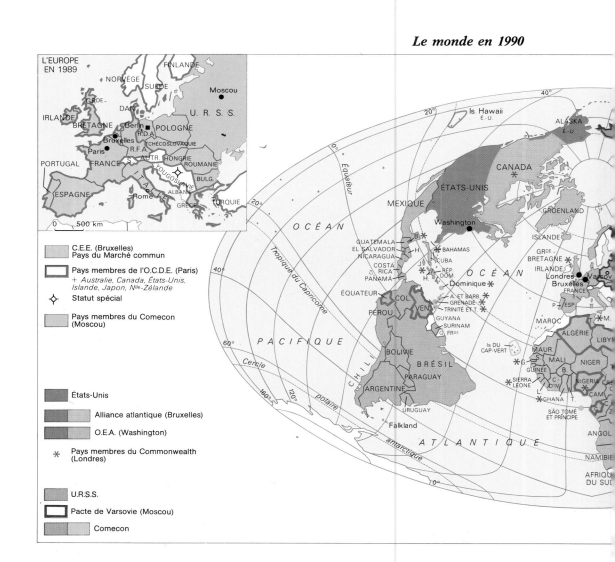

L'EUROPE EN 1989

FINLANDE
NORVÈGE
SUÈDE
Moscou
U. R. S. S.
GR^{DE}-BRETAGNE
DAN.
IRLANDE
Berlin
POLOGNE
Bruxelles
R.D.A.
TCHÉCOSLOVAQUIE
Paris
R.F.A.
PORTUGAL
FRANCE
S.
AUTR.
HONGRIE
ROUMANIE
YOUGOSLAVIE
BULG.
ESPAGNE
Rome
ALBANIE
GRÈCE
TURQUIE

0   500 km

C.E.E. (Bruxelles)
Pays du Marché commun

Pays membres de l'O.C.D.E. (Paris)
+ *Australie, Canada, États-Unis, Islande, Japon, N^{lle}-Zélande*

Statut spécial

Pays membres du Comecon (Moscou)

États-Unis

Alliance atlantique (Bruxelles)

O.E.A. (Washington)

Pays membres du Commonwealth (Londres)

U.R.S.S.

Pacte de Varsovie (Moscou)

Comecon

Is Hawaii
É.-U.
ALASKA
É-U
CANADA
ÉTATS-UNIS
MEXIQUE
GROENLAND
OCÉAN
ISLANDE
Washington
GUATEMALA
EL SALVADOR
NICARAGUA
B.
BAHAMAS
GR^{DE}-BRETAGNE
COSTA RICA
CUBA
IRLANDE
Londres
Varsov
PANAMA
RÉP. DOM.
H.
OCÉAN
Bruxelles
FRANCE
ÉQUATEUR
Dominique
A. ET BARB.
P./ESP.
COL
GRENADE
VEN.
TRINITÉ ET T.
MAROC
PÉROU
GUYANA
SURINAM
ALGÉRIE
LIBY
G. FR^{SE}
Is DU CAP-VERT
MAUR.
PACIFIQUE
BOLIVIE
BRÉSIL
G.
MALI
NIGER
Cercle
PARAGUAY
GUINÉE
B.
SIERRA LÉONE
C. D'IV.
NIGERIA
CAM
ARGENTINE
GHANA
T.
URUGUAY
SÃO TOMÉ ET PRÍNCIPE
ANGOL
Falkland
polaire
antarctique
ATLANTIQUE
NAMIBIE
AFRIQU DU SUD

Équateur
Tropique du Capricorne

296

À la fin de la Seconde Guerre mondiale, les Alliés, avec l'O.N.U. (juin 1945), ont mis en place un système de maintien de la paix. En fait, dès 1947, seul l'équilibre de la terreur empêchera la guerre froide de dégénérer en conflit armé, surtout à cause de la dimension planétaire donnée par la révolution chinoise au conflit idéologique opposant États socialistes et États capitalistes. Cette structure bipolaire finira par se disloquer en 1989, à la chute du mur de Berlin, pendant que les démocraties populaires d'Europe orientale se transforment progressivement en démocraties parlementaires. Amputés de la R.D.A. unie à la R.F.A., en 1990, le Comecon et le pacte de Varsovie, qui les unissaient économiquement et militairement à l'U.R.S.S., ne sont plus que des organisations moribondes, alors que leurs homologues occidentales (O.C.D.E., O.T.A.N., U.E.O.) se dilatent jusqu'à l'Oder sans rompre leurs liens avec les États-Unis. Vainqueurs de la guerre froide, ceux-ci, en accord avec l'U.R.S.S., contribuent à la naissance, à Paris, d'une nouvelle Europe fondée sur la paix et sur la coopération (19-21 novembre 1990). Toutefois, d'anciens clivages se renforcent. L'un oppose les pays riches aux pays en voie de développement, qui, depuis la conférence de Bandung (1955), cherchent à constituer un front commun. L'autre oppose, depuis 1973, les principaux pays exportateurs de pétrole, regroupés au sein de l'O.P.E.P., aux pays consommateurs occidentaux. Par ailleurs, dans le monde capitaliste, la rivalité technologique, commerciale et financière s'exacerbe entre les États-Unis, la C.E.E. et le Japon.

À l'Est, l'U.R.S.S. vacille, menacée d'implosion par le mélange détonant de la misère et des nationalismes trop longtemps comprimés par la force. Enfin, au Proche-Orient, la quête d'un débouché maritime par l'Iraq brise l'unité du monde islamique (1980) et rompt celle de l'O.P.E.P. par l'annexion du Koweït (2 août 1990). D'accord pour en exiger l'évacuation, les États-Unis et l'U.R.S.S. affirment leur solidarité contre un « nouveau Dantzig » aux conséquences peut-être plus redoutables que celles d'une « guerre du Golfe ».

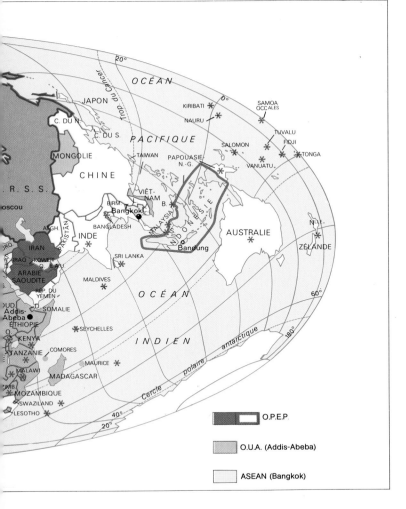

O.P.E.P.

O.U.A. (Addis-Abeba)

ASEAN (Bangkok)

Index

Cet index répertorie par ordre alphabétique les principaux noms de lieux, de personnes et les sujets figurant dans les cartes de cet ouvrage.

A

Gand, 157
Gāndhāra, 12, 243
Gansu = Kan-Sou, 219, 221
Ganzhou = Kan-tcheou, 218, 220
Gao, 252
Garde-Freinet (La), 198
Garibaldi, 136, 155
Garigliano (bat. du, 1503), 152
Gascogne (d^ché de), 114
Gastein (conv. de), 104, 105
Gaule, 24, 28-31, 37
Gaule Carolingienne, 40
Gaule Cisalpine, 26
Gaulle (général de), 137
Gaza, 7, 18, 212, 215
Gdańsk (Dantzig), 63, 74, 92, 93, 106, 162, 163, 165, 168
Gédrosie, 18
Geisberg (bat. du), 76, 127
Généralité (pays de la), 158
Gênes, 52, 54, 60, 61, 150
Gênes (rép. de), 60, 150-151
Genève, 68, 69, 180
Gengis khân, 224
Géorgie, 175, 176
Géorgie [Amér.], 289, 290, 293
Gépides, 36, 38, 216
Gergovie (bat. de), 30
Germains, 138
Germanie, 32
Germanie (roy. de), 46, 47, 98, 99
Germanique (conféd.), 104
Germano-soviétique (pacte), 93
Germiyan, 208
Gettysburg (bat. de), 290
Ghāna (roy du), 252
Ghana (État du), 257
Ghor (Rhūr), 200
Gibelins, 99
Gibraltar, 111, 196
Gifu, 240
Girsou (Tello) [site archéol.], 4
Gisors (t^té de), 116
Gizeh (site archéol.), 6
Gniezno, 46, 162
Goa, 86, 244, 247
Gôlan, 215
Golconde, 245
Gold Coast, 257
Gong Xian, 221
Gontran (roy. de), 37
Gordion (site archéol.), 5
Gortyne, 15
Gorze (abb.), 98
Göteborg, 72
Gothique (art), 51
Gotland (î.), 41, 63, 178, 179
Goulet (Le) [t^té], 116
Gourma, 269
Grado, 146
Gran (Esztergom), 46, 98, 162
Grande-Bretagne, 74, 138-145
Grande-Grèce, 16
Grande Peur, 76
Grandson (bat. de), 121, 180
Grand Zâb (bat. du), 196
Granique (Le) [bat.], 12, 18
Grèce, 84, 85, 91, 189, 209
Grèce ancienne, 14-21
Gréco-bactrien (Et.), 18
Grenade, 264, 265
Groningue, 157
Grunwald (Tannenberg) [bat. de], 60, 163
Guadalcanal (î.) [opérations japonaises], 95
Guadalete (bat. du), 108
Guangxi = Kouang-Si, 232

Guangzhou, v. Canton
Guatemala, 284
Gueldre, 121, 157
Guelfes, 99
Guérande, 118
Guernica, 112
Guerre mondiale (Première), 89-91, 210
Guerre mondiale (Seconde), 94-96
Gujerat, 247
Guillaume III d'Orange-Nassau, 143
Guinée, 257
Guinée-Bissau, 257
Guinée espagnole, 257
Guinée portugaise, 257
Guitarrero, 273
Guizhou = Kouei-Tcheou, 229
Gujerat, 244
Gund-e-Châhpohr, 194
Guomindang = Kouo-min-tang, 228
Gupta, 216
Gūr (Firuzābād), 194
Gurah (site archéol.), 248
Gustave II Adolphe, 179
Guyanes, 282, 285
Guyenne, 116-119

H

Habsbourg v. Allemagne, Autriche, Espagne, Pays-Bas
Ḥachīchiyyīn (secte des Assassins), 57, 200, 266
Hadrumète, 262
Haïfa (Caiffa), 212
Hainan, 230, 231
Haiphong, 236
Haïti, 284, 285
Halicarnasse, 18
Halland, 179
Hallstatt (site archéol.), 22
Hamadhān (Ecbatane), 196
Hambourg, 63
Hami, 222
Ḥammādides, 259
Han, 219, 220
Handan = Han-tan, 219
Hang-tcheou v. Hangzhou
Hangzhou = Hang-tcheou, 223
Hannibal, 21
Hannon, 10
Hanoi, 233-235, 236
Hanovre (roy. de), 104
Hanse teutonique (la), 62
Han-tan v. Handan
Haoussas (Ét.), 253, 254, 268
Harappâ (site archéol.), 242
Harât, 196, 198, 206
Harât (s^ge de), 204, 205
Härjedalen, 179
Hārūn al-Rachīd, 198
Hastings (bat. d'), 139
Hatti, 5
Ḥaṭṭīn (bat. d'), 47, 56, 57, 265
Hattousa (Hattousa) [Boğazköy], 5
Haute-Volta, 257
Hawaii (îles), 292, 294
Haye (La) [t^té de], 159
Hazâra, 205
Hebei (Ho-Pei), 241
Hébreux, 8
Hébron, 212

Hedeby (Haithabu), 41
Hégémons, 219
Hégire (l'), 196
Heian-kyô (Kyōto), 239
Heijô-kyô (Nara), 239
Helgoland (île), 82
Helvètes, 28-30
Helvétique (rép.), 77
Héméroscopion, 14
Henri IV, 123
Henri II Plantagenêt (possessions d'), 141
Henri VII Tudor, 142
Herculanum, 23
Héricourt (bat. d'), 121
Hérules, 36
Hesse, 83, 100
Heunebourg, 22
Hibernie, 32
Hilâliens, 259, 263
Hillary et Fuchs (exp.), 295
Himère, 16
Hiong-nou, v. Xiongnu
Hippone, 35, 258, 262, 263
Hippo Regius (Annaba), 262
Ḥīra, 39
Hiroshima, 96
Hitler, 93
Hitlérienne (expansion), 93
Hittites, 5
Hoanh Son, 234
Hô Chi Minh (piste), 237
Hohenstaufen, 99
Hôi An, 234
Hōjō, 240
Hokkaidô, 239
Hollande, 80, 127, 157
Holstein (d^ché de), 104, 105
Hondschoote (bat. de), 76, 127
Honduras, 284
Honeïn, 264
Hongkong, 241
Hongrie, 83, 84, 92, 93, 182-188, 208, 209
Hongrois, 113, 184-185
Honhsū (île), 239
Ho-Pei v. Hebei
Hopewell, 272
Horde d'Or, 61, 170
Horodlo, 163
Hottentots, 253, 254
Hougue (La) [bat. navale], 143
Hubertsbourg (t^té), 103
Hudson (c^ie de la baie d'), 282, 286
Huê (Phu Xuân), 234
Hugues Capet, 114
Humanisme (centres d', en Europe au XVe s.), 68
Hunan = Hou-nan, 229
Huns, 36, 194, 216

I

Iakoutie, 176
Iapyges, 24
Ibères, 10
Ibiza (île), 110
Ibn Tâchfîn, 259
Ibo, 269
Iconium (Konya), 58
Iconium (sultanat d'), 58
Idrîsides, 258
Iermak = Yermak, 170

Iéna (bat. d'), 78
Ife, 252
Ifrīqiya, 196, 263
Ikkô, 240
Ile-de-France, 115
Ilerda (Lérida), 26
Ilkhāns (Emp. des), 60, 225
Illiberis (Elvira), 35
Illyricum, 38
Illyrie, 32
Illyriennes (provinces), 80
Imbros (île), 15
Incas, 276, 277
Inde, 242-247
Indes néerlandaises, 88, 96
Indes occidentales, 66
Indépendance (guerre de l', aux É.-U.), 290
Indienne (Union), 247
Indiens (aux É.-U.), 291
Indochine, 233-237
Indochine (guerre d') [1946-1954], 236
Indochine française, 95, 230, 235, 236
Indonésie, 250
Indus (civilisation de l'), 242
Industrielle (rév. en G.-B.), 144
Ingrie, 179
Invasions barbares, 36, 113, 138, 139, 216
Iona (monast.), 138
Ionie, 14
Ioniennes (îles), 82, 189
Ipsos (bat. d'), 18
Iran, 194, 203, 204
Iraq, 92, 203, 209, 210
Irlande, 139, 140, 142, 143
Iroquois, 291
Islâm, 108-110, 196-201, 203-207, 250, 258, 263-265
Islâm (arts de l'), 206
Islāmābād, 247
Islande, 41, 97, 278
Isly (L') [bat. de], 260
Ispahan, 206
Israël, 213, 214, 215
Israélo-arabes (guerres), 214, 215
Issachar, 8
Issos, 12, 18
Istanbul (Constantinople), 206, 209
Istrie, 182, 183, 186, 187
Istros, 10
Italie, 24, 25, 76, 93, 98, 99, 146-155
Italie (campagne d') [1796-1797], 76
Italie (guerres d') [1494-1525], 152
Italie (pacte d'Acier), 93
Italie (poss. des Hohenstaufen), 99
Italie (roy. d') [au Moyen Âge], 98, 99, 146
Italie (roy. d') [Ier Empire], 81
Italienne (unité), 155
Itil, 41
Ivan IV le Terrible, 170
Ivry (bat. d'), 123

J

Jaffa, 57
Jagellons (États de la maison des), 163

303

Table des matières

311

les pays d'Europe

L'ordre des cartes se réfère aux classifications politiques contemporaines de l'Europe. Elles sont donc regroupées par États, rangés dans l'ordre alphabétique. Toutefois, les cartes concernant les pays de l'Europe centrale et des Balkans sont rassemblées en fin de chapitre.

L'Asie

L'Afrique

L'Amérique

L'Océanie

L'Antarctique

Le monde actuel

Photocomposition Maury S.A. – Malesherbes.

Imprimerie New Interlitho.
Dépôt légal : septembre 1987. – N° de série Éditeur : 16334.
Imprimé en Italie. *(Printed in Italy)*. – 503014-D-Novembre 1991.